TÚNELES 6
TERMINAL

Roderick Gordon

Túneles 6
TERMINAL

Traducción de Martín Rodríguez-Courel Ginzo

Argentina – Chile – Colombia – España
Estados Unidos – México – Perú – Uruguay – Venezuela

· Nube de tags ·

Juvenil **Fantasía**

Título original: *Terminal*
Editor original: Chicken House
Traducción: Martín Rodríguez-Courel Ginzo

1.ª edición Marzo 2014

Original English language edition first published in 2013
under the title *Terminal* by The Chicken House,
2 Palmer Street, Frome, Somerset, BA11 1DS
United Kingdom

ISBN: 978-84-96886-31-5
E-ISBN: 978-84-9944-685-1
Depósito Legal: B-2387-2014

Fotocomposición: Montserrat Gómez Lao
Impreso por Rodesa S.A. – Polígono Industrial San Miguel
Parcelas E7-E8 – 31132 Villatuerta (Navarra)

Impreso en España – *Printed in Spain*

Nota del editor inglés

Me parece increíble que ésta sea la última entrega de la serie de Túneles. Llevo tanto tiempo esperando a averiguar por qué, cuándo y… ¡ah, no, eso sí que no!

Los secretos que aquí se revelan son profundos, sustanciosos y a la altura de las expectativas; hay tristeza, y también alegría y emoción.

Roderick Gordon ha llevado la original visión de Túneles a un fin alucinante y terrorífico. Y lo único que queda por averiguar es: ¿cómo empezó todo? ¡Respuestas, por favor!

Barry Cunningham, editor
The Chicken House

Ésta no es mi verdadera patria, he vivido desterrado
de mi verdadero país, y ahora vuelvo allí.
Regreso a la esfera celestial a la que cada uno va
cuando le llega el turno.

Salut au Monde!
Walt Whitman (1819-1892)

La verdad es que sólo hay una dignidad última: el amor.
Y la historia de un amor no es importante; lo importante
es el que es capaz de amar. Puede que ése sea el único
atisbo de la eternidad que se nos permite.

Helen Hayes, actriz (1900-1993)

Anteriormente, en *Espiral*...

Will y Drake se enteran por Eddie, el antiguo Limitador, que la raza de los styx está entrando en la Fase, una etapa de su ciclo vital que sólo se ha producido dos o tres veces a lo largo de los milenios. Una nueva Fase significaría la rápida producción de un ejército de Limitadores de la Clase Guerrera styx, con devastadoras consecuencias para el país por los estragos que causaría entre la población de la Superficie.

El padre de Drake, Parry, monta una operación militar para destruir un almacén donde está teniendo lugar la Fase. Al concluir, todos creen que las mujeres styx al completo han sido liquidadas y la Fase abortada, hasta que un vídeo de seguridad guardado en un disco duro revela que dos de ellas han conseguido burlar el cerco. Una de esas mujeres, Hermione, se esconde en la Superficie, mientras que la otra, Vane, se encamina al mundo interior. Cada una de ellas pretende volver a iniciar la Fase, aunque nada les garantiza que logren tener éxito.

Ésa es la buena noticia.

La mala es que la mitología styx habla de un posible segundo ciclo reproductivo, en la práctica un respaldo en el supuesto de que la Fase no se pueda llevar adelante. Esto tendría unas implicaciones aún peores para la raza humana, ya que engendraría a los bastante más mortíferos Armagi, unas bestias asesinas capaces de adaptarse rápidamente a los diferentes entornos y de regenerarse después de ser heridas.

Mientras Will y el equipo se reagrupan para planear su siguiente movimiento, Danforth ha elaborado su propio plan para desertar y pasarse a los styx. Pero cuando hace su jugada, provoca la muerte de los padres de Chester y sepulta a todos en el Complejo, la fortaleza estatal horadada en las profundidades de una montaña escocesa.

Después de que el equipo consiga finalmente escapar del Complejo, Parry y Eddie permanecen en la Superficie con los miembros de la Vieja Guardia, con la misión de seguirle el rastro a Hermione y matarla. Previendo que su hermana, Vane, vaya a intentar utilizar a la población de Nueva Germania como huéspedes en la nueva Fase, Drake, con Will, Elliott, Sweeney y el coronel Bismarck, encabeza una misión al mundo interior. Su cometido consistirá en sellar el pasadizo de los Antiguos y el Poro, las dos únicas vías de entrada o salida al mundo interior, con unas explosiones nucleares.

Sin embargo, antes de que los artefactos puedan ser detonados, Drake y su equipo se ven sorprendidos en el Poro por Vane, Rebecca Uno y un escuadrón de Limitadores.

El coronel Bismarck muere por los disparos de los Limitadores, y en la contienda subsiguiente, la ayuda les llega de una dirección inesperada. Para total sorpresa de Drake y los demás, Jiggs los ha estado siguiendo hasta el mundo interior, y ahora entra en acción. Tras rebanarle el cuello a un Limitador, deja a un segundo fuera de combate arrastrándole con él al interior del Poro. Drake se ve obligado a hacer lo propio con la gemela styx, pese a lo cual es capaz de detonar a distancia la bomba nuclear mientras cae hacia el cinturón de gravedad cero.

Sweeney pierde la vida por hallarse demasiado cerca de las radiaciones electromagnéticas de la explosión nuclear, que le achicharran los circuitos implantados en la cabeza. Cuando cae al suelo, aplasta una probeta que lleva en el bolsillo y libera sin querer un virus mortal procedente de la Ciudad Eterna, el cual no sólo extermina a todos los humanos y styx presentes en el mundo interior, sino prácticamente a todas las demás especies. Will y Elliott sobreviven al virus porque han sido vacunados contra el germen patógeno, pero ahora quedan atrapados en el «Jardín del Segundo Sol» del doctor Burrows, sin que aparentemente cuenten con recursos para regresar a la corteza exterior.

En la Superficie, en una aislada casa de campo de la costa de Pembrokeshire, el Viejo Wilkie y su nieta Stephanie atienden a Chester mientras éste intenta superar la muerte de sus padres.

Aunque en el mundo interior la Fase ha sido abortada, los esfuerzos de Hermione en la Superficie han dado sus frutos, y los mortíferos Armagi han sido engendrados.

Esta última entrega de la serie Túneles retoma la historia momentos antes de que tenga lugar la explosión nuclear en el Poro, mientras Jiggs lucha por su vida...

Prólogo

El combate finalizaría con uno de los dos muerto.

Manos sujetando muñecas, brazos tensos como estachas metálicas, músculos temblorosos a causa del supremo esfuerzo.

Ambos con los músculos crispados, contrarrestándose, el hombre y el styx se probaban mutuamente una y otra vez, mientras las hojas de sus armas reflejaban el lejano sol en lo alto, que se iba empequeñeciendo a medida que seguía cayendo.

Los labios del Limitador estaban retraídos y los dientes quedaban al descubierto mientras maldecía en su lengua styx, pero Jiggs guardaba un silencio absoluto.

Se habían trabado en un combate mortal desde el instante en que Jiggs había arrastrado al Limitador al interior de la sima. El styx había perdido enseguida su largo fusil, cuando Jiggs se lo había quitado de la mano de una patada, pero en un abrir y cerrar de ojos había sacado su hoz, y en una lucha cuerpo a cuerpo un arma blanca siempre resulta más peligrosa.

Sin el elemento sorpresa que le ayudara, Jiggs había sabido que despachar al segundo Limitador no iba a ser labor fácil. El primero había sido pillado completamente desprevenido con el certero golpe de un cuchillo de combate que le seccionó la yugular. El Limitador había muerto con la extrañeza dibujada en el rostro, preguntándose todavía cómo era posible que aquel hombre menudo y con barba hubiera surgido de la nada.

Y ahora Jiggs se estaba enfrentando al segundo soldado styx mientras ejecutaban la macabra exhibición acrobática. El propósito mortífero de ambos los unía como unos grilletes, porque ninguno soltaría la mano del cuchillo del otro, ya que eso significaría una muerte instantánea. Así que el combate continuaba, conscientes ambos adversarios de que no habría intervención alguna de un camarada ni ayuda de la topografía, porque sólo estaban ellos y la fuerza del aire.

Físicamente andaban muy parejos: los dos poseían la fuerza tendinosa y los músculos entonados que les habían deparado los años de servicio, los de Jiggs en las junglas del mundo donde había sido enviado para realizar misiones de reconocimiento en solitario, y los del Limitador en los larguísimos viajes por las Profundidades.

Pero, poco a poco, el Limitador estaba empezando a imponerse. Parecía tener reservas de energía que sobrepasaban las de cualquier humano. Mientras luchaban cuerpo a cuerpo dibujando lentas espirales en el aire, el styx había conseguido apresar las piernas de Jiggs con las suyas en un movimiento de tijera. Y ahora que Jiggs estaba atrapado en esa llave implacable, el Limitador apretaba con todas sus fuerzas, presionando la espalda de su contrincante. Jiggs empezaba a sentir la tensión en su columna vertebral; no sabía cuánto tiempo más podría aguantar.

Y la despiadada hoz curvilínea se estaba acercando paulatinamente a su cuello.

El sol estaba cada vez más lejos y las sombras empezaban a cerrarse cuando Jiggs alcanzó a ver una ráfaga de color con el rabillo del ojo. Dado que el agujero tenía forma cónica, las posibilidades de golpearse con los laterales aumentaban con la caída, y eso era exactamente lo que había visto: había vislumbrado la pendiente de cuarenta y cinco grados recubierta de un residuo marrón oscuro que algunos meses antes el doctor Burrows había identificado como cierta clase de asfalto natural.

Jiggs sabía que chocar con el lateral podía ser su salvación; tal como estaban las cosas, estaba perdiendo, y tenía que conseguir darse un respiro. Y pronto.

Entonces se estrellaron contra la pendiente y empezaron a rodar uno encima del otro, tropezando caóticamente en el descenso y no tardando en acabar cubiertos del pegajoso asfalto. Debido a la acusada reducción de la gravedad en aquella profundidad de la sima, más que caer por la pendiente rebotaban contra ella, de una manera muy parecida al movimiento de un guijarro arrastrado por el lecho de un río.

«¡Sí!», pensó Jiggs, cuando el Limitador dejó de aprisionarle las piernas.

Entraron entonces en un tramo de la pendiente cubierto de árboles atrofiados, y las ramas les azotaron las caras cuando las atravesaron dando volteretas, y en el esfuerzo de ambos por contenerse mutuamente, la pelea se iba haciendo aún más confusa.

Cayeron rodando por una pequeña escarpa, y se encontraron de nuevo flotando.

La defensa de Jiggs parecía flaquear, como si sus brazos se estuvieran rindiendo. El Limitador aprovechó la ocasión. Girando el tronco, dirigió su hoz hacia el cuello de Jiggs en un impresionante esfuerzo.

Y aunque Jiggs consiguió desviar el arma, la punta de la hoz le alcanzó longitudinalmente en el esternón. Cuando le desgarró la tela de su cazadora de combate, tuvo suerte de que la correa de su Bergen impidiera que la hoja causara demasiado daño en la carne.

Pero el Limitador había infligido la primera herida.

Creyendo que el combate se había tornado a su favor, de inmediato decidió lanzar un segundo ataque al cuello de su oponente.

Exactamente lo que Jiggs había estado esperando.

Había permitido que el Limitador obtuviera su pequeña victoria porque había visto lo que se estaba acercando rápidamente.

Y como había sido intención de Jiggs, el Limitador se había distraído tanto que no se había percatado del descomunal afloramiento rocoso contra el que estaban a punto de estrellarse, mientras gravitaban de nuevo hacia el lateral.

En el último instante, Jiggs arqueó el cuerpo para controlar el vuelo de ambos. Entonces chocaron con la roca.

Con un sonoro crujido, el cráneo del Limitador recibió el impacto de lleno, y su cuerpo se desmadejó; con unos pocos segundos tal vez se hubiera recobrado, pero Jiggs no estaba por la labor de permitir que ocurriera tal cosa.

Hundió con fuerza su cuchillo de combate en el pecho del styx, justo por debajo de la clavícula.

Cuando se despegó del Limitador exánime, no tuvo tiempo de regodearse en su victoria. Sólo tenía una idea en la cabeza; sabía que ya estaba bastante por debajo del artefacto nuclear que Drake y Sweeney habían fijado en el lateral de la sima y preparado para su detonación a distancia. Y sabía que tenía que poner toda la distancia que pudiera entre él y el artefacto.

Antes de que explotara.

Jiggs no se sentía culpable por salvar el pellejo. No podía hacer nada por Will y los demás que se habían quedado atrás, en la parte superior del Poro; ya estaba demasiado lejos para ayudarlos.

Tras sacar el cohete propulsor del bolsillo lateral de su Bergen, hizo girar la válvula para obtener el máximo impulso y, apuntándolo por detrás de él, lo puso en marcha. Una llama azul brotó del extremo de la unidad de propulsión, y Jiggs salió disparado como un cohete de feria.

A la velocidad de vértigo que viajaba, salió de la sima en cuestión de segundos y entró disparado en la enorme caverna que había más allá, tan interminable como el cielo nocturno. Aunque todavía estaban a muchos cientos de kilómetros, su trayectoria le estaba llevando directamente hacia las masas suspendidas de agua tras las cuales titilaban las luces etéreas. Jiggs ya había presenciado esa iluminación en su primera etapa del viaje al mundo interior. Y sabía que estaba generada por la triboluminiscencia que se producía en el Cinturón de Cristal, donde unas masas de cristal del tamaño de una montaña se trituraban mutuamente como en una especie de máquina de movimiento perpetuo. Y eso también era el origen del estruendo que le llenaba los oídos. Pero en ese preciso momento, a Jiggs le traía sin cuidado hacia dónde se estaba dirigiendo; simplemente tenía que conseguir alejarse del radio de la explosión.

Con el propulsor todavía a plena potencia, se preparó para la explosión contando los segundos. Siguió contando hasta completar un minuto, y luego dos, y tres. En ese punto dejó de contar, preguntándose si Drake y la gemela Rebecca seguirían todavía frente a frente en una especie de punto muerto, o incluso si habrían acordado una tregua, por improbable que se antojara una cosa así. Quizá finalmente ni siquiera hubiera explosión.

Y entonces el artefacto atómico explotó.

Cuando el estruendo le sacudió todos los huesos del cuerpo, se preparó para recibir la primera onda de la bomba de un kilotón, un chorro de luz y calor abrasador. No era tan tonto como para mirarlo, y se aseguró de bajar bien la cabeza y de protegerse los ojos con el brazo. El calor que sintió en la espalda fue tan intenso que realmente creyó que la ropa y la Bergen se le podrían incendiar.

No tuvo más tiempo para seguir preocupándose de eso cuando la onda expansiva le alcanzó. El muro de aire comprimido le pareció como si la mano de un gigante le hubiera arreado un bofetón, que lo lanzó hacia delante con tal ímpetu que apenas pudo tomar aire. Aquello le recordó la primera vez que había montado en una montaña rusa siendo niño; la sensación de caer a una velocidad de vértigo era idéntica, aunque este viaje parecía no tener fin.

Tras atreverse a apartar el brazo de la cara mientras avanzaba a toda velocidad, alcanzó a vislumbrar brevemente los torrentes de luz de la explosión rebotando y reflejándose en las remotas esquinas de la enorme cámara que se abría ante él. Cuando toda la zona se iluminó, su inmensidad e infinitud le hicieron sentir vértigo. Las masas de agua relucientes y las colosales esferas de cristal quedaron a la vista en todo su esplendor, quizá como jamás se hubieran visto en este lugar secreto en las profundidades del planeta.

Y lo que se le antojó totalmente ilógico, durante el instante en el que el velo de oscuridad se levantó, fue que podría haber jurado que la hilera de esferas de cristal era notablemente regular, como si no fuera simplemente un producto de la naturaleza. Y había también algo curioso en el tramo de muro de la caverna que había vislumbrado a través de la neblina en el extremo más remoto: parecía estar señalado por unas cuadrículas de líneas o partes en relieve de alguna representación.

«Serénate», gruñó para sus adentros. Debía haber una explicación racional; los dibujos que había visto tenían que deberse a las corrientes de aire sobrecalentado. O a eso, o a que la onda expansiva de la explosión le había alterado momentáneamente la vista.

Y es que había sido una traca endemoniada. Echó un vistazo por encima del hombro y enseguida localizó el mate resplandor rojizo que señalaba el lugar de la explosión nuclear. Donde anteriormente había estado la sima, la roca se había fundido, formando un inmenso tapón de silicato y sellando completamente la entrada al mundo interior, como Drake había predicho que sucedería.

«¡Carajo!», gritó Jiggs, encogiéndose de miedo cuando una masa pétrea al rojo vivo pasó como una centella por su lado a menos de tres metros. Cuando le siguieron más de esos misiles, se dio cuenta de que eran una consecuencia de la explosión, como una ducha de meteoritos en miniatura. Pero el aluvión principal acabó casi tan deprisa como había empezado, y él ya estaba lo bastante lejos para que no supusiera un peligro importante.

Aunque en ese lugar no existía ni «arriba» ni «abajo», no necesitó que su excelente y afinado sentido de la orientación le indicara que la explosión le había lanzado en la dirección totalmente equivocada. Calculó su posición en relación con el Cinturón de Cristal. Si quería tener alguna esperanza de volver a controlar su camino de vuelta a la superficie exterior, tenía que encontrar la boca de la segunda sima, la llamada Jean la Fumadora, que era la que habían utilizado en su viaje al mundo interior. Trató de utilizar el cohete propulsor para ajustar su trayectoria de vuelo, pero era tal la velocidad que llevaba que ni siquiera varios minutos con el dispositivo de propulsión a todo gas sirvieron de gran cosa.

Pero no le quedaba más remedio que perseverar si quería volver a casa alguna vez, así que siguió utilizando el propulsor sin dejar ni un instante de comparar su posición con el todavía reluciente lugar de la explosión.

Fue entonces cuando reparó en algo curioso. A lo lejos apareció un rayo de luz verde, que enseguida se desvaneció. Jiggs se estaba preguntando si no le estaría fallando la vista de nuevo cuando, al cabo de unos segundos, un segundo rayo siguió al primero, aunque en esta ocasión era de color amarillo.

—¿Bengalas? —se preguntó en voz alta.

Del equipo, sólo él, Sweeney y Drake habían llevado consigo bengalas de esos colores concretos. La bengala verde era la señal para comunicar un encuentro de emergencia, mientras que el amarillo significaba que el lanzador necesitaba ayuda; en efecto, era una bengala de petición de socorro. Lo que carecía de lógica por completo era lanzar las dos al mismo tiempo.

Jiggs frunció el ceño, mientras consideraba brevemente la posibilidad de que algo que llevara encima el cadáver a la deriva del Limitador al que había liquidado se hubiera incendiado por la explosión. Pero era sumamente improbable que hubiera sido de esos colores exactos. No. Decidió apresuradamente que aquello tenía que provenir de Drake o de Sweeney, o de uno de los otros. Pero ¿de quién?

Y sabía que las bengalas debían de haberse apagado a causa del intenso calor, así que no tenía sentido enviar una señal de respuesta. Quienquiera que fuera tenía que estar en apuros.

No se pensó dos veces lo que tenía que hacer.

—Nunca abandonamos a nadie —dijo, adoptando ya una nueva trayectoria para atajar hacia donde el miembro de su equipo (o quizá miembros) estaba atrapado. Había suficiente combustible propulsor en los tanques del cohete para el cambio de rumbo, así que eso no era un problema. Su principal preocupación era que perdería a su vertiginoso objetivo, cuya trayectoria de vuelo lo llevaría finalmente hasta el interior de las enormes masas suspendidas de agua o incluso más allá, dentro del Cinturón de Cristal. Pero en el interminable lienzo negro de aquel espacio enorme, interrumpido sólo por la tenue luz parpadeante, sería lo mismo que buscar una aguja en un pajar a medianoche.

Sacó su monocular de visión nocturna IL (intensificador de luz), se lo colocó en la cabeza y lo ajustó a los niveles de luz reinantes. Aunque Drake había hecho todo lo que estaba en su mano para hacer que adoptara una de sus lentes patentadas, Jiggs se había mantenido resueltamente fiel a su mira de visión nocturna de fabricación soviética. Aunque su electrónica quizá resultara primitiva en comparación con el diseño de Drake, el dispositivo le había prestado ayuda durante dos décadas de servicio activo, y él sabía cómo repararlo sobre el terreno si se estropeaba.

Pero ahora, todo lo que Jiggs veía a través de su monocular eran lentos fragmentos de roca que habían sido arrojados por la explosión. En ese momento divisó por fin algo que le pareció más prometedor, y durante unos segundos continuó siguiéndole la pista a través del visor. Estaba más lejos de lo que había esperado, pero no obstante inclinó el cohete acelerador para poder dirigirse hacia aquello, rezando para que no fuera otro fragmento de roca itinerante.

Al final, se desvió para tomar una trayectoria paralela, y recorrió la distancia con el cohete emitiendo pitidos. Cuando distinguió algo más a través del monocular, la esperanza le inundó al ver lo que le pareció alguien del equipo por la Bergen y el cohete impulsor que arrastraba por detrás en el extremo de un acollador. Con un último acelerón, se acercó lo suficiente para sujetar la forma a la deriva. Agarró la Bergen, que todavía ardía en algunos lugares, y volvió el cuerpo hacia él.

—¡Dios mío! ¡Eres tú, Drake! —gritó.

Pero Drake no estaba solo; había alguien más con él,

aunque las heridas de esta segunda persona eran de tal gravedad que estaba prácticamente irreconocible.

Para empezar, se concentró en Drake. Partiendo incluso de un examen superficial, Jiggs se dio cuenta de que su estado era muy malo. La explosión le había arrancado por completo algunas partes del uniforme de faena, y tenía chamuscada la carne de debajo. Había perdido parte del pelo, y tenía la cabeza cubierta de ampollas rojas ulceradas, que se extendían desde la coronilla hasta uno de los laterales de su rostro. Jiggs le palpó el cuello en busca de pulso; lo encontró, aunque era muy débil. Debía de haber estado muy cerca de la bomba cuando ésta explotó, lo que explicaba que se hubiera desplazado tan deprisa. Y probablemente también significaba que se hubiera bañado en radiacion.

Luego, Jiggs pasó a la segunda persona, a la que le giró la cabeza para poderle ver las facciones.

Era Rebecca Uno.

A todas luces, Drake había utilizado la misma táctica que Jiggs y la había arrastrado al interior de la sima para dejarla fuera de juego. Luego se habrían enzarzado en una pelea, lo que explicaba que ella estuviera enredada en un rollo de cuerda sujeto al lateral de la Bergen de Drake.

No se tomó la molestia de buscarle el pulso. El cuerpo estaba tan achicharrado que no había ninguna duda de que la gemela Rebecca estaba muerta.

—¡Ah! ¡Una víctima de la moda! —observó Jiggs, cuando parte del abrigo de la gemela se desmenuzó al tocarlo—. Esto es lo que te pasa por ir vestida de negro en las proximidades de una explosión nuclear —añadió sin un asomo de compasión.

Tenía razón; la superficie no reflectante de su abrigo styx negro mate había hecho un trabajo admirable de absorción del calor y la luz. Y, mientras trataba de desenredar el brazo de la mujer de la cuerda, la extremidad se partió como si estuviera hecha de carboncillo. A Jiggs no se le escapaba que, de los dos, ella había salido mucho peor parada que Drake. De hecho, Rebecca debía de haberle servido de ayuda al protegerle gran parte del cuerpo de los efectos de la explosión.

Jiggs registró rápidamente a la gemela en busca de algo útil, pero aparte de unos cuantos objetos contenidos en las bolsas del cinturón, resultaba difícil saber dónde empezaba ella y dónde los restos de su ropa calcinada. El calor lo había fundido todo.

Durante un momento, Jiggs se limitó a contemplar el cuerpo menudo de Rebecca Uno. Para ser tan joven, había sido responsable de demasiado sufrimiento.

—No te mereces ninguna palabra de despedida —dijo con un gruñido, y sin ninguna ceremonia la arrojó a la oscuridad.

Jiggs estaba comprobando de nuevo el pulso de Drake cuando oyó que trataba de decir algo, aunque su voz era apenas un leve murmullo.

—Tranquilo, amigo. Espera un momento —trató de consolarle, viéndose obligado a gritar para hacerse oír por encima del estrépito del Cinturón de Cristal. Se desenganchó el equipo médico del cinturón y extrajo una jeringa flexible con una monodosis de morfina—. Algo para el dolor —le dijo, mientras empujaba con fuerza la aguja contra el muslo del hombre herido.

No fue hasta ese momento que Jiggs sintió la humedad en la cara y levantó la vista rápidamente. Se había acostumbrado tanto a ir rodando a toda velocidad por aquel entorno con poca gravedad, que se había olvidado completamente de que él y Drake seguían moviéndose muy deprisa.

—¡No! —Jiggs sólo tuvo tiempo de gritar cuando ambos chocaron contra un enorme glóbulo de agua. Aunque apenas tuvo ocasión de calibrar su tamaño, el cuerpo medía unos seis metros de diámetro. Al menos, hasta que chocaron con él.

Era tal la velocidad que llevaban que desintegraron el glóbulo en miles de gotitas más pequeñas. Y de pronto aparecieron más de esas megagotas suspendidas de todos los tamaños en el camino de Jiggs. Tosiendo a causa del agua que había inhalado, trataba simultáneamente de proteger la cara de Drake, esquivar las gotas más grandes y arrancar su cohete impulsor, que con semejante mojadura se había apagado.

Cuando intentaba proteger a Drake de otro remojón, sus pies se deslizaron por la circunferencia de una gota del tamaño de una casa; ésta no se deshizo, sino que tembló como un trozo gigante de gelatina.

—¡*Surf* espacial! —exclamó Jiggs cuando consiguió arrancar de nuevo el cohete, hecho lo cual se puso a buscar desesperadamente algún espacio aéreo sin ocupar. Necesitaba un lugar seguro para detenerse y aplicarle algunos primeros auxilios urgentes a Drake.

En un claro donde las gotas eran más pequeñas distinguió una forma angulosa y familiar.

—¡Qué le…! —aulló. No comprendía realmente lo que estaba viendo. Intentó utilizar el cohete para alcanzarlo, pero se pasó de largo y tuvo que retroceder. Cuando se acercó con Drake, pudo confirmar su primera impresión.

Era un Short Sunderland, un hidroavión que llevaba fuera del servicio regular desde hacía casi cincuenta años y que en esos días probablemente se podía encontrar en un museo de aviación. Era una aeronave bastante grande, capaz de transportar a sus buenos veinticuatro pasajeros. Una de las alas había sido arrancada, y la cabina del piloto estaba seriamente dañada, aunque el resto del fuselaje parecía estar intacto, excepto por unos cuantos agujeros en la sección de cola.

Sin creerse todavía lo que estaba viendo, Jiggs maniobró hacia el avión cuando se acordó del submarino ruso en Jean la Fumadora y de lo que el propio Drake había dicho acerca de que los poros se abrían a la superficie de vez en cuando. ¿Así que podía ser un capricho del destino la razón de que aquel hidroavión también hubiera sido tragado? ¿Que un remolino lo hubiera atrapado y llevado hasta aquel espacio interior?

El fuselaje conservaba gran parte de su pintura blanca, aunque salpicada aquí y allá por algunas manchas de óxido, en especial alrededor de los remaches. Y unos largos zarcillos de una especie de alga negra se habían enganchado formando matas sobre todo el exterior, y se balanceaban al impulso de las corrientes de aire como finos pelos negros.

Tras llegar al gran flotador que había debajo del ala superviviente, Jiggs se apuntaló contra ella e, impulsándose con las piernas, se lanzó hacia una puerta en la que estaba estarcido «SALIDA DE EMERGENCIA». Tiró de la palanca. La puerta se negó a abrirse, así que utilizó su pistola para hacer saltar la cerradura y los goznes. Con otro tirón, la puerta se desprendió con una salva de óxido. Jiggs dejó que se alejara flotando y entró en la aeronave con Drake.

Aunque sorprendentemente las ventanas no estaban rotas en esa sección del hidroavión, todo el interior estaba mojado; la tela de los asientos y la alfombra estaban casi completamente podridas y cubiertas por un cieno gris. En una de las filas divisó un par de esqueletos. Se abrazaban el uno al otro con sus brazos descarnados, y por la manera en que se rozaban las calaveras, no había duda de que se habían fundido en un postrero abrazo en el momento de la muerte.

—Yo habría hecho lo mismo —les confió Jiggs.

Pero no tenía tiempo para examinar qué más había allí dentro, porque tumbó cuidadosamente a Drake en el suelo y se dispuso a atenderle. La evaluación de las emergencias en el campo de batalla no era ni mucho menos una novedad para él. Tras librar a Drake de la Bergen y quitarle el cohete propulsor atado a su muñeca, catalogó metódicamente las zonas que precisaban de atención. Después de recorrer cada una de las extremidades y de hacer lo propio con el torso, no tardó en encontrar la herida de su hombro.

—Esto no es una quemadura. Es una herida de bala —masculló para sí, y le echó un vistazo a los verdugones de la cabeza de Drake y a las zonas chamuscadas de su traje de combate, que tendría que ser retirado cuidadosamente para valorar el daño infligido a los tejidos de debajo—. Pero ése, probablemente, sea el menor de nuestros problemas.

Echó un vistazo por la cabina mientras enumeraba en voz alta sus preocupaciones.

—Lesiones graves por quemaduras de tercer grado…, riesgo alto de infección por este entorno séptico, y a menos que haya algunos suministros por aquí, sólo contamos con mi equipo médico para trabajar. —Se subió las mangas—. Qué se le va a hacer —susurró sombríamente—. Manos a la obra.

Cabía alguna esperanza de que Drake saliera adelante, ya que estaba en manos competentes. Jiggs era sumamente diestro en la medicina de combate. En algunos lugares a los que había sido enviado —que solían estar en medio de la nada—, a menudo había precisado su pericia tanto para salvarse a sí mismo como a los que le rodeaban.

Pero en ese momento, se dio cuenta de pronto que su paciente había dejado de respirar.

—No, de eso nada, amigo. No te vas a morir en mis manos. —Se inclinó y le hizo la reanimación boca a boca—. Hoy no —le dijo, empezando a golpearle el pecho para hacer que su corazón volviera a latir—. No estando yo de guardia.

PRIMERA PARTE

Consecuencias

1

¡Craaac!

El pequeño cráneo se rompió bajo la bota de Will, y el sonido hueco resonó por la calle vacía de Nueva Germania. Will no había estado mirando dónde pisaba mientras avanzaba por la acera, y le había pasado totalmente desapercibido el diminuto esqueleto tendido en la cuneta.

—Ay… Dios… bendito. —Tragó saliva mientras examinaba el esqueleto, que tenía que haber sido el de un niño. Aunque dentro del cráneo quedaba muy poco tejido cerebral, la visión de la vacía envoltura pupal que se derramaba fuera era espeluznante. El clima de ese mundo interior, con su sol sempiternamente abrasador, no podría haber sido más propicio a los ejércitos de moscas insaciables, que habían despojado de su carne a los esqueletos humanos en cuestión de semanas. Ocho semanas para ser exactos. Y despojados con tanta eficacia que el hedor de la putrefacción que otrora flotara sobre la ciudad muerta se había desvanecido casi por completo.

Dondequiera que mirase, Will veía huesos blanqueados por el sol, la mayoría sobresaliendo de ropas arrugadas. Puesto que el virus también había exterminado a todos los mamíferos que normalmente habrían limpiado los restos, los cadáveres habían permanecido tranquilos, todavía en el lugar exacto en el que se habían desplomado.

Tranquilos, salvo por las aves carroñeras. Las distintas especies de aves se habían visto libres del virus, y un poco más allá, en la misma calle, Will divisó a dos gordos cuervos que andaban en un tira y afloja por algo que había junto a un sombrero tirado. No se molestaron en moverse hasta que casi estuvo encima de ellos.

—¡Largaos! —gritó Will, lanzándoles una patada. Agitando sus grasientas alas negras y lanzando desagradables graznidos, los pájaros levantaron el vuelo a regañadientes.

Will vio entonces por lo que se habían estado peleando. Sobre el asfalto había un ojo humano, tan seco y descolorido que parecía un ciruela podrida.

No pudo evitar quedarse mirando fijamente el despojo mientras el globo ocular le sostenía acusadoramente la mirada, el ajado nervio óptico extendiéndose por detrás a modo de cola, como si se tratara de una nueva especie animal.

—Todo esto es tan injusto —susurró, abrumado de pronto por todos los rastros de muerte que le rodeaban. Era evidente que millares de personas habían abandonado sus hogares para reunirse allí, en el centro de la ciudad, donde sucumbieron al virus. Desesperados, debían de haber esperado que sus gobernantes fueran a hacer algo para salvarlos de la enfermedad que podía causar la muerte en tan sólo veinticuatros horas.

—Eh, atontado, ¿qué pasa? —gritó Elliott. Al descubrir que Will no la había seguido al interior de los grandes almacenes a los que se estaban dirigiendo, reapareció por el cristal destrozado de una de las puertas.

—¡Nosotros hicimos esto! —consiguió responder él—. Somos los culpables de todo esto.

—Nunca tuvimos intención de que algo así sucediera —dijo Elliott, examinando los cuerpos.

Por supuesto que Will sabía que ella tenía razón; Sweeney debía de haber roto sin querer la probeta que Drake le había dado. Nunca había habido intención de liberar realmente el mortífero virus. Pero eso no hacía que Will se sintiera mejor por lo que estaba viendo.

Elliott se encogió de hombros.

—De todas formas, estaban condenados. La mayoría habían sido sometidos a la Luz Oscura. Antes o después, habrían acabado sirviendo de huéspedes o de alimento para la Fase. —Guardó silencio durante un momento—. Quizá sea mejor así, Will. Puede que les hiciéramos un favor.

Él empezó a caminar hacia Elliott meneando la cabeza lentamente.

—Eso es difícil de creer.

En cuanto estuvieron en el interior de los almacenes, Will se detuvo para contemplar la fuente, un gran delfín de bronce en el centro de una pileta circular levantada sobre el suelo de mármol. Aunque el agua hacía mucho tiempo que había dejado de manar de la boca del delfín, tanto éste como los pulidos suelos de mármol evocaban la increíble prosperidad de una época pretérita de la superficie exterior.

—Vaya cacho tiendorro —dijo Will.

—Aparentemente esta gente era de la misma opinión —convino Elliott, que dejó que él echara un vistazo a los cadáveres tirados por el suelo, algunos con bolsas abarrotadas de artículos que seguían aferrando entre sus brazos esqueléticos.

—Debían de haber sabido que las cosas estaban feas, pero aun así se apropiaron de todo lo que pudieron —observó Will, cuando empujó una de las bolsas con el cañón de su Sten y un pintalabios y unas cremas faciales con pinta de caras se desparramaron desde el interior. Se echó a reír de forma sarcástica—. ¡Hasta estaban robando cosméticos!

—Ven aquí. ¡Tienes que ver esto! —gritó Elliott, y su voz resonó por el enorme vestíbulo principal.

—Jopé —dijo Will. Al final del pasillo había una estatua imponente, a ambos lados de la cual sendas escaleras ascendían a los demás pisos de los almacenes. La estatua, que medía sus buenos quince metros, era de una mujer con toga que mostraba orgullosamente una cornucopia llena de frutas.

Pero lo que hizo que Will se parase en seco fue la descomunal cúpula de cristal ahumado que servía de techumbre al vestíbulo. Asombrado estiró el cuello hacia atrás para observarla entera. Sin nadie que se ocupara de su limpieza, la arenilla arrastrada por el viento ya se estaba amontonando en los bordes e iba invadiendo el cristal, aunque el efecto seguía siendo impresionante.

Will apartó la vista de la cúpula y recorrió con la mirada las demás plantas, donde sólo pudo identificar con dificultad los diferentes artículos allí expuestos.

—Este sitio es *descomunorme*, como Harrods o cosa parecida. ¿Por dónde empezamos? —preguntó. Se acercó a un mostrador y limpió la capa de polvo de la superficie para mirar con atención la gama de pipas de espuma de mar expuestas sobre un terciopelo arrugado. Luego se inclinó sobre el mueble mientras examinaba las vitrinas de detrás. Las puertas de cristal habían sido arrancadas, y en su interior se veían muchas marcas de cigarrillos que Will jamás había oído nombrar—. Lande Mokri Superb, Sulima —leyó, escudriñando de cabo a rabo la hilera de paquetes antiguos—, Joltams, Pyramide. —Entonces vio un cadáver vestido con un traje de raya diplomática caído junto a la base de la vitrina, que todavía sujetaba con fuerza en su mano reseca un paquete de cigarrillos—. ¡Eh, eh! —dijo Will, agitando un dedo—. Esas cosas te van a matar, ¿sabes? —reprendió al cadáver.

—Aquí podemos conseguir todo lo que necesitamos

—gritó Elliott desde otro mostrador donde se había agenciado dos paraguas, unos artículos esenciales en ese mundo donde el clima sólo tenía dos defectos: un sol cegador o unos monzones salvajes que se originaban sin el menor aviso—. Will, ¿qué te parece que hay allí? —preguntó, señalando una hilera de puertas en un lateral del vestíbulo con unos carteles encima que pregonaban: *Lebensmittelabteilung* [Sección de alimentación].

—Hay una manera de averiguarlo —contestó él dirigiéndose al par de puertas más cercano, que abrió de un empujón.

Si la pestilencia a comida podrida no hubiera sido lo bastante asquerosa, el torbellino de moscas que la entrada de los dos chicos provocó habría disuadido a la mayoría de las personas de entrar. Pero no a Elliott.

Mientras Will se apartaba de la cara a manotazos las numerosísimas moscardas, alcanzó a ver los diferentes mostradores que vendían queso, comestibles y carne, los muestrarios otrora refrigerados convertidos ya en una masa putrefacta que bullía con los gusanos. Y el suelo de baldosas blancas en otro tiempo relucientes no sólo estaba lleno de mugre, sino también plagado de los despojos de las ratas muertas. Sin duda se las habían prometido muy felices, hasta que el virus también las liquidó

—¡Ah, por Dios, salgamos de aquí! —gritó Will, dando frenéticos manotazos para alejar a las moscas.

—Pero allí hay latas de comi... —estaba gritando Elliott y señalando al mismo tiempo, cuando una mosca se le metió como una bala en la boca.

—Ni lo sueñes. Conseguiremos las provisiones en otra parte —insistió Will mientras volvían a salir a trompicones por las puertas, que se cerraron aislándolos de nuevo del hedor y los insectos. Salvo por la mosca que se había alojado en el fondo de la garganta de Elliott.

—Mosca —dijo con un sonido sibilante, señalándose la boca. Tosía y hacía unos ruidos que recordaban a los de un gato que tratara de regurgitar una bola de pelo.

Tenía un aspecto tan cómico que Will empezó a reírse por lo bajinis.

—¿Está rica? —preguntó. Y sin poder evitarlo, prorrumpió en una sonora carcajada. Eso no le hizo la menor gracia a Elliott, que estaba colorada como un tomate de tanto toser.

—No tiene ninguna gracia, so borde —consiguió decir ella entre tanta tos. Entonces tragó ruidosamente e hizo una mueca—. Puaj. Creo que me la he tragado.

—Bueno, tú misma dijiste que necesitábamos más carne en nuestra dieta —bromeó Will.

Y de pronto ella también se echó a reír, tosiendo y atizándole con la culata de su largo fusil, mientras él retrocedía, fingiendo estar aterrado por su agresión.

—Eh, mujer araña, ¡ten cuidado con eso, vale! —gritó Will mientras esquivaba de nuevo al fusil, lo que sólo consiguió por los pelos.

Cayó en la cuenta inmediatamente de lo que había dicho. Habían tenido la desgracia de encontrarse con Vane, una de las mujeres styx, cuando cayeron en la emboscada en la boca del Poro.

Ni siquiera los propios styx habían sabido lo que lo había motivado, pero ese mundo interior había vigorizado a Vane, permitiéndole que reanudara la Fase. Pero no sólo era eso; le había permitido engendrar las larvas de la Clase Guerrera styx en cantidades fuera de las normales. Pero, de resultas de ello, Vane había empezado a parecerse a un repugnante arácnido hinchado. Y dado el linaje de Elliott, no era sorprendente que se mostrara especialmente susceptible siempre que surgía el tema, hasta el punto de que ella y Will rara vez hablaban de ello.

Elliott se quedó inmóvil, todavía con el fusil suspendido en el aire y una expresión de frialdad en el rostro.

—¿Qué has dicho? —preguntó.

—Yo... yo... me... me salió sin querer —farfulló Will. Viendo que la expresión de Elliott adquiría un cariz amenazante, se apresuró a dar un paso atrás.

—¿Mujer araña? —gruñó ella—. Que tenga sangre styx en mis venas no significa que me vaya a convertir de buenas a primeras en uno de esos monstruos.

—Lo sé. Lo siento —se disculpó Will.

Elliott forzó una sonrisa.

—¡Que lo entiendo!

Aliviado por no haberla disgustado de verdad, el muchacho giró sobre sus talones y huyó.

Elliott levantó un brazo por delante de la cara y lo movió imitando a uno de los serpenteantes ovipositores que habían salido de la boca de Vane.

—¿Adónde vas, mi jugoso humano? —gritó tras él. Empezó a perseguirle entre carcajadas, y Will también se estaba riendo mientras corría entre los mostradores de la tienda en dirección a las escaleras del extremo del vestíbulo.

Gritando y corriendo al unísono, eran las únicas personas vivas en aquellos grandes almacenes otrora bulliciosos y ahora sólo llenos con los sueños de los habitantes muertos de la metrópolis.

En el descansillo donde terminaba el primer tramo de escaleras, todavía riéndose entre dientes, se detuvieron para estudiar lo que podían ver a su alrededor.

—La sección de ropa es ahí arriba —dijo Will, examinando los maniquíes, muchos de los cuales habían sido derribados por los saqueadores—. ¿Quieres un vestido nuevo?

—No en este viaje —respondió ella mientras intentaba descifrar el directorio de las diferentes plantas colocado en la pared—. Sólo lo esencial. Algunas sábanas y toallas nuevas estarían bien para empezar.

—Menudo aburrimiento —murmuró Will, aunque no obstante fue tras Elliott cuando ella subió las escaleras hasta la tercera planta.

—Esto parece prometedor —proclamó la muchacha.

—Sí. «Muebles *p'alogar*» —bromeó Will en un tono que no andaba muy lejos de cómo recordaba el de su tía Jean.

Empezaron a explorar los diferentes pasillos, deambulando entre juegos de sofás y sillones tapizados a juego y colocados en torno a mesas en las que había jarrones con flores extremadamente marchitas.

Elliott observó que en una de las esquinas más alejadas de la planta, las alfombras persas habían sido apiladas formando montones o colgadas de las paredes como si fuera una especie de bazar oriental.

—Almohadas —dijo Will, señalando otra área—. Me parece que tenemos que ir allí.

Cuando Elliott se giró para ver dónde le estaba indicando, su mirada se posó en una exposición de muebles para comedor.

—Will —le alertó con una voz que apenas llegó a un susurro, mientras se llevaba el arma al hombro.

Se acercaron lentamente a las figuras que estaban sentadas muy erguidas alrededor de una mesa cubierta de polvo. Eran cuatro, vestidas con trajes de campaña color tierra, con los largos fusiles apoyados en el regazo. Y delante de cada una había unas frágiles tazas de té de una preciosa porcelana china.

—Limitadores —comentó Elliott.

—Limitadores muertos —añadió Will, casi incapaz de obligarse a mirarles las caras, cuya piel marcada se había secado y estaba tan tirante que se asemejaba más que nunca a un marfil viejo y desconchado—. Vaya, ¿es que no tenían otro lugar para venir a morir que éste? —preguntó.

Elliott se encogió de hombros.

—Quizás estaban de patrulla cuando el virus empezó a actuar, y los sorprendió aquí sin más...

—Sí, pero mírales —dijo Will—. Limitadores tomando té. Es bastante raro, ¿no te parece?

Incluso en los últimos minutos de sus vidas habían dado muestras de un autodominio absoluto, escogiendo un lugar para exhalar su último aliento juntos bebiéndose unas tazas de té, mientras compartían el agua de una cantimplora. Tenían los ojos cerrados y, al menos aparentemente, casi no había indicio de que las moscas los hubieran tocado. Tal vez los insectos sintieron tan poco entusiasmo por acercarse demasiado a ellos como Will.

—Deberíamos afanarles los fusiles y toda la munición de repuesto —sugirió Elliott, que ya estaba mirando con interés los bolsillos de las correas de los difuntos.

—Déjalo para más tarde —dijo Will—. No es que vayan a ir a ninguna parte, ¿no te parece?

Pero sus palabras no disuadieron a Elliott en lo más mínimo, ya que se dirigió al primero de los Limitadores y empezó a hurgarle en los bolsillos.

—No seas tan nenaza, Will.

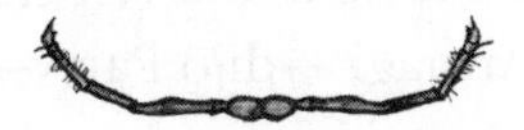

—Estas imágenes fueron tomadas por un antiguo miembro del Escuadrón De que vive justo en las afueras de la ciudad —dijo Parry, dándose la vuelta hacia la imágenes parpadeantes que estaban siendo proyectadas sobre la desconchada pintura blanca de la pared que tenía a su lado. El oscuro sótano de tejado abovedado estaba atestado de soldados del 22 Regimiento del SAS*—. Es la primera filmación que hemos conseguido que muestra a los Armagi en acción.

Parry se paró a un lado para que los asistentes pudieran ver con claridad la escena que se desarrollaba en las afueras de una ciudad.

—Esto tuvo lugar en Kent durante el fin de semana. Lo primero que tenemos son unos incendios que se desencadenan alrededor del perímetro —continuó Parry cuando la cámara hizo una amplísima panorámica desde un edificio en llamas al siguiente—. Lo más probable es que fueran provocados por un grupo de avanzada de Limitadores, con la intención de sacar a la gente de los edificios y acorralarla en el centro de la ciudad..., lista para la segunda fase. —Pasaron varios segundos en los que la cámara continuó rastreando los incendios a medida que se declaraban.

—¿Y qué estamos buscando ahora? —preguntó alguien.

—Observen el espacio aéreo sobre la ciudad —contestó Parry.

El cámara había sido un poco lento en darse cuenta de lo que estaba sucediendo. Pero en realidad había que buscarlo, porque no sólo estaba anocheciendo y la luz era cada vez más escasa, sino que también los múltiples objetos que caían como centellas en plena ciudad no eran fáciles de localizar. Las formas aladas eran casi transparentes mientras bajaban del cielo a una velocidad increíble.

—Éstos son los Armagi —dijo Parry—. Cientos de ellos.

Un murmullo recorrió la audiencia mientras alguien exclamaba:

—¡Me cago en la puta!

—Pero ¿por qué eligieron los styx esta población para

* Siglas de Special Air Service, unidad de élite del ejército británico (Servicio Aéreo Especial). *(N. del T.)*

un ataque? ¿Qué valor estratégico tenía para ellos? —planteó alguien más desde el fondo del sótano.

Parry se volvió hacia los hombres.

—No hay duda de que la ciudad fue un objetivo cuidadosamente seleccionado; la central eléctrica de Medway, que abastece de electricidad a una gran área de Kent, está situada un poco más al norte. La proximidad de la central eléctrica a la ciudad significaba que, para hacer el trabajo de forma correcta y sofocar cualquier resistencia, tenían que atacar ambos objetivos simultáneamente.

Como para recalcar las palabras de Parry, se vio un tremendo estallido de luz que perfiló con claridad los edificios de la ciudad durante una fracción de segundo.

—Y aquí está la central eléctrica —dijo Parry—. Como saben, esto no tiene nada que ver con un incidente aislado. Hemos recibido numerosos informes de que los styx se están abriendo camino metódicamente a través de los condados del país mientras se dirigen a la capital, seleccionando servicios públicos, centros de comunicación..., cualquier cosa que paralice la infraestructura de nuestra nación.

—Bueno, pues nos apostamos en un objetivo potencial y esperamos a que aparezcan —sugirió un soldado—. Entonces organizamos una cacería de patos cuando esos papanatas empiecen a aterrizar.

—Y los espantamos a mandobles —canturreó uno de sus camaradas.

—Buena idea —replicó Parry, y tomó aire—. Miren, sé que todos creen que son los bastardos más duros que jamás hayan pisado la tierra. —Algunos hombres se rieron entre dientes mientras Parry proseguía—. Pero no subestimen a estos organismos, han sido engendrados por la madre más dura y despiadada de todas. Y hela aquí...

La cámara se acercó de manera vacilante a un punto

en las afueras de la ciudad donde un pequeño grupo de figuras contemplaba el ataque.

—Aquí tienen a algunos Limitadores, pero concentren la atención en la persona que está en el centro. —Parry se inclinó hacia delante para que la sombra de su mano extendida cayera sobre dos figuras en concreto—. Lo más probable es que la más alta de estas dos sea una de las mujeres styx que nos esquivaron en el ataque al almacén. Y digo «una» porque todavía no he recibido confirmación por parte de mi hijo de la muerte de la segunda, y no sabemos si han sido engendrados más.

Cuando la cámara se acercó aún más, la mujer styx se recortaba contra las llamas con las patas de insecto suspendidas sobre sus hombros.

—¿Así que ésa es el pez gordo? —preguntó alguien del público mientras la cámara se demoraba en ella.

—Así es, y sabemos por Eddie que su nombre en la Superficie es Hermione —aclaró Parry, que pasó a señalar a la figura más baja al lado de la mencionada—. Y con Hermione está la gemela Rebecca. Las dos son las máximas dirigentes en la jerarquía styx. Si tuviéramos la manera de neutralizar a esta impía pareja, se podría poner fin a la guerra y todos podríamos volver a casa.

Las palabras de Parry flotaron en el aire mientras los hombres pensaban en sus familias, de las que estaban separados desde hacía semanas. De acuerdo con las órdenes de Parry, no se les permitía que tuvieran ninguna clase de contacto con el mundo exterior. Había dejado bien claro que tal medida era necesaria a fin de que la unidad operase sin ninguna interferencia de los styx.

La pared al lado de Parry se oscureció momentáneamente, y luego se hizo tan brillante que iluminó las caras de todos los hombres del sótano.

—Esto es a la mañana siguiente —explicó Parry con

tranquilidad—. Pueden ver los resultados por ustedes mismos. —Las imágenes se balanceaban con cada paso que daba el antiguo soldado al circular por la ya desierta ciudad, grabando las consecuencias del ataque. La dura luz del amanecer permitía ver con claridad todos los cuerpos en donde habían caído fuera de los edificios, los de los poquísimos que habían escapado del fuego.

—Y no me malinterpreten —insistió Parry—. Esto es una guerra, una guerra en nuestro propio país, y una guerra que vamos a perder a menos que seamos capaces de descubrir cuáles son los puntos débiles de los Armagi.

—¿Tiene usted más datos acerca de su despliegue o su potencial? —preguntó un soldado.

—Por los avistamientos, creemos que cazan por parejas, ya sea por el aire o en la tierra. Y uno de los informes planteaba la posibilidad de que tal vez posean un sentido del oído extremadamente desarrollado, basándose en el hecho de que el ruido de los motores o de las armas de fuego los atraen como una llama a las palomillas. Ésta es la razón de que llevar silenciadores en todas las armas sea ya la orden del día.

El busca de su cinturón vibró, y Parry lo sujetó rápidamente para leer el mensaje. Parecía tener prisa cuando dijo:

—Y espero tener más que contarles sobre su fisiología muy pronto, caballeros. Y ahora, si me disculpan, aquí el capitán terminará de informarles y de responder a las preguntas.

Cuando las imágenes de la central eléctrica destruida se proyectaron sobre la pared, Parry descendió hasta el lateral del sótano y pasó pegado a la pared junto a las filas de soldados sentados que, para lo que solía ser habitual en ellos, estaban notablemente apagados. Al contrario que en el ejército regular, en las sesiones informativas de la unidad reinaba una informalidad de la que participaban todos los rangos y en las que menudeaban las bromas irreverentes para relajar los ánimos. Pero la gravedad de la situación había dejado estupefacta incluso a aquella élite sumamente exprimentada y entrenada del ejército británico.

A pesar de su cojera, Parry tenía prisa, así que subió las escaleras de dos en dos hasta la planta baja y salió del achaparrado edificio al trote. Justamente enfrente, y ocultos bajo una malla de camuflaje, estaban los helicópteros. Giró a la derecha para seguir el camino que discurría por el centro del complejo. Se había tomado la decisión de dividir el 22 Regimiento del SAS en tres unidades y que cada una operase con autonomía de las otras dos desde lugares secretos. Esto significaba que al menos se conservaría algún potencial si el regimiento sufría bajas por hombres sometidos a la Luz Oscura o si los styx detectaban a una de las unidades.

Sus grandes conocimientos sobre los styx habían sido claves a la hora de darle a Parry el mando de una de las nuevas divisiones. Y había escogido aquellos barracones infrautilizados, situados en las profundidades de la campiña de Herefordshire, como emplazamiento de la unidad. Con las prisas que llevaba en ese momento, no tuvo tiempo de disfrutar de las suaves colinas que se levantaban por doquier, salvo para permitirse un rápido vistazo en dirección a los barracones principales de la unidad en Credenhill, a casi unos doce kilómetros de distancia, mientras se preguntaba si los styx ya habrían organizado un ataque contra ellos. De ser así, se habrían llevado un chasco descomunal, porque el sitio estaba atendido por un equipo muy reducido con órdenes de volar todo el lugar al primer indicio de problemas.

Siguió por el camino que discurría por el centro del complejo, dejando atrás la cantina, el campo de tiro y el polvorín, hasta llegar a un edificio de aspecto ordinario que carecía de ventanas.

Un centinela montaba guardia en la entrada.

—Identificación facial, señor —dijo el hombre, dando un paso adelante. Sostuvo un Purgador junto a la cara de Parry y le encendió la luz púrpura en sus ojos. El centinela sabía lo que se hacía, y estaba examinando a Parry de cerca en busca de algún indicio de que hubiera sido sometido a la Luz Oscura.

—Bueno, ¿qué?, ¿apruebo? —le presionó Parry, con prisas para entrar.

—Sí, aprueba, y con buena nota, señor —respondió el centinela. Deslizó una tarjeta magnética por el lector que había a un lado de la puerta, que se abrió con un nítido sonido metálico para permitir la entrada a Parry.

Aparte del hecho de que al haber caído en desuso hacía muchas décadas aquellos viejos barracones habían sido olvidados en gran medida, ese edificio era la principal razón de que a Parry le hubiera hecho tanta ilusión ubicar allí a su división. La construcción en cuestión albergaba un antiguo centro de experimentación de guerra bacteriológica que era ideal para sus propósitos. Atravesó una sucesión de habitaciones llenas de material polvoriento hasta llegar al laboratorio principal. La pieza estaba dividida en dos por una mampara de vidrio templado de casi ocho centímetros de grosor, y una de las partes era una cámara estanca de aislamiento.

—Me has llamado… ¿Cuál es la última noticia? —preguntó al enfermero de bata blanca, que estaba concentrado en lo que estaba pasando al otro lado del cristal. El enfermero abrió la boca para responder, pero Parry ya había accionado el interfono situado al pie de la mampara—. ¿Tiene algo para mí, mayor? —preguntó él mismo al oficial médico del otro lado del grueso cristal.

El oficial medico —u OM, como se le llamaba— giró en redondo.

—Comandante —dijo, saludando a Parry—, me alegra que pudiera venir tan deprisa, porque hay un par de cosas que tiene que ver.

El OM se apartó, dejando a la vista al styx atado a una camilla de acero inoxidable por varias sujeciones. Había sido descubierto entre los escombros después del ataque a la central eléctrica, y transportado en helicóptero a la base para su examen. Estaba desnudo de cintura para arriba y por su aspecto —el cuerpo esquelético y las facciones severas— daba la impresión de no ser más que un Limitador.

—¿Todavía no ha recuperado el conocimiento? —preguntó Parry.

—Sigue fuera de combate —aclaró el OM—, aunque todas sus heridas han cicatrizado.

—¿Que las heridas qué? —preguntó Parry mientras se apoyaba contra la mampara de cristal para poder examinar la cabeza del hombre—. Es increíble. Tiene razón. No hay ni rastro de la menor herida. —Cuando había sido introducido allí, el hombre tenía un lado del cráneo aplastado, y la magnitud de esa herida junto con todas las demás que había sufrido hizo que pareciera improbable que pudiera durar mucho tiempo.

—Bueno, a menos que un styx normal y corriente tenga poderes milagrosos que cicatricen una herida grave en horas y no en meses, entonces lo que hemos cazado aquí es un Armagi —sugirió el OM.

—No los tienen, y sí parecería que es eso lo que hemos cazado —dijo Parry con los ojos brillándole por el entusiasmo. Ésa era la oportunidad que había estado buscando, la de poder valorar a qué se estaban enfrentando—. Los styx tienen unos poderes asombrosos de recuperación, pero nada que ver con esto. Así que tengo que admitir que ése debe ser un Armagi. ¿Ha encontrado algo más fuera de lo normal en él?

El OM mostró una amplia sonrisa.

—A partir de un reconocimiento superficial, puedo decir que tienen corazón, pulmones...; todos los órganos corporales que uno esperaría, y en los lugares adecuados. Las únicas anomalías que he encontrado se hallan en la garganta, donde hay una especie de glándula adicional, y además una pequeña protuberancia para la que no encuentro explicación.

Parry supuso inmediatamente de qué podría tratarse.

—Es un ovipositor. Eddie nos contó que los Armagi podían reproducirse como las mujeres styx, así que probablemente fecunden a los huéspedes de la misma manera.

El OM pellizcó el bíceps del Armagi.

—Y la densidad de sus fibras musculares es excepcional. Este hombre pesa una jodida tonelada, razón por la cual fueron necesarios cuatro soldados para transportarlo hasta aquí dentro. Pero todo esto resulta anecdótico en relación con lo que estoy a punto de mostrarle. —El OM se dirigió a un banco situado detrás del hombre tumbado en la camilla y levantó un extremo de una palangana alargada de acero inoxidable, para que pudiera ver el contenido.

—¡Dios mío! —exclamó Parry. No tuvo muy claro si estaba más impresionado por el hecho de que el médico hubiera amputado el brazo del Armagi justo por debajo del hombro o a causa de que a éste aparentemente le hubiera crecido un miembro completamente nuevo.

—Eso mismo dije yo. Usted me pidió una prueba incontrovertible —dijo el OM sonriendo de buena gana—. Así que empecé con unas pequeñas incisiones en su piel, que cicatrizaron al cabo de segundos, y seguí adelante hasta extirparle todo el miembro. Y hete aquí que le volvió a crecer al cabo de unas tres horas, y según parece está absolutamente sano. —El OM hizo una pausa melodramática—. Y si esto le parece impresionante, aquí hay otra cosa que acabo de descubrir.

En el banco, al lado del brazo amputado, había un artilugio dentro de una caja pintada de color caqui que el médico conectó.

—Sé que no es muy científico, pero encontré este viejo artículo de un equipo de interrogatorio en el almacén —dijo—. Como es natural, sólo es apto para un museo de los derechos humanos ahora que la Convención de Ginebra prohíbe la tortura de los prisioneros de guerra, aunque no estoy seguro si eso sería de aplicación a estos combatientes.

El OM cogió una sonda metálica conectada al artilugio por un cable.

—He ajustado la descarga en doscientos voltios —dijo, y entonces la alargó hasta el Armagi y le rozó el antebrazo.

Cuando estuvo lo bastante cerca, saltó una chispa de la sonda a la piel del Armagi. El OM no se detuvo ahí, y le apretó la sonda con fuerza contra el brazo.

—Observe la ausencia de una reacción normal a este voltaje —dijo el médico. Tenía razón; no hubo ninguna convulsión de los músculos, como la habría habido con un ser humano, aunque estuviera inconsciente.

Por el contrario, ocurrió una cosa de lo más curioso. Propagándose desde donde la había tocado con la sonda, la piel estaba empezando a platearse y cristalizarse, como si unas escamas en forma de diamante estuvieran extendiéndose por el brazo. Y de pronto, todo el miembro se volvió transparente y empezó a transformarse en algo completamente diferente.

—Creemos que se está transformando en un ala —le dijo entonces el enfermero a Parry. Éste tuvo que darle la razón: el brazo se estaba aplanando hasta el hombro, y sin duda se parecía algo más que un poco al ala de un pájaro.

El OM apartó la sonda, y la extremidad perdió su translucidez y retrocedió inmediatamente a su forma original.

—Así que cambian de forma, y de alguna manera los impulsos eléctricos están involucrados. Como si fueran impulsos nerviosos, supongo.

—El mayor ha experimentado con una variedad de voltajes —dijo el enfermero, sosteniendo en alto su portapapeles para mostrar a Parry los pequeños bocetos que había hecho.

—Conseguimos un ala como la que empezó a ver ahí, y también algo parecido a una aleta.

—Tierra, mar y aire —recordó Parry—. Eddie nos dijo que se podían transformar en diferentes entes con distintas morfologías para adaptarse a cualquier entorno en el que se encuentren.

—Sí, lo que hemos visto aquí corroboraría eso —replicó el OM.

Parry arrugó el entrecejo mientras las ideas se agolpaban en su cabeza.

—¿Así que —planteó— éste es su talón de Aquiles? ¿Podemos utilizar la electricidad para derrotarlos?

—Buena sugerencia. ¿Por qué no subo el listón y vemos que sucede? —respondió el OM—. Lo subiré a quinientos voltios. —Se acercó al artilugio del banco, giró uno de los diales al máximo y acto seguido alargó la sonda hasta la mano del Armagi. Una chispa aún más brillante trazó un arco cuando la sonda estaba cerca de la piel, y las luces de la sala parpadearon.

—Ahí lo tiene —dijo el enfermero, cuando la extremidad empezó a volverse transparente una vez más. Pero en esta ocasión los dedos se fundieron, y lo que había sido la mano se estiró y engrosó, con tres uñas de aspecto feroz que aparecieron en el extremo.

—No tengo ni idea de lo que es esto —añadió el enfermero, que se puso a bocetar desesperadamente la nueva configuración.

Algo atrajo la mirada de Parry.

—¡Mayor, detrás de usted! ¡El brazo!

El brazo cortado también se había transformado, adoptando exactamente la misma forma, con sus tres uñas de aspecto mortífero en la extremidad... Era demasiado largo para la palangana de acero inoxidable y la había volcado, así que el miembro cayó sobre el banco como un pez muerto.

—¡Corte la corriente! ¡Ya! —gritó Parry cuando el miembro amputado se retorció al lado de la palangana.

En su apresuramiento, el OM dejó caer la sonda. Se inclinó para recogerla, y cuando se incorporó de nuevo, el Armagi se había transformado por completo.

Súbitamente, en un abrir y cerrar de ojos, tres pares de extremidades se ramificaron desde su tórax, como un enorme arácnido transparente. Retorciendo y sacudiendo los miembros acabó por romper las sujeciones de cuero que lo mantenían unido a la camilla como si fueran de papel de seda.

El OM, que se quedó mirando a la criatura entre desconcertado y aturdido, no tuvo ni la más remota posibilidad.

Su cabeza se desprendió del tronco con un rápido movimiento circular de la extremidad anterior del Armagi. Las tres uñas eran tan mortíferas como parecían.

Entonces aquella cosa saltó de la camilla y golpeó el cristal divisorio produciendo un estruendo metálico. Las uñas atravesaron el cristal templado lo suficiente como para que quedaran colgando de la mampara. Luego golpeó de nuevo el cristal, como si supiera que no tardaría mucho en romperlo.

—¡Quémelo! —gritó Parry a pleno pulmón.

—¿Quemarlo? —tartamudeó el enfermero, paralizado por la enorme cabeza de araña con ojos compuestos que le estaba mirando fijamente a través del cristal.

Parry no aguardó a que el subordinado reaccionara; en su lugar, levantó la tapa de un panel situado debajo del interfono y giró la llave que había dentro. Luego golpeó con la palma el gran botón junto a la llave.

La cámara de aislamiento se lleno al instante de una compacta pared de fuego. Era una medida de seguridad instalada para esterilizarla, en el supuesto de que se produjera algún contratiempo con una muestra biológica.

Parry y el enfermero vieron ennegrecer al Armagi y caer de espaldas dentro del infierno.

—Joder, oh, joder —murmuraba el enfemero.

—El brazo amputado reaccionó, aunque la corriente se estaba aplicando al cuerpo del Armagi —observó Parry.

El enfermero apenas era capaz de asimilar lo que acababa de presenciar, así que ni hablar de que comprendiera lo que estaba tratando de decirle Parry.

—Pero el mayor… —dijo, respirando con dificultad.

Parry le cogió por los hombros.

—Soldado, recobre la compostura. Si existiera una forma parecida de comunicación entre los propios Armagi, entonces nuestro espécimen podría haber comprometido nuestra ubicación. ¡Los otros podrían estar de camino! —Cogió la radio que llevaba en el cinturón—. ¡Evacuación! —aulló por el aparato.

2

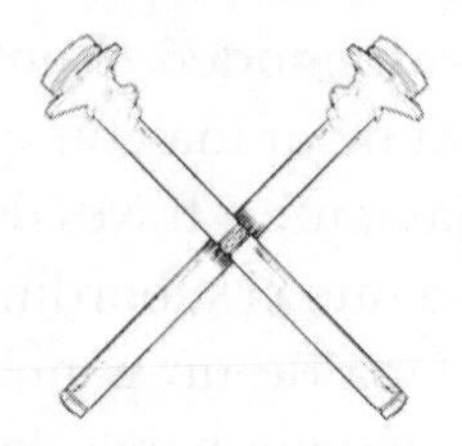

—Con esto parezco el mismísimo Wally —dijo Will al verse reflejado en un escaparate mientras avanzaban penosamente bajo el intenso calor, con las Bergen atestadas con toda la ropa de cama y las toallas que se habían agenciado.

—Sí —respondió Elliott con aire ausente, hundida la nariz en un mapa que había encontrado en los bolsillos de uno de los Limitadores.

—Ah, gracias —mascculló Will. Se detuvo para ajustarse el sombrero amarillo canario de ala flexible que Elliott le había escogido en los grandes almacenes.

—No, quiero decir que no tiene nada de malo —se disculpó ella—. Cumple su función y te protege la cara del sol..., y de todas formas, aunque parezcas un *willy* ¿quién va a verte?

—Wally —se apresuró a corregirla Will, que se puso a inspeccionar los cuerpos tirados en la calle—. ¿No podemos volver a nuestra plataforma? Este lugar me da yuyu, y es una verdadera locura pasar tanto tiempo en el exterior con este condenado calor.

Elliott asintió con la cabeza compasivamente, y sostuvo el mapa delante de su amigo.

—De acuerdo, pero antes sólo quiero comprobar una cosa. —Volvió a echarle un vistazo al mapa antes de señalar en línea recta—. Es por ahí.

Se alejó a grandes zancadas, no sólo cargada con su Bergen y su largo fusil, sino acarreando dos fusiles más que había insistido en quitarles a los Limitadores. Durante un instante, Will se la quedó mirando y también la manera que tenía de menear las caderas mientras se alejaba. Se estaba haciendo mayor muy deprisa, y con aquella piel morena y el pelo negro y largo, jamás había estado tan guapa. De la misma manera que los styx parecían ser capaces de adaptarse a cualquier entorno en el que estuvieran, Elliott estaba floreciendo en su nuevo hogar del mundo interior.

Y Will la tenía enterita para él.

Se permitió una sonrisa de petulancia, y entonces el sudor que le corría por el lomo le recordó dónde estaba. No le hacía ninguna gracia pasar en la ciudad más tiempo del que fuera estrictamente necesario, aunque siempre le resultaba difícil impedir que Elliott se saliera con la suya.

Casualmente miró hacia lo que parecía un hotel de lujo a juzgar por la marquesina de la entrada. Una bandada de buitres de lo más repulsivo estaban posados sobre el entoldado a rayas rojas y blancas, y sus pequeños y mezquinos ojos grises los miraban decididos tanto a él como a Elliott.

—No estáis de suerte, chicos… ¡Todavía no estoy muerto! —gritó Will a las aves. Se secó la frente y señaló a Elliott a lo lejos—. Aunque como eso dependa de ella, ¡creo que debería quedarme! —añadió.

Era imposible que la muchacha no hubiera oído el comentario, aunque se mantuvo en sus trece de hacer que siguieran avanzando. No tardaron en encontrarse en una zona con un aspecto distinto. Allí no había tiendas, sino más bien hileras de austeros edificios de cinco plantas, muchos de los cuales parecían ser oficinas o dependencias oficiales a juzgar por las placas de bronce grabadas de las entradas.

Mientras Will y Elliott avanzaban por otra más de aquellas calles poco interesantes, ambos oyeron el golpeteo. No era un ritmo regular, pero cuando se detuvieron y escucharon, no aflojó. En aquel lugar tan escalofriante, aquello bastaba para que se pusieran en guardia.

Cuando Elliott señaló hacia delante, Will se dio por enterado con un simple gesto de cabeza. Ella estaba en lo cierto en cuanto a que el sonido parecía proceder del lado de la calle en el que se encontraban, aunque era difícil señalar con precisión de dónde, porque reverberaba en los edificios de enfrente. Mientras Elliott amartillaba silenciosamente su fusil y avanzaba con cautela por la acera, Will mantuvo la distancia, sujetando su Sten con firmeza.

La muchacha llegó al penúltimo edificio de la hilera, se agazapó y levantó el arma. Tras desembarazarse de su Bergen, Will se dirigió a la calzada, agazapándose tras los vehículos abandonados como parapeto sin dejar de mirar ni un momento la fachada del edificio. Se dio cuenta de lo eficientes que eran ambos trabajando juntos; no había necesidad de que se hablaran, porque cada uno sabía instintivamente lo que iba a hacer el otro en una situación dada. La primera vez que Will había visto un grado de compenetración semejante fue al ver a Elliott y a Drake patrullando en las Profundidades. De pronto se acordó del amigo de ambos, que tenía que haber fallecido en la explosión del artefacto nuclear, y la punzada de dolor fue tan intensa que tuvo que respirar hondo.

Cuando Elliott lo oyó se volvió, y él evitó su mirada. Will ocupó una posición delante de un coche, y entonces se concentró en las ventanas superiores del edificio de donde parecía proceder el ruido.

No había ninguna señal de que allí hubiera alguien, aunque el repiqueteo no cesaba.

Como Will esperaba exactamente que hiciera, Elliott estaba retrocediendo lentamente mientras apuntaba con la mira a las ventanas una a una. Él la estaba cubriendo con su Sten cuando, de repente, ella se paró y soltó una risilla.

—¿Qué sucede? ¿Qué es lo que ves? —preguntó él en un susurro.

—Último piso, dos ventanas hacia dentro —respondió Elliott.

Will entrecerró los ojos y localizó la ventana de guillotina, y entonces divisó el movimiento a través de la sección abierta en la parte superior. A aquella altura, hasta la brisa más débil bastaba para agitar la persianilla a medio bajar de la ventana. Y era el cordón de tracción que sobresalía por la parte inferior de la persianilla el que estaba balanceándose y golpeando repetidamente el cristal de la ventana de abajo. Cuando Will miró detenidamente, no le cupo ninguna duda de que ése era el origen del golpeteo.

—Falsa alarma —dijo—. Sólo es el viento.

Ya relajados, los dos se irguieron.

—Estamos viendo fantasmas —dijo Elliott mientras expulsaba el cartucho de la recámara de su fusil, por seguridad.

—Bueno, ¿y qué esperabas? —le retrucó Will con un encogimiento de hombros—. Este lugar basta para volverle a uno tarumba. Están todos muertos, neogermanos, styx, hasta los nativos de la selva. Todos. —Desconsolado, echó un vistazo a todas las hileras de ventanas polvorientas, y luego al Sten que sujetaba en las manos—. No sé por qué nos molestamos siquiera en llevar armas. No queda ni un solo animal que pueda hacernos daño. Aparte del pescado, los pájaros y las jodidas moscas, somos los únicos que estamos aquí.

Elliott gritó, pero Will no entendió lo que había dicho.

—¿Qué sucede? —preguntó sin aliento, y sólo entonces reparó en que su amiga se había adelantado hasta el final de la calle. Will perdió el sombrero cuando echó a correr para reunirse con ella.

Cuando la alcanzó en la esquina, la enorme plaza se abrió ante él, en el centro de la cual se levantaba el edificio oficial que tenía la forma de un arco colosal. Había divisado el pináculo del arco en una expedición anterior a la ciudad, pero nunca lo había visto tan cerca.

En las calles que bordeaban y cruzaban la plaza, había numerosos coches y autobuses estrellados, mientras que otros se habían subido a las vías peatonales, donde habían sido abandonados sin más con las puertas abiertas. Y también había vehículos militares y carros de combate desperdigados alrededor de la base del arco que parecían haber sido abandonados a toda prisa, los cañones apuntando aquí y allá aleatoriamente.

—¿Qué pasa? ¿Qué es lo que has visto? —preguntó Will.

Ella no respondió, limitándose a señalar.

Will miró en la dirección del dedo, y divisó algo a corta distancia de una de las patas del arco. Era grande, probablemente de varios metros de alto y, cuando se protegió los ojos del sol, se dio cuenta de que era una estatua.

—¡Tienes que estar de broma! —farfulló de pronto—. ¡No puede ser quien creo que es!

—Ah, sí, sí que lo es. Mírala más de cerca. —Elliott le pasó su fusil para que pudiera utilizar la mira.

Era una estatua enorme de Tom Cox.

Allí estaba él, en todo su esplendor, la difusa silueta moldeada en granito tan negra y perniciosa como una roca gigante esperando a agujerear un barco.

Tenía la capucha levantada hasta la frente infestada de bultos, de manera que la grotesca cara y los ojos sin pupilas quedaban a plena vista. Pero lo peor era que los ojos habían sido tallados en una especie de piedra caliza o piedra más liviana, por lo que realmente sí que se parecía al renegado traidor de las Profundidades que había ayudado a los styx.

—Tom Cox el Sanguinario —dijo Will con los dientes apretados, recordando cómo aquel hombre monstruoso le había amenazado en lo alto de la pirámide con arrancarle los dedos uno a uno. La estatua era un recordatorio del que el chico podía haber prescindido perfectamente.

Y no estaba seguro de si debía indignarse o echarse simplemente a reír ante la vista de semejante disparate.

Elliott estaba igual de afectada. Para ella no había supuesto ningún problema disparar y matar a Cox; había sufrido de manera indescriptible en sus garras hasta que Drake la rescató de aquel hombre, si es que «hombre» era la palabra adecuada.

—Es tan asqueroso que sólo a ella... a ellas podría habérseles ocurrido —dijo Elliott, escupiendo las palabras como si tuviera veneno en la boca.

Will asintió con la cabeza, porque sabía mejor que nadie que estaba en lo cierto: que las gemelas Rebecca habían sido las responsables de que se erigiera el monumento a Cox, y sólo porque les había divertido el hecho de que el gordo Canciller la tendría que ver todos los días cuando mirase desde sus aposentos oficiales.

—Si fuéramos capaces de averiguar cómo funciona uno de esos carros de combate, podríamos utilizar la estatua para hacer tiro al blanco —sugirió Will, y entonces se pasó un dedo por el cuello de la camisa, que estaba empapado de sudor—. Y si esto es lo que querías que viéramos, ¿nos podemos ir ya a casa? —suplicó.

—No tenía ni idea de que estuviera aquí —respondió Elliott, y sostuvo el mapa en alto—. Lo raro de todo esto es que los Limitadores señalaron los emplazamientos en el mapa. Nunca hacen eso..., contraviene su Procedimiento Operativo Estándar. Y no lejos de aquí parece haber algo importante señalado.

—De verdad, ¿a quién le importa lo que hicieron los

Limitadores ni por qué lo hicieron? —replicó, aunque no en tono desagradable—. Ya son historia.

La chica le dedicó una de sus miradas.

Will dejó caer los hombros.

—Elliott, me convenciste para que viniera a esta horrible ciudad a buscar provisiones y cosas que necesitábamos. Y ahora quieres hacer una gira turística. Yo no me apunté a eso.

—¿Qué te pasa? —preguntó ella—. ¿Te acuerdas de cuando no había quien te impidiera meter las narices en todo, porque eras un curioso? De verdad que has cambiado. —Arrugó el entrecejo—. ¿Qué pasa, Will? ¿Es que te estás haciendo mayor?

Él mostró su indignación con un gruñido.

—No… me… estoy… haciendo… viejo —dijo lentamente—. Es simplemente que este jodido sol me está asando vivo.

—Un poco de sol no le hace daño a nadie —dijo ella entre dientes, y se dio media vuelta y empezó a trotar por el lateral de la plaza.

—Pero yo no soy como los demás. ¡Soy albino! —le gritó Will a Elliott—. Y no voy a salir corriendo otra vez. ¡Primero tengo que ir a buscar mi Bergen!

Ya con el arco gigante a sus espaldas, estaban avanzando por una de las amplias avenidas que se ramificaban desde la plaza central como los radios se extienden desde el buje de una rueda.

Will empezó a olfatear al captar un ligero olor a quemado en el aire. Entonces entraron en una parte de la vía pública donde el viento estaba arremolinando una ceniza negra sobre la superficie pintada de tiza de la calle. La ceniza se fue haciendo cada vez más densa, hasta que sus botas acabaron dejando huellas en ella.

Ninguno de los dos consideró conveniente hacer algún comentario al respecto; unas semanas antes, habían oído unas explosiones y subido corriendo a lo más alto de la pirámide situada junto a su campamento. Desde allí habían visto un denso humo amarillo subiendo en oleadas hacia el cielo desde una fábrica de las afueras de la ciudad, que sin duda se había recalentado e incendiado. Los incendios espontáneos eran algo habitual en ese mundo interior, donde el sol implacable hacía arder zonas enteras de la selva casi a diario. Así que no había motivo para creer que no pudiera ocurrir lo mismo en plena ciudad, sobre todo estando desatendida como estaba.

Will se detuvo junto a la mediana central de la avenida de seis carriles; Elliott se paró detrás de él.

—Esto lleva condenadamente lejos —dijo la muchacha, tratando de ver el final.

Will estaba admirando las impresionantes fachadas de los edificios del otro lado de la avenida.

—Habían hecho tantísimo aquí —masculló. De pronto, le conmovió el terrible destino que había corrido la otrora pujante metrópolis, edificada sobre la tierra desnuda hacía menos de setenta años—. ¿Sabes?, esto es igual que un lugar de Londres al que mi padre solía llevarme algunos fines de semana. Creo que era Kensington, donde están los museos de historia natural y ciencias, pero siempre estaba abarrotado de gente y turistas —dijo Will, señalando los edificios que había estado mirando—. Me pregunto si ésos no serán también museos.

Elliott se encogió de hombros.

—Sean lo que sean, según el mapa de los Limitadores en esta zona va a suceder algo importante. —Un edificio situado un poco más allá de los supuestos museos de Will llamó su atención—. ¿Qué te parece a ti que es ese lugar?

Fue el turno de Will de encogerse de hombros cuando

localizó el edificio de estructura metálica con grandes superficies acristaladas que reflejaban el sol.

—Ni idea. ¿Un maldito invernadero gigante? —sugirió.

Sin que Will y Elliott lo supieran, se trataba del invernadero tropical donde Vane había estado fecundando neogermanos a miles antes de que la plaga se hubiera desencadenado. Will echó un vistazo por encima del hombro hacia la hilera de tiendas que tenía detrás, y su mirada se detuvo en una tienda cerrada con tablas con las palabras «MOST-CONFISERIE» escritas encima con grandes letras doradas. Eso no significaba nada para él, pero la maqueta de una tableta gigante de chocolate sin el envoltorio que colgaba de un soporte, sí.

—Ésa debía de ser una confitería —decidió, y se rió entre dientes con tristeza—. Museos y chocolatinas..., las dos cosas que más apreciaba mi padre de la vida. Le habría encantado estar aquí.

—Qué extraño —murmuró Elliott, sin hacer ni caso a lo que Will estaba diciendo.

—No, creo realmente que es una confitería —respondió él, dirigiéndose ya en línea recta hacia la tienda.

—Es extraño que haya bastantes menos cuerpos en este tramo —dijo Elliott, levantando el fusil para poder utilizar la mira e inspeccionar por la avenida adelante.

Cuando Will llegó a la tienda, descubrió que el escaparate principal estaba protegido por unos tablones clavados a lo ancho, aunque hacia la parte inferior alguien había hecho un intento de entrar. Allí los tablones habían sido arrancados, y el cristal de detrás estaba roto en la base. Will se acuclilló para mirar dentro, aunque no pudo ver gran cosa donde en otro tiempo debía de haber estado el expositor de los productos.

Cuando se volvió a levantar, las suelas de sus botas hicieron crujir unos caramelos con todos los colores del arco iris, triturándolos con la ceniza.

—Alguien tuvo suerte —masculló Will. Después de semanas de no comer casi otra cosa que pescado, se le hizo la boca agua ante la perspectiva de encontrar algo que viniera en su envoltorio.

Dudando de si quedaría algo en el interior, se dirigió a la puerta de la tienda. Para su sorpresa, al girar el picaporte y empujar, la puerta se abrió ante él. No se paró a pensar en el motivo por el que debía de estar sin cerrar con llave cuando entró a toda prisa y fue recibido por la visión de una tienda en penumbra que parecía sacada de otro siglo.

En el mostrador de brillante madera negra había trufas de chocolate en bandejas de plata y expositores con pirulís de todos los colores. Examinó uno de los pirulís; aquél tenía de insólito que la parte superior giró sobre el palo cuando le dio un golpe con el dedo. Tras metérselo en el bolsillo, volvió su atención a los estantes que estaban más allá del mostrador y que contenían numerosos tarros con golosinas de aspecto maravilloso. Caramelos, leyó en uno de los tarros, y ya había dejado su Sten sobre el mostrador y estaba a punto de subirse de un salto para cogerlos, cuando casualmente echó un vistazo a la pared que tenía detrás. Los estantes contenían el surtido más asombroso de lo que parecían chocolatinas, una tras otra de ellas, en cantidad suficiente para abastecer a alguien durante unos cuantos años.

—¡La veta madre! —Soltó una carcajada y se frotó las manos de regocijo.

Se apartó del mostrador y empezó a caminar lentamente junto a las estanterías mientras se servía diferentes chocolatinas. No tenía ni idea de lo que había escrito en los envoltorios, así que empezó a partirlas para probar algunos trozos. «Menta», pensó mientras probaba una chocolatina con la imagen de un iceberg en el paquete. Todas las chocolatinas estaban bastante blandas a causa del calor, pero le traía sin cuidado.

—Esto es demasiado bueno para ser verdad —dijo cuando llegó al final de las estanterías y su mirada se posó en las cajas de botellas allí apiladas.

Sacó una que contenía un líquido transparente y golpeó la tapa de la botella contra el borde del mostrador para que saltara. La chapa apenas tuvo tiempo de caer al suelo antes de que Will le diera un buen trago al líquido gaseoso.

—¡Ah, qué buena está! —exclamó poniendo los ojos en blanco de entusiasmo, antes de vaciar sin demora el resto del contenido—. ¡Limonada! —E inmediatamente agarró otro par de botellas y les hizo saltar las tapas—. Elliott no se lo va a creer —dijo, y echó a correr hacia la puerta con su botín.

Cuando salió a la acera, se paró en seco.

Una pequeña figura metida en una especie de traje protector estaba parada allí y sostenía un arma de fuego en las manos. El cañón estaba temblando, pero el arma apuntaba directamente a Will.

«¡Maldita sea! ¡Mi Sten!», pensó el chico, dándose mentalmente de tortas por haberla dejado sobre el mostrador. Aunque en ese momento no le habría servido de mucho. Levantó lentamente las manos con las botellas todavía en ellas, y las chocolatines que había estado sujetando bajo el brazo cayeron alrededor de sus pies.

El traje era de un blanco opaco y parecía estar hecho de algún tipo de plástico. La cabeza de la figura estaba completamente encerrada en un casco cilíndrico achatado en la parte superior, y en el cuello había un filtro a través del cual Will podía oír un silbido sordo. Sin duda el casco recibía un suministro constante de oxígeno o aire de un cilindro que colgaba de la espalda de la figura.

—¿Quién eres? —preguntó Will mientras pensaba rápidamente, preguntándose cómo era posible que alguien hubiera podido sobrevivir en la metrópolis. Miró con los ojos entrecerrados la zona rectangular de plástico transparente del casco y distinguió los ojos jóvenes asustados que le devolvían la mirada con la misma atención. Era un niño pequeño, probablemente de no más de diez años.

Al menos no era un styx, se consoló Will.

—No... no eres más que un niño, ¿verdad? ¿Qué demonios estás haciendo aquí? —preguntó.

El chaval no dio ninguna respuesta, aunque siguió apuntándole con el arma.

—¿Me entiendes? Mantén la calma —dijo Will, procurando por todos los medios no perder él mismo los nervios dadas las circunstancias—. No voy armado —añadió. De pronto, todavía con las botellas de burbujeante limonada sujetas en alto en ambas manos, se dio cuenta de lo ridículo de semejante declaración.

Los brazos del niño temblaban mientras sujetaba el arma.

—Mira, ¿entiendes lo que te digo? No te vamos a hacer daño —volvió a decir Will con exasperación.

El niño empezó a gesticular frenéticamente con la pistola. Era un arma extraña, una Broomhandle Mauser, similar al arma corta alemana de la Primera Guerra Mundial. Y era difícil de manejar para un niño, razón por la cual quizás estuviera necesitando las dos manos para mantenerla apuntada hacia Will.

El chico se le acercó hendiendo el aire con la Mauser, hasta que la boca del arma quedó a menos de treinta centímetros de la cara de Will. Éste reparó en la fuerza con que el dedo del chaval presionaba el gatillo. Y eso no era bueno.

Se oyó un sonido de lo más leve, como el de una ráfaga de aire. Y luego el chasquido al quitarse el seguro de un arma.

Elliott estaba allí, en la acera, al lado del niño. Tenía el rifle apoyado en el hombro, apuntándole directamente a la sien.

—Quiero que bajes el arma —le ordenó la muchacha—. Y hazlo con cuidado.

El cuerpo del niño se sacudió como si hubiera recibido una picadura, aunque mantuvo la cabeza hacia Will con determinación.

—Te he dicho que bajes el arma —volvió a intentar Elliott.

El niño no dio ninguna señal de obedecer, aunque sus ojos se movían rápidamente de Will a Elliott.

—Vamos, chaval, bájala —le suplicó Will antes de hablarle a Elliott—: Es inútil, parece que no entiende ni jota.

—No, no entiende —admitió Elliott—. Y si no baja el arma pronto, le voy a meter un tiro en la muñeca.

Resultaba evidente que al niño no le gustaba que Will y Elliott estuvieran hablando. Empezó a empujar la pistola hacia el chico y sacudió la cabeza, mientras el casco se le empañaba un poco por dentro.

Se oyó otro chasquido.

—Ah, se equivoca, los dos les entendemos muy bien —dijo una voz de hombre—. Usted no va a disparar a nadie, *fräulein.* —El hombre iba armado con otra de aquellas extrañas pistolas y tenían el cañón presionado contra la nuca de Elliott. Ésta puso los ojos en blanco, furiosa por haber permitido que alguien se le acercara a hurtadillas.

El hombre también llevaba un traje protector.

—¿Podría sugerirle que baje su arma? —dijo el hombre en un inglés muy formal.

—Ni lo piense —respondió Elliott con frialdad—. Si lo hago, perdemos nuestra fuerza. Si abre fuego ahora mismo, puede que yo muera, pero mi dedo se contraerá. A esta distancia, seguro que el niño recibe un balazo. Sucumbirá sin ninguna duda. ¿Quiere correr ese riesgo?

Se hizo el silencio mientras el hombre recapacitaba sobre aquello.

—Y antes de que muera, puede que él también le pegue un tiro a su amigo.

—Puede que sí, o puede que no —retrucó Elliott.

Will tomó aire.

—Si no tienen inconveniente, la verdad es que preferiría no tener que averiguarlo. —El calor sobre la acera era asfixiante, y el sudor le estaba corriendo a chorros por la espalda mientras los brazos se le estaban empezando a cansar de sujetar las botellas de limonada encima de la cabeza—. Les diré una cosa —dijo, obligándose a sonreír—, ¿qué tal si bajo primero estas botellas?

Ninguno respondió ni pareció estar por la labor de aceptar su sugerencia. Todos sujetaban firmemente sus armas. Sin mover la cabeza, Will movió discretamente los ojos para intentar ver al hombre con más claridad.

—Lleva ese traje por el virus, ¿verdad? Pero no parece un militar.

—No, no soy un militar —respondió.

Will frunció el ceño.

—No hay que devanarse los sesos para saber que son neogermanos, pero ¿cómo sobrevivieron al virus? ¿Y qué están haciendo aquí?

—Yo podría hacerle la misma pregunta —argumentó el hombre.

—Vinimos aquí desde la Superficie para impedir que los styx..., para impedir que se reprodujeran. Todo salió mal, y se liberó un agente patógeno mortal. Fue un accidente —explicó Will, siendo consciente de lo mal que sonaba aquello—. Bueno, ¿quiénes son ustedes exactamente? —volvió a preguntar rápidamente.

—Yo era un científico del Institut für Antiquitäten —dijo el hombre—. En su idioma... esto... el Instituto de las Antigüedades.

Will abrió bien las orejas al oír aquello.

—¿Antigüedades? ¿Así que ustedes lo saben todo sobre la pirámides y las ruinas de la selva? —se arriesgó a preguntar.

—Todo lo que se nos permitía saber con el aliento de los militares en nuestras nucas —contestó el científico.

Elliott carraspeó.

—Por favor, ¿podemos centrarnos en la cuestión? ¡Tenemos algunos problemas que resolver! —dijo con los dientes apretados.

Will ignoró su comentario, sintiéndose ligeramente mareado a causa del calor del sol.

—Mi padre y yo también estuvimos estudiando las pirámides —comentó—. De hecho, acabamos entrando en una cuando andábamos huyendo de los styx. Los puñeteros indígenas nos dejaron entrar, aunque luego nos entregaron. Como consecuencia, mi padre resultó muerto.

—Así que eran ustedes —susurró el hombre. Guardó silencio durante un segundo, a todas luces considerando lo que había oído—. Entonces, puede decirme una cosa —dijo, finalmente—: ¿Cómo se llamaba el oficial del ejército que les recogió en helicóptero...?

—Bismarck —prorrumpió Elliott antes de que el hombre tuviera ocasión de terminar—. El coronel nos ayudó a escapar en su helicóptero para que pudiéramos encontrar el camino de vuelta al mundo exterior. Allí fue donde nos volvimos a encontrar con él... en la Superficie. Era amigo nuestro.

El hombre pareció alterarse al oír aquello.

—¿Era?

Will asintió compungido con la cabeza.

—Le mataron los styx en una emboscada que nos tendieron. Poco antes de que la sima quedara cegada por la explosión y se liberara el virus.

—Yo también conocí a Bismarck. A pesar de que era militar, era un buen hombre —dijo el neogermano. Se apartó un paso de Elliott, aunque siguió apuntándola con su pistola—. Así que saben cómo empezó la epidemia. Y aunque ambos están expuestos al aire, ninguno de los dos muestra ningún síntoma.

—Se nos vacunó contra el virus —respondió Will, cerrando un ojo cuando el sudor le goteó dentro.

La respuesta parecía haber impresionado al hombre, que guardó silencio durante un instante.

—Así... así que nosotros también seríamos inmunes a ella, si nos permitieran extraerles sangre —dijo finalmente.

—Si eso significa que no va acabar esparcida por toda la acera —respondió Will, centrándose ahora en el extremo del cañón de la pistola del niño—, adelante.

—De acuerdo —convino el hombre, y sin más aspavientos tanto él como el niño enfundaron sus armas. Se dirigió directamente hasta donde estaba el chaval, y le habló en murmullos mientras inspeccionaba un manómetro en el cilindro que llevaba a la espalda.

Con un suspiro de alivio Will dejó las botellas de limonada junto a sus pies. Estaba estirando los brazos y frotándose los acalambrados músculos cuando su mirada se cruzó con la de Elliott.

—¿Qué pasa? —preguntó. Ella no había bajado la guardia todavía, y mantenía medio listo el fusil en la cintura. Entonces hizo un leve encogimiento de hombros y se colgó el arma del hombro con las otras que transportaba.

El hombre se acercó a Will, ofreciéndole una mano enguantada.

—Soy Jürgen, y éste es Karl, mi hijo. —Parecía un poco raro estar hablándole a un casco cilíndrico, donde lo único visible eran los ojos del hombre a través de una ventana de plástico transparente.

Will se presentó a sí mismo y a Elliott.

—No pensábamos que quedara alguien más vivo —dijo, asimilada por fin la sorpresa de que alguien hubiera sobrevivido en la ciudad.

—Creo que somos los únicos —dijo Jürgen. Se rió entre dientes cuando le echó un vistazo a la puerta de detrás de Will—. Y ni siquiera una epidemia puede mantener alejado a Karl de una *Süßwarengeschäft*... una confitería. —Su voz se tornó grave—. Pero ahora necesito que me acompañen —añadió, dirigiéndose también a Elliott.

La muchacha se puso a la defensiva de inmediato.

—¿Adónde? —preguntó—. Y primero dígame una cosa: ¿cómo es que su inglés es tan bueno? El coronel mencionó que todos los neogermanos lo aprendían en el colegio, pero usted tiene aún menos acento que él.

—Aquí en la ciudad la comunidad científica lo empleaba como idioma vehicular cotidiano en el trabajo y la documentación —respondió Jürgen sin vacilar—. La cosa empezó porque las mayoría de las revistas científicas que había en los archivos que afluyeron a este mundo allá en la década de 1940 eran en inglés. Y muchos de los científicos de la época estaban reaccionando contra el Tercer Reich y se mostraron más que satisfechos de no utilizar su lengua materna.

—De acuerdo —dijo Elliott, no del todo convencida aún de que el hombre fuera digno de confianza—. ¿Y adónde quiere que vayamos?

—Al hospital. Karl y yo tenemos que regresar allí antes de que se nos acabe el oxígeno, y es donde mi hermano Werner podrá utilizar los antígenos de su sangre para vacunarnos. Ya ve, él trabajaba de médico en la unidad de enfermedades infecciosas del hospital —explicó el neogermano—. Cuando empezaron a llegar los primeros informes de la epidemia, nos metió a toda prisa a mi hijo y a mí en la sala de cuarentena justo a tiempo. Por eso seguimos vivos. —Jürgen hizo una pausa—. Bueno, ¿vendrán ahora con nosotros?

—Por supuesto, vamos —dijo Will.

Echaron a andar con una vigilante Elliott caminando unos cuantos pasos por detrás de Will, que hablaba con Jürgen y Karl. Mientras pasaban por su lado, el hombre iba señalando los edificios del otro lado de la avenida, los que el chico había tomado por museos.

—Cuando la epidemia se extendió por la ciudad, en

esta zona se produjo una elevada concentración de personas. Creemos que las congregaron y trajeron aquí para el programa de reproducción.

—Imagino que por Vane —conjeturó Will—. Ella era la mujer styx.

—No sé nada acerca de eso —respondió el hombre—, aunque es evidente que el principal lugar para la reproducción estaba ahí dentro. —Giró en redondo para mirar el gran invernadero, y cuando se volvió de nuevo hacia Will miró a su hijo de pasada—. No he dejado que Karl entrara allí porque los restos humanos que quedan dentro son indescriptibles. Y todavía no hemos empezado a vaciarlo, aunque puede ver que sí lo hemos hecho en las calles... incinerando los cadáveres en piras.

—Eso explica toda esa ceniza —dijo Will.

—Sí, estuvimos haciendo todo lo que pudimos para erradicar cualquier bolsa de virus. —Un cierto dejo de abatimiento tiñó la voz del hombre cuando continuó—. Quizá sea demasiado tarde para la ciudad, pero confiamos en que nuestra gente de los remotos puestos de avanzada sigan a salvo de la enfermedad. Con el tiempo, los elevados niveles de luz ultravioleta del sol deberían destruir cualquier virus de crecimiento libre, aunque a Werner le preocupa que las diferentes especies de aves puedan haberse convertido en vectores, y que lo estén transportando a los rincones más alejados de este mundo. Así que puede que nuestras esperanzas sean vanas.

Will levantó la cabeza hacia el cielo brillante, donde observó a un solitario buitre que lo cruzaba batiendo las alas lánguidamente.

—Sí, porque los pájaros se han estado comiendo la carne —dijo, y arrugó el entrecejo—. Sólo espero que no lo propaguen hasta la Superficie.

—Las probabilidades de que un pájaro consiga llegar

son bastante escasas —respondió Jürgen, y entonces señaló una calle lateral cuando llegaron a su altura—. El hospital es por aquí —explicó.

Varias calles más adelante, Will vio dos grandes carretillas en medio del camino. Una estaba hasta los topes de bidones apilados que contenían gasolina o algo parecido; su olor impregnaba con fuerza el aire cuando pasaron por su lado. La segunda carretilla contenía varias capas de cadáveres, esqueletos que seguían llevando sus ropas sucias y andrajosas, y se amontonaban unos encima de otros de cualquier manera.

Pero Will no le dio muchas vueltas a aquello porque en el cruce principal, unos nueve metros más allá, divisó lo que parecía ser un pequeño montículo que ascendía desde la superficie de la calle. Cuando se acercaron, pudo ver que estaba compuesto exclusivamente de huesos. Era tan negro como el carbón, y se elevaba casi hasta la altura de las primeras plantas de los edificios circundantes. Y por todas partes estaba salpicado de pequeños hoyos rojos resplandecientes donde el fuego seguía ardiendo, y de ellos salían fumarolas de humo gris que ascendían culebreando hasta que se perdían en la calina del sol.

Will oyó que Jürgen decía algo mientras los conducía hacia el montículo.

—Así es como debería acabar esto —sentenció. Y nadie tuvo nada que añadir mientras rodeaban su circunferencia en solemne procesión. El olor de los cuerpos quemados era tan penetrante que Will se ahuecó la mano sobre la nariz y la boca, tratando de que el olor no le produjera arcadas, mientras que Jürgen y su hijo estaban completamente aislados del hedor gracias a sus trajes herméticos.

Will vio en la calzada un zapato tumbado de lado que había conseguido escapar del fuego. Se sintió incapaz de apartar la vista de la prenda. Era de mujer, de piel azul oscuro y muy lustrosa, y con una brillante hebilla cromada. El zapato parecía completamente nuevo, como si se hubiera comprado aquel mismo día en una tienda y apenas lo hubieran llevado.

Siguieron avanzando, y al cabo de unos minutos habían llegado al hospital, un reluciente edificio blanco que desentonaba notablemente de las monótonas fachadas de piedra que lo limitaban. Cuando atravesaron las puertas principales y entraron en el interior sin luz, una vez a resguardo del sol abrasador, el sitio les pareció muy oscuro. Sus pisadas sobre el suelo de linóleo era el único sonido que se oía en el vestíbulo de entrada, donde había varias salas de espera con filas de bancos vacíos que miraban a los mostradores desatendidos.

Jürgen había guardado silencio desde que habían visto la pira de la calle, pero entonces habló de nuevo.

—Cuando salimos del área de cuarentena al cabo de dos días, nos encontramos con que la gente había acudido en tropel, buscando desesperadamente la ayuda de los médicos —les dijo a Will y a Elliott con voz ronca—. ¿Cómo dicen ustedes?... Estaban como sardinas en lata. Y así es como murieron, muchos todavía de pie. Y había tantas personas, que tuvimos que abrirnos paso a brazo partido hasta las puertas de acceso a esta área.

Will vio que siguiendo el perímetro de las paredes había varias carretillas más del mismo tipo que la vista junto a la pira, y supo que debían haber sido utilizadas para sacar los cuerpos, aunque ahora estaban llenas de cajas de provisiones.

Jürgen les señaló una puerta que partía del área principal. Cuando sacó una linterna y la encendió, le siguieron por varios tramos de escaleras hasta que cruzaron un par de puertas batientes y entraron en una sala grande. De las paredes colgaban unas láminas de polietileno, y entre el sistema de alumbrado improvisado discurrían unos cables amarillos.

Jürgen levantó y apartó algunas de las láminas para dejar a la vista una puerta de aspecto macizo, y luego apretó el botón de un interfono. Will oyó un timbrazo lejano.

—Sólo informo a mi hermano de que hemos vuelto —explicó el neogermano. Unos segundos más tarde, se oyó una voz por el interfono—. Werner —empezó a decir Jürgen, y entonces las luces de la sala se encendieron de golpe y el científico pasó a mantener un rápido intercambio de palabras en alemán con su hermano.

Elliott se paró al lado de Will.

—No sabemos dónde nos estamos metiendo —le susurró—. Podría ser una trampa.

Él desdeñó la sugerencia.

—Pero ellos nos necesitan más de lo que nosotros les necesitamos, ¿no es así? —preguntó.

—Werner dice que tenemos que llevarlos dentro para sacarles la sangre en condiciones de esterilidad —anunció Jürgen, interrumpiendo su conversación—. Eso significa que tienen que ser descontaminados, y lo vamos a hacer de la siguiente manera. Karl y yo pasaremos primero, y luego les tocará a ustedes. Al otro lado de estas puertas encontrarán la cámara de esterilización primaria, donde lavaremos nuestros trajes y pasaremos bajo los paneles de luz ultravioleta antes de quitárnoslos. En la sala contigua se encuentra la cámara secundaria, donde nos volveremos a duchar y nos vestiremos antes de poder entrar en la sala de cuarentena.

—Pero ¿nosotros también vamos a poder entrar ahí? Podemos lavarnos, pero ¿qué pasa con los virus que podamos tener «dentro»? —preguntó Will.

—Mi hermano es un experto en estos procedimientos, y cree que podemos minimizar el riesgo —le tranquilizó

Jürgen—. Sólo acuérdense de que tienen que dejar toda su ropa y equipo en las cajas estancas de la cámara primaria, antes de seguir con el resto del procedimiento que les he descrito. Una vez que terminen, deben ponerse las batas que les traeré. Y tienen que llevar mascarillas faciales para garantizar que no exhalen ningún virus en la sala.

—Entendido. De acuerdo —respondió Will, fingiendo sentirse a gusto con el proceso.

—Les haré saber por el interfono cuándo pueden entrar —dijo Jürgen, que tuvo un momento de titubeo antes de girar su casco cilíndrico hacia Will y Elliott. Ambos pudieron verle los ojos cuando añadió—: Y gracias por ayudarnos. No tengo palabras para expresar lo que esto significa para nosotros… Para mí… significa que Karl tenga una oportunidad. —Puso la mano en el hombro de su hijo para llevárselo. Se oyó un silbido de aire y la lámina de polietileno que rodeaba la habitación se agitó cuando el neogermano tiró de la pesada puerta, y padre e hijo entraron.

Veinte minutos después, la voz de Jürgen se oyó por el interfono comunicándoles que era su turno. Al acercarse a la puerta, Will escuchó un ruido sordo cuando los solenoides descorrieron los pestillos de la pesada puerta de acero y pudo abrirla. Se oyó otra ráfaga de aire; sin duda, en la sala de cuarentena se mantenía la atmósfera a una presión mayor para evitar que se colara nada de aire.

Aunque todo estaba hecho de acero inoxidable, el interior de la primera zona de descontaminación tenía toda la pinta de un vestuario, con las taquillas y duchas a ambos lados. Will metió su Bergen a presión en una de las taquillas y luego el Sten. Empezó a desabotonarse la camisa, pero entonces se volvió hacia Elliott, que estaba parada sin moverse delante de otra taquilla. Había estado a punto de depositar su arma dentro junto a los otros dos fusiles de los Limitadores que había estado transportando.

—¿Qué pasa? —preguntó Will.

—Vamos a meternos en esto con las manos completamente vacías. Sin armas... Eso hace que me sienta muy incómoda —respondió en un susurro.

—Pues quédate aquí entonces. Entraré solo —sugirió Will—. Sólo necesitan sacarle sangre a uno de los dos.

—¡Ni hablar! Nos mantendremos unidos... en todo momento —respondió Elliott rápidamente, y entonces suspiró—. Pero para empezar, no tenemos ninguna necesidad de colocarnos en esta situación. Si escapamos, jamás nos alcanzarán. Y podemos asegurarnos de que no nos vuelvan a encontrar.

—¿Y no se lo debemos? —respondió Will—. Digas lo que digas, en parte somos responsables de lo ocurrido. ¿Cuánto tiempo pueden seguir viviendo de esta manera, hasta que alguien la cague y acaben infectados? ¿O se queden sin electricidad o agua o lo que sea? —Como Elliott no hablaba, añadió—: Desconfías, ¿verdad? ¿No crees que si Drake hubiera estado aquí habría intentado ayudarles? ¿Qué ayudaría a salvar la vida de ese pequeño?

Aquello pareció desconcertarla.

—Sinceramente, no lo sé —replicó ella, mordiéndose el labio mientras pensaba—. Supongo que sí. Pero si hacemos esto y sale mal, habrá sido decisión tuya, y tendrás que asumir toda la responsabilidad.

—Vale —dijo Will, que añadió con cierto titubeo—: Esto..., aunque una cosa...

Elliott se estaba desabrochando el cinturón.

—¿De qué se trata? —preguntó.

Will agitó la mano hacia el lado de la cámara de Elliott.

—Nada de atisbar, ¿de acuerdo? No apartes la vista de tu lado, y yo haré lo mismo. ¿Trato hecho?

—Esto... sí..., trato hecho —afirmó ella, consciente de a qué se estaba refiriendo.

Pasaron por el procedimiento de descontaminación tímidamente en silencio, se desnudaron y se ducharon, y luego se pararon bajo los paneles de luz ultravioleta sin mirarse. Durante todo el rato que duró aquello, el aire fresco no dejaba de ser bombeado al interior de la cámara; lo oían salir con fuerza por los conductos de ventilación.

Luego, en el mismo momento en que los paneles de luz ultravioleta se apagaron, una voz les habló por el interfono que había junto a la entrada de la segunda cámara.

—Ahora pasen a la siguiente área, por favor —les ordenó.

—Las damas, primero —dijo Will, que en todo momento se mantuvo de espaldas a Elliott.

Se volvieron a duchar en los cubículos de sus respectivos lados, se secaron y se pusieron las batas y las mascarillas que Jürgen les había proporcionado.

—¿Ya estás vestida? —preguntó Will.

—Sí, completamente —respondió ella, y sólo entonces se miraron a los ojos.

Aún un poco avergonzado por la situación, él flexionó los hombros debajo de la bata blanca.

—Hacía tiempo que no me daba una ducha de agua caliente como ésta. Me pica todo.

Elliott asintió con la cabeza, tratando de disimular una sonrisa.

—Sí, ya vi que tienes un sarpullido en la espalda.

—¡Qué! —exclamó Will, cuando los solenoides hicieron un ruido sordo en la puerta y obedecieron la orden dada por el interfono de que entraran en la sala de cuarentena propiamente dicha—. ¿Cómo lo sabes? Me has engañado…, has mirado lo que has querido, ¿verdad, condenada? —le dijo en un siseo a Elliott mientras entraban en el pasillo del otro lado de la puerta. Sabía que tenía la cara ardiendo; el problema con su tez lechosa era que hasta el menor atisbo de vergüenza se hacía evidente.

Elliott se rió como una tonta.

—Y, la verdad, eres muy musculoso, ¿no?

Un hombre apareció en la entrada al final del pasillo, y empezó a acercarse a ellos a grandes zancadas. Jürgen, supuso Will.

—Sí..., bueno..., pues tú tienes unas hoyuelos muy grandes —le respondió Will en un susurro, sonriendo maliciosamente.

—¿Hoyuelos? ¿Dónde? ¿Qué...? —prorrumpió ella, pero se vio obligada a guardar silencio porque el hombre ya estaba lo bastante cerca para oír.

—Al fin nos conocemos en carne y hueso. Soy Jürgen —dijo el hombre, haciéndoles a cada uno una reverencia protocolaria, pero sin ofrecer estrecharles las manos de nuevo, quizá porque le seguía preocupando establecer contacto físico a pesar de la concienzuda limpieza a la que se habían sometido.

Vestido con un mono azul, Jürgen era un hombre pequeño, no mucho más alto que Will. Seguía teniendo mojado el pelo rubio a causa de su proceso de descontaminación y el largo flequillo lacio le colgaba por delante de los ojos azules. En ese momento se lo atusó hacia un lado tímidamente.

—Espero que no tengan la piel demasiado irritada de tanta ducha —dijo, oliéndose el dorso de la mano. Señaló un estante con lo que parecían unos extintores junto a la base de la pared, pero estaban pintados de verde y rotulados en alemán—. Las duchas que acaban de tomar contienen germicidas, como los contenidos en esos depósitos. Es una precaución añadida contra el virus, aunque pueden provocar reacciones cutáneas.

—Sí, Elliott me ha visto una erupción —masculló Will, lanzándole una mirada maligna a su amiga.

Esforzándose al máximo para no sonreír, la muchacha preguntó:

—Bueno, ¿qué hacemos ahora?

—Werner nos está esperando en el laboratorio. Por favor, por aquí —dijo el hombre, girando sobre sus talones.

Cuando echaron a andar por el pasillo, Karl llegó corriendo, rodeó a su padre con los brazos y escondió la cara en él. De pelo rubio y rizado, el niño se parecía a su progenitor, aunque bajo los ojos tenía unas manchas oscuras, como si llevara tiempo sin dormir. Todavía con la cara apretada contra su padre, ocasionalmente echaba miradas furtivas a Will y a Elliott.

—Hola —le saludó Will, pero el niño no respondió.

Jürgen empezó a caminar lentamente, todavía con su hijo colgado de él.

—Karl no puede hablar. De hecho, no ha dicho una sola palabra desde el día en que se desató la epidemia. Verán, mi esposa, su madre, no consiguió llegar a este refugio a tiempo. Sabemos que venía de camino hacia aquí, pero puede que los invasores la apresaran para hacer más lavados de cerebros. Tenían la costumbre de hacerle eso a cualquiera que pareciera tener prisa.

—Lo siento —murmuró Will.

Jürgen siguió andando lentamente, y la voz le temblaba al recordar.

—De todas formas, no pudimos esperarla mucho más tiempo. No tuvimos elección. Teníamos que cerrar la puerta principal… o todas las demás personas que había aquí dentro nos habrían aplastado.

—¿Dijo «lavado de cerebro»? ¿Se refiere a que los styx la sometieron a la Luz Oscura? —preguntó Elliott con tacto.

—¿Luz Oscura? —dijo el hombre, repitiendo la palabra desconocida—. ¿Con la luz púrpura? —Entrecerró los ojos y simuló protegerse la cara de una luz brillante—. Sí, todos pasamos por eso. La gente a la que llaman styx recorrieron la ciudad manzana por manzana, sacándonos a la fuerza de los edificios. Luego nos hicieron mirar las luces púrpura, incluido aquí Karl. —Le alborotó el pelo a su hijo.

Will intercambió una mirada con Elliott, que tenía el entrecejo arrugado.

—Ésas no son buenas noticias. Tenemos que hacernos cargo de lo que quiera que les implantaran —dijo ella, poniendo en palabras exactamente lo que su amigo estaba pensando.

—¿Y pueden hacer eso? —preguntó Jürgen—. ¿Cómo? ¿Y por qué?

—Tengo un artilugio en mi Bergen que se desarrolló para neutralizar la Luz Oscura —contestó Will, refiriéndose al Purgador—. Lo que le metieron en la cabeza podría ser peligroso para usted o para cualquiera que esté con usted. Yo fui programado para tirarme desde cualquier altura que fuera suficiente para matarme.

—Entiendo —dijo Jürgen, asintiendo con la cabeza—. Entonces deberíamos ocuparnos de eso después, pero primero hay asuntos más apremiantes que abordar. —Condujo a Will y a Elliott a una habitación atestada de equipamiento médico. Un hombre levantó la vista de su microscopio.

—*Guten Tag* —dijo.

—En inglés, Werner, tienes que hablar en inglés —le recordó Jürgen.

Aunque Werner tenía los ojos azules de su hermano y unas facciones parecidas, era más alto y bastante más delgado. Sin duda era el mayor de los dos, y el pelo rubio le raleaba ostensiblemente en el cuero cabelludo.

—De acuerdo, en inglés —dijo.

—¿Necesita un poco de nuestra sangre? —preguntó Will.

—Así es. He estado trabajando en la identificación de los organismos virales para poder aislarlos —explicó Werner, inclinando la cabeza hacia el microscopio—. Hasta el momento no he tenido éxito. —Entonces se levantó y se puso un par de guantes de goma—. Ya ven, esta sala en la que están se creó porque siempre estaba el fantasma de alguna nueva cepa vírica o bacteriana que podía colarse en nuestro mundo desde la Superficie. Y dado que careceríamos de toda resistencia natural a ella, se temía que pudiera extenderse por la población. Esta epidemia que nos ha atacado fue demasiado virulenta para que nuestros médicos hicieran algo a tiempo.

—Pero ¿sabe cómo preparar una vacuna a partir de nuestra sangre? —preguntó Will.

Werner asintió con la cabeza.

—Los antígenos que llevan en su organismo permitirán que tenga disponible una vacuna contra la epidemia, para nosotros y para cualquier otro superviviente que encontremos. —Les pidió que se sentaran, y luego utilizó unas jeringas para extraerles sendas muestras de sangre a cada uno. Les dijo que en cuanto tuviera preparada la vacuna, o él o su hermano la probarían primero, porque si salía mal no podían permitirse estar incapacitados los dos al mismo tiempo.

—Entonces yo seré... el *cohiba* —dijo Jürgen, asintiendo con la cabeza de forma entusiasta.

—Creo que es cobaya —le corrigió Will.

—Entonces, ¿aquí ya no nos necesitan más? —preguntó Elliott.

—No, pero si están de acuerdo, ¿les importaría quedarse hasta que sepamos que la vacuna es viable? Podría necesitar alguna muestra más —explicó Werner—. ¿Cómo dicen ustedes...? Más vale prevenir que curar.

—De acuerdo, pero ¿cuánto tiempo quiere que nos quedemos? —preguntó Will, impaciente por salir de la ciudad y regresar a su plataforma en la selva.

—Como máximo, cuarenta y ocho horas —respondió Werner, que estaba llevando las muestras de sangre a una centrifugadora, ya que había empezado con su trabajo.

Jürgen guió a Will y a Elliott fuera del laboratorio y por un pasillo en el que dejaron varias puertas atrás.

—Tenemos algunas habitaciones para ustedes por aquí. —Señaló el lado derecho del pasillo—. Éstas son todas habitaciones de aislamiento, alojamientos autosuficientes con su propia filtración de aire independiente para que puedan quitarse las mascarillas dentro de ellas para comer y beber.

Habían pasado varias de aquellas habitaciones de aislamiento, cuando Will alcanzó a ver algo por el ventanuco de control de una de las puertas que le hizo pararse en seco.

—¡No me lo puedo creer! —exclamó cuando vio la figura sentada en el borde del catre, cuya piel áspera y verticilada era como la corteza de un árbol viejo—. Es un indígena, ¿no es así? ¿Cómo consiguó que viniera aquí?

—Nunca he visto antes uno vivo —dijo Elliott, yendo hasta el ventanuco para atisbar dentro.

El indígena tenía la cabeza vuelta hacia ella, y sus pequeños ojos castaños eran el único rasgo humano reconocible, hasta que abrió la boca y ella le vio su lengua rosa. Parecía estar diciendo algo.

—Pero ¿por qué está aquí? —exigió saber Will, dirigiéndose a Jürgen.

—Yo formaba parte de un pequeño equipo del Instituto de las Antigüedades que estuvo trabajando con la población indígena (o nativos, como los llamamos nosotros) durante los últimos diez años —respondió Jürgen—. Establecimos contacto en una expedición y se lo ocultamos a los militares, a los que se les había metido en la cabeza que eran hostiles. En realidad, no tenían ni idea de lo que había en aquel sector de la selva, pero si lo hubieran sabido, lo más probable es que hubieran montado una operación para acorralarlos.

Jürgen tomó aire.

—Fue una pena que varios soldados perdieran la vida, cuando erróneamente se les consideró una amenaza para las pirámides. Pudimos evitar que hubiera más muertes hablando con los nativos y haciéndoles comprender.

Will estaba sacudiendo la cabeza cuando cayó en la cuenta de algo.

—Así que ésa es la razón de que a mi padre y a mí nos dejaran en paz —dijo.

—Exacto —le confirmó Jürgen—. Por lo que respecta a este nativo, fue introducido de matute en mi instituto varias semanas antes de que se desencadenara la epidemia, y no podía dejarlo abandonado. No sabía si también era vulnerable al virus.

—Encontramos a algunos de ellos muertos en la selva —dijo Will.

—Werner pensó que ése podría ser el caso. La mayoría de los vertebrados son vulnerables. Y bajo esas capas epidérmicas radicalmente distintas, la fisiología de los nativos es la misma que la nuestra —afirmó Jürgen.

Elliott no pareció muy convencida con aquello.

—¿Son humanos? —preguntó—. No lo parecen.

Pero Will tenía la cabeza llena de preguntas.

—¿Dijo que habían estado trabajando con ellos? ¿En qué exactamente?

—En los orígenes de su civilización, las pirámides y la ciudad en ruinas —contestó el neogermano—. Los avances han sido lentos debido a que la comunicación con ellos está en pañales. ¿Ve esos dibujos que hay encima de la mesa que tiene delante?

Will y Elliott miraron las hojas de papel cubiertas de dibujos, muy parecidos a los pictogramas esculpidos en el exterior de las pirámides.

—¿Jeroglíficos? —preguntó Will.

—Sí. Desde el primer instante nos dimos cuenta de que ésa era la mejor manera de mantener alguna especie de conversación. Como pueden ver, su lengua es muy básica, muy limitada.

—Mi padre podía hablar con ellos, aunque eso no nos llevó a ninguna parte —dijo Will, acordándose del momento en el interior de la pirámide.

—Ésa es la razón de que este nativo estuviera en el instituto, para realizar grabaciones. Habíamos descubierto que se comunicaban entre sí utilizando toda una serie distinta de sonidos que apenas son audibles para el oído humano. Es…

—Es como una especie de agudo, como un zumbido —le interrumpió Will.

Jürgen asintió con la cabeza.

—Muy cierto.

—Y es aún más difícil de oír porque se mueven al mismo tiempo… que susurran —explicó el chico, y entonces enmudeció, la mirada fija en la media distancia. Seguía guardándoles rencor a los indígenas por la manera en que les habían tratado a él y al doctor Burrows—. Lo capté cuando nos hicieron prisioneros, poco antes de que nos vendieran a los styx.

Jürgen se volvió hacia él.

—¿Sabe una cosa?, los indígenas no eran…, no son sus enemigos. No quieren verse envueltos en los conflictos de los demás. Quizá les entregaron a los invasores porque creyeron que tenían que hacerlo para proteger su pirámide. Así es como actúan. Así es como actúan todos. Protegen sus pirámides. Un sinfín de generaciones han sido sus guardianes..., los custodios de algo que no parecen comprender realmente. —Jürgen se dirigió a la ventanilla de control y levantó la mano hacia el nativo, que hizo lo propio, aunque la suya parecía un haz de ramas.

Will observó que alrededor de donde estaba sentado el indígena había esparcidos trozos de su piel, como si fueran hojas trituradas.

—¿Qué es eso que tiene a los pies?

—La capa epidérmica de esta gente, su piel gruesa, es una adaptación evolutiva. Es tanto un camuflaje como una pantalla contra los rayos dañinos del sol. Pero ahí dentro, lejos de la luz solar, la capa exterior deja de ser necesaria y en algunas partes empieza a secarse y desprenderse.

Era evidente que Jürgen estaba ansioso por enseñarles sus habitaciones, y empezó a caminar lentamente por el pasillo, aunque Will estaba enfrascado en sus pensamientos y no reparó en el hecho. Cuando Elliott le cogió del brazo para que se moviera, él dijo:

—Me encantaría saber qué han aprendido sobre esta gente.

—Estaré encantado de detallarle... —dijo Jürgen, dejando que las palabras se apagaran cuando su hijo apareció. El niño le metió algo en la mano a Will antes de volver a alejarse corriendo. Era un reluciente pirulí de colores que giraba sobre su palo, igual que los que él había visto en la tienda.

Jürgen sonrió.

—Puede usted considerarlo todo un honor, ciertamente. Esos pirulís Kriesel son los preferidos indiscutibles de Karl. Se lo puede comer en su habitación, donde podrá quitarse la mascarilla.

—Seguro que lo haré —corroboró Will, haciendo girar la parte superior del pirulí con el dedo y sonriendo al niño que se alejaba.

Aunque los cuartos de aislamiento eran pequeños, los catres eran bastante cómodos y la comida enlatada supuso una satisfactoria novedad respecto a la comida de Will y Elliott en la selva. Jürgen fue el primer candidato a recibir la vacuna de Werner, y después de que le pinchara tan sólo padeció un ligero dolor de cabeza y su cuerpo empezó a producir antígenos contra la enfermedad.

Al cabo de veinticuatro horas, Werner realizó unos análisis de la sangre de su hermano para determinar si había desarrollado inmunidad frente al virus. Aunque las pruebas demostraron que sí, Jürgen no se aventuró a salir de la sala de cuarentena, y en su lugar hizo compañía a Will y a Elliott, hablándoles de sus investigaciones sobre los nativos y las ruinas que su equipo había encontrado en las expediciones a la selva.

Entonces Werner se vacunó a sí mismo, a Karl y al nativo. La sensación de entusiasmo creciente era casi palpable entre los neogermanos, pero entonces, mediado el segundo día, hubo un incidente. Will fue sacado de su sueño por un estruendo, seguido de un griterío en el pasillo exterior. Tras ponerse la mascarilla, salió corriendo de su cuarto y se encontró con que Elliott ya estaba allí, junto con los dos hermanos neogermanos. Estaban junto a la puerta del cuarto del nativo, atisbando por el ventanuco de observación.

—¿Qué sucede? —inquirió Will.

—Todavía no lo sabemos —murmuró Werner—. Tenemos que entrar ahí.

Jürgen asintió con la cabeza.

Werner abrió la puerta por la fuerza y entró rápidamente acompañado por su hermano. Fue entonces cuando Will pudo echar un primer vistazo.

El nativo se había desmayado contra la puerta y la estaba bloqueando. Fuera lo que fuese lo que le pasara, debía de haber dado unos cuantos pasos después de levantarse del catre; y sin duda había derribado una pequeña mesa al caer, lo que explicaba el estrépito. Respiraba agitadamente, y las gotas de sudor le corrían por la piel.

Y «era» piel; los últimos trozos de la capa exterior de aquel cuero acorchado se habían desprendido, y los pedazos estaban diseminados sobre el catre y en el suelo alrededor del indígena.

No había ya ninguna duda de que era humano, un hombre enjuto, sí, aunque completamente desarrollado. Pero, en contradicción con esto, tenía la piel muy rosa, como la de un recién nacido. Y repartidos por todo el cuerpo tenía unas manchas sanguinolentas, parecidas a abrasiones, allí donde la muda de los verticilos de la gruesa piel exterior habían provocado sendas hemorragias.

Jürgen y Werner cogieron al nativo cada uno por un brazo y lo llevaron de nuevo hasta el catre.

Will vio entonces que el hombre carecía por completo de pelo. Es más, ni siquiera tenía cejas.

—Pero ¿esto ha sucedido antes? —preguntó Will—. ¿Qué se desprendieran todas las capas exteriores?

—No, con ninguno de los demás nativos que tuvimos en el instituto —respondió Jürgen mientras su hermano le sujetaba la muñeca al indígena.

—Parece tener un pulso bastante fuerte, aunque muy acelerado —informó Werner, que estaba utilizando su reloj para cronometrarlo.

Jürgen parecía preocupado.

—Debe de ser una reacción a la vacuna.

—No entiendo la razón. Previamente, efectué algunos ensayos in vitro con su sangre, y no hubo nada que sugi…

—Espere, ¡mire! —exclamó Will cuando el nativo se despertó con una expresión de atontamiento en los ojos—. ¡Está volviendo en sí!

El indígena intentó incorporarse, pero Jürgen le habló en un tono tranquilizador, instándole a permanecer donde estaba. Aunque probablemente no entendiera lo que se le estaba diciendo, el sujeto se relajó y apoyó de nuevo la cabeza en la almohada. Tan pronto tenía los ojos abiertos como los cerraba con rápidos movimientos, como si se esforzara en permanecer consciente.

Jürgen le acercó un vaso a los labios y le ayudó a beber un poco de agua.

—Está ardiendo —dijo.

—Puede que le haya subido un poco la temperatura, o que sencillamente esté deshidratado —sugirió Werner, cuando el nativo tomó un poco más de agua.

Jürgen mostró su conformidad con un gesto de la cabeza.

—Eso explicaría la razón de que se desmayara. Y de que parezca estar mejorando ahora.

En efecto, el nativo daba muestras de estarse recuperando con rapidez; se negó a seguir bebiendo y apartó el vaso mientras intentaba hablar.

Pronunció unas palabras en la lengua gutural que Will había oído con anterioridad, pero entre medias el zumbido era ahora más audible. Y se estaba haciendo cada vez más audible a cada segundo. Era como si su laringe también estuviera experimentando una transformación. Súbitamente, el agudo del zumbido pareció disminuir y unos horribles y nítidos sonidos salieron de su garganta.

—¡Caray! —exclamó Will, retrocediendo con tanta brusquedad que chocó con la pared.

Elliott se quedó igual de espantada, demasiado aturdida para poder hablar durante un rato.

Jürgen y Werner se volvieron hacia ellos y les miraron inquisitivamente.

—¿Qué sucede? —preguntó Jürgen.

Por las palabras que Elliott había podido reconocer, el nativo había estado preguntando qué le pasaba.

En el idioma de los styx.

Y como la chica, gracias a su padre, hablaba con fluidez esa lengua, pudo responder al nativo en styx.

—No se preocupe. Averiguaremos qué pasa —le dijo, y el inquietante sonido de sus palabras llenaron el cuarto como si alguien estuviera rasgando un pergamino viejo.

—*Mein Gott* —dijo Werner.

—Eso digo yo, *Mein Gott* —masculló Will.

Elliott volvió al inglés para dirigirse a Will y a los dos asombrados neogermanos.

—Entiendo algo de lo que está diciendo. Quiere saber qué le pasa.

A pesar de estar tan débil, al oír hablar a Elliott en la lengua de los styx, de golpe el nativo puso los ojos como platos. Se levantó como pudo del catre y, antes de que nadie pudiera impedírselo, se había arrojado a los pies de ella. Con la cara contra el suelo, empezó a repetir las mismas palabras.

—Han regresado —decía una y otra vez.

Will estaba estupefacto.

—Los nativos siempre han estado hablando en styx. Pero en un tono tan agudo, que nadie lo reconocía.

Movió la mirada del hombre postrado en el suelo a Elliott y de nuevo al hombre.

—Si sabe hablar styx, entonces ¿puede que sea medio styx, como tú? Y quizá tu sangre… tu sangre styx en la vacuna haya provocado este… que haya cambiado. Pero ¿cómo? ¿Y por qué?

3

Cuando el sol comenzó su descenso definitivo, unas largas sombras empezaron a deslizarse sobre Londres, en donde las calles, una tras otra, se encontraban de nuevo sin electricidad. La gente se estaba parapetando en sus casas, preparándose para otra noche de miedo, hambre y frío. Pero los londinenses no sabían si se estaban defendiendo de las bandas ilegales que campaban a sus anchas sin policía ni ejército que las detuvieran o de algo más siniestro, si había que creer los rumores que circulaban por todas partes.

En algunos barrios, los residentes se habían organizado en milicias locales, utilizando vehículos para cerrar las calles y esgrimiendo rastrillos, herramientas de jardinería y hasta cacerolas para rechazar a cualquiera que tratara de entrar en sus zonas sin una buena razón.

Pero al oeste de Londres había un bastión de aparente normalidad. El centro comercial de Westfield, el más grande de Gran Bretaña, seguía conectado por lo que fuera a una red eléctrica activa, y la luz que se derramaba a través de sus escaparates resultaba irresistible para aquellos que se sentían demasiado aterrorizados para quedarse en casa.

A nadie se le había ocurrido apagar el sistema de sonido y la música ambiental seguía sonando de fondo mientras, a intervalos regulares, la suave y poco natural voz de un locutor transmitía un anuncio pregrabado sobre las siguientes promociones, desfasadas desde hacía mucho tiempo. El acceso a las tiendas en sí estaba vedado a macha martillo por las persianas de seguridad, bien afianzadas de lado a lado. Algunas seguían teniendo artículos en el escaparate, aunque las demás habían sido desalojadas, y sus existencias retiradas, en espera de que las circunstancias volvieran a la normalidad.

A lo largo de los pasillos del centro comercial, la gente, en sacos de dormir o envueltas en mantas, se acomodaban para pasar la noche. Era una reminiscencia de las escenas de la Segunda Guerra Mundial, cuando los andenes del metro habían sido utilizados como refugios antiaéreos. Quizás hubiera electricidad para mantener las luces encendidas, pero la calefacción era otro cantar, y en el interior del edificio hacía un frío glacial. Se habían encendido una sucesión de pequeñas hogueras que eran alimentadas con envases vacíos o cualquier otra cosa que se pudiera encontrar para mantenerlas ardiendo, mientras unas caras con la expresión ausente miraban fijamente sus raquíticas llamas.

Cautivas de su miseria, ninguna de aquellas personas prestó demasiada atención cuando una mujer pasó por su lado. Alta y elegante, avanzaba sinuosamente entre los desordenados grupos de personas haciendo chasquear los tacones de aguja sobre el suelo encerado. Si le hubieran prestado alguna atención, habrían reparado en su caro abrigo de pieles con el cuello levantado, y en que dos hombres con unas capuchas que les ocultaban el rostro eran como dos sombras gemelas mientras la seguían en silencio.

Un niño, de no más de seis años, se fue directamente hacia ella y se plantó insolentemente en su camino.

—Eh, señora rica, ¿tiene algo para comer? —preguntó el pequeño.

La mujer, Hermione, se lo quedó mirando desde las alturas con indisimulado asco.

—¿Qué dices? —soltó.

—Decía que si tiene algo para comer —repitió el niño, esta vez golpeándose impacientemente en la boca con un dedo sucio, como si le estuviera hablando a alguien demasiado estúpido para entenderle.

Los ojos bordeados en negro de Hermione resplandecieron de ira, y los músculos de su rostro fino como una navaja se tensaron tanto que parecía más una escultura que un ser humano.

—Sí… —gruñó ella—, ¡a ti!

Pero cuando terminó de hablar, una avalancha de saliva lechosa le resbaló sobre el labio negro.

Sin apartar la mirada de ella, el niño inclinó la cabeza e hizo un ruido asqueroso, como si estuviera vomitando, tras lo cual se alejó pavoneándose. Sabía que estaba todavía lo bastante cerca para que le oyera, cuando añadió:

—Viejo feto malayo.

Hermione se llevó la mano a la boca rápidamente, no para limpiarla, sino para asegurarse de que el carnoso tubo que se sacudía como una serpiente dentro de sus mejillas no estuviera a punto de aparecer. Se volvió hacia uno de los Limitadores que la seguían.

—No sé qué les pasa a los niños hoy en día, no muestran ningún respeto —dijo—. Toma nota de que quiero darle personalmente una lección a ese pequeño mocoso, ¿de acuerdo? Tengo una larva con su nombre escrito encima.

El soldado styx asintió levemente con la cabeza para mostrar que había entendido.

Cuando Hermione captó la alegre melodía que salía de los altavoces del centro comercial, ladeó la cabeza.

—¿No es eso «La chica de Ipanema»? —preguntó. La canción era tan animada y ofrecía un contraste tan acusado con la escena de desesperación iluminada con fluorescentes que la rodeaba que fue incapaz de reprimir una risotada cuando empezó a dirigirse al emplazamiento de venta al por menor situado en el extremo más alejado del centro comercial, y en cuyo exterior la esperaban otra pareja de Limitadores. En cuanto éstos la vieron, levantaron la persiana para que pudiera entrar. Hermione recorrió a grandes zancadas la parte delantera de la tienda vacía y entró directamente en el almacén de la parte posterior.

Rebecca Dos estaba sentada encima de unos cajones de embalaje, muy pegadita al capitán Franz. En cuanto la chica se dio cuenta de que entraba alguien, se apartó rápidamente de él.

Hermione se detuvo en la puerta, sacudiendo la cabeza con desaprobación.

Cuando el capitán Franz se levantó, la expresión ausente de sus ojos evidenció bien a las claras las muchas sesiones recibidas de Luz Oscura. Con el abrigo largo de piel negra de un Limitador styx que le habían proporcionado y su impresionante pelo rubio, Hermione habría sido la primera en admitir que era sumamente guapo. Pero el problema estribaba en que casualmente era humano.

—Nos marchamos. Vamos —dijo. Cruzó el almacén directamente hasta una puerta situada en la parte de atrás y la aporreó. La puerta se abrió inmediatamente y, acompañada de Rebecca Dos, su capitán y los dos Limitadores que la seguían detrás, salió hecha una furia a la oscuridad.

El único ruido que se oía era el golpeteo de los tacones de Hermione sobre la acera mientras los guiaba a considerable velocidad por una sucesión de calles. No habían llegado todavía a su destino cuando le hizo un gesto a Rebecca Dos para que se pusiera a su lado.

—¿Acabo de pillarte haciéndole arrumacos a ese neogermano? Acaso no le estabas cogiendo de la mano, ¿eh? —preguntó.

—Esto... sí, se la estaba cogiendo —admitió Rebecca Dos dócilmente.

Hermione estaba sacudiendo la cabeza de nuevo mientras avanzaba briosamente por la calle a oscuras.

—Ni siquiera tienes catorce años. ¿Crees que...?

Rebecca Dos intentó interrumpirla, pero Hermione no estaba por la labor de oír nada.

—No, escúchame —dijo—. Sé que vas a decirme que eres una styx y que por consiguiente tu edad en años humanos es irrelevante. Y mírate ahora —posó sus ojos en Rebecca Dos, que estaba a su lado—, eres una mujer muy joven. Pero a fin de cuentas, él no es uno de nosotros, es un humano. Y por si fuera poco todo eso, su pobre cerebrito humano ha sido manipulado tantas veces que se ha convertido en un zombi.

—Todo eso ya lo sé —replicó Rebecca Dos.

Hermione esperó a que la chica continuara, y cuando no lo hizo, prosiguió ella.

—Sólo quiero cuidar de ti. Viajamos en el mismo barco, lo sabes. Y aunque todavía no tengamos confirmación, ambas sabemos que hemos perdido a nuestras hermanas, a nuestras gemelas. En nuestro fuero interno, las dos lo sabemos. Podemos sentir ese vacío dentro de nosotras como si nos faltara algo, ese dolor por la separación.

Llegaron a la iglesia victoriana y un Limitador se adelantó corriendo para abrirles la gran puerta de roble. Dentro, se habían colocado unas esferas luminiscentes a lo largo de las paredes, y había muchos más Limitadores. Uno de ellos tenía a un hombre que yacía en el suelo acurrucado junto a sus pies.

—¿Quién es ése? —preguntó Hermione.

—El párroco. Estaba escondido en la sacristía cuando llegamos —respondió el Limitador—. Ha estado tratando de mantener a la gente alejada de esta iglesia.

—Qué buen cristiano está hecho —se burló Hermione, mirando socarronamente al hombre—. ¿Y está inconsciente?

—No, no lo está. —El Limitador le dio una patada al hombre. Éste soltó un tímido gritito y se encogió aún más, y entonces empezó a mascullar una retahíla de oraciones.

—Ah, excelente. Siento el impulso. —Hermione se libró del abrigo de piel. Se abrió de un tirón el cuello de su camiseta carmesí para liberar sus patas de insecto de donde le brotaban en la parte superior de la columna vertebral. Siguió dándole consejos a Rebecca Dos mientras levantaba un pie y le propinaba una estocada con el tacón de aguja al aterrorizado sujeto—. Lo único que te digo es que todo lo que creas que sientes por él… —lanzó una mirada al capitán Franz, que estaba parado completamente inmóvil detrás de Rebecca— no es normal. Discúlpame un instante.

El párroco seguía balbuciendo sus oraciones y estaba demasiado petrificado para oponer resistencia cuando Hermione cayó sobre él. Ella le agarró por el pelo y le hizo volver la cabeza de un tirón.

—Es joven —dijo—. Y qué agradable es tener a uno consciente, aunque sumiso para variar.

Levantó la vista hacia Rebecca Dos y le lanzó una mirada de complicidad.

—Esto es para lo único que sirven estos sacos de carne humanos. —Centró de nuevo la atención en el párroco y el ovipositor se balanceó fuera de su boca buscando al hombre. Fue entonces cuando éste empezó a ofrecer una débil resistencia, aunque enseguida fue abortada cuando las patas insectoides de Hermione le agarraron con fuerza por las sienes.

Lo último que dijo el párroco fue: «Dios se apiade de

mí» cuando el tubo se introdujo en su boca y el saco de los huevos descendió con dificultad hasta lo más profundo. Cuando todo terminó, el hombre rodó simplemente sobre su costado y se volvió a hacer un ovillo. El acto reflejo provocado por la obstrucción del esófago le provocó arcadas y toses mientras Hermione se levantaba.

—Ah, menudo peso te quitas de encima —dijo, volviendo a meterse la trompa de los huevos en la boca. Suspiró y se volvió hacia Rebecca mientras los jugos le corrían por la barbilla—. Lo que pasa es que tu comportamiento está mal visto. Algunos lo considerarían dañino, incluso enfermizo. Y en este momento te aseguro que no tardará en llegar el día en que tengas que olvidarte de ese enamoramiento infantil.

Había tristeza en los ojos de Rebecca Dos cuando asintió con la cabeza.

—No es una elección difícil. Nos esperan momentos inolvidables —continuó Hermione. Se inclinó sobre Rebeca Dos y bajó la voz con aire conspirador—. Sé cómo es eso. Yo también tuve mi temporada con el Pagano en la Superficie, y una puede acabar pensando cosas disparatadas, hecha un lío. Existe la tentación de hacerse nativa… y también de experimentarlo. Pero tú eres una styx, y es ahí donde residen tus lealtades. No con ningún mequetrefe bonito que dejarás atrás muy rápidamente. No, pronto te olvidarás de él.

»Ahora —proclamó Hermione mientras avanzaba a zancadas por el pasillo. Subió los escalones hasta el altar, y allí giró en redondo como si fuera a dirigirse a una feligresía inexistente—. ¿Dónde están mis hijos?, porque quiero que arrasen ese centro comercial como una plaga de langostas. Demostraremos a esos sacos de carne que no hay ningún sitio seguro para ellos.

Allí, en el altar, desplegó sus patas de insecto cuan largas eran, las juntó y las agitó ruidosamente, haciéndolas vibrar cada vez más deprisa, hasta que el sonido se convirtió en un zumbido continuo. Al mismo tiempo, echó la cabeza hacia atrás, abrió la boca y emitió una llamada que ningún humano podía oír.

Súbitamente, por todos los lados de la iglesia las ventanas explotaron hacia dentro, y los fragmentos de los vitrales llovieron sobre los Limitadores.

Los Armagi entraron a raudales por todos los lados, bajaron sobre los respaldos de los bancos y se reunieron en el pasillo. Unas bestias semitransparentes, como hechas de hielo líquido, cuyas alas de plumas punzantes relucían bajo la luz de las esferas.

Hermione dio por concluida su llamada y bajó la cabeza.

—Ah, hijos míos —dijo—. Mis hijos han acudido a mi lado.

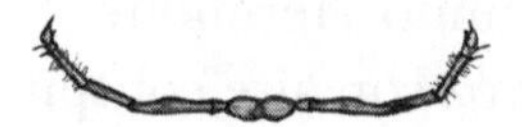

Con la escolta permanente de una pareja de Limitadores styx, Danforth estaba haciendo sus rondas por la planta, mirando por encima de los hombros de los operadores sentados delante de sus pantallas.

Un indicador rojo empezó a parpadear encima de una de las mesas y la operadora levantó mecánicamente la mano en el aire. Danforth se dirigió hacia ella inmediatamente. La operadora había localizado algo en un barrido de radiofrecuencia y reclamaba su atención haciéndole señas. Cuando Danforth examinó la pantalla, repitió: «Interesante» varias veces, aunque se distrajo al oír un sonido que venía de varias mesas más allá. Se volvió a tiempo de ver al operador, un hombre de unos cuarenta años, arrancarse los auriculares y empezar a levantarse.

—¿Quién le ha dicho que puede abandonar su puesto? —le espetó Danforth, pero el hombre no respondió. Durante un momento se tambaleó sobre sus pies, y en sus ojos apareció una expresión ausente antes de caer redondo de espaldas, llevándose por delante la silla.

Chasqueando la lengua con furia, Danforth se dirigió a examinar al hombre. Al no advertir indicios de que respirara, le palpó el cuello en busca del pulso.

—Está muerto —declaró sin ninguna emoción mientras cogía al hombre por la barbilla para girarle la cabeza—. ¿Supongo que a ninguno de vosotros le apetece hacerle una reanimación cardiovascular? —preguntó, echándole una media mirada a los guardias Limitadores, que pululaban por detrás él.

»No, ya me parecía que no —se contestó a sí mismo cuando no le respondieron. Danforth escudriñó la cara del difunto, que tenía unos oscuros cardenales debajo de los ojos y estaba cubierto de una pátina de sudor—. Paro cardíaco debido al agotamiento extremo y la deshidratación, me aventuraría a diagnosticar —dijo, mientras les señalaba a los Limitadores los labios azulados del hombre—. Sacadlo de aquí, ¿os importa?

Tras incorporarse, se frotó las manos con asco, como para quitarse el sudor del muerto de ellas.

—¿Qué es esto? —preguntó el viejo styx cuando apareció detrás de los dos Limitadores.

Danforth echó un vistazo a la mesa del difunto, a la foto de dos niños pequeños que jugaban en las aguas tornasoladas de algún mar tropical. Evidentemente eran sus hijos.

—Estas personas no son más que humanos —dijo Danforth sin apasionamiento—. Les hemos puenteado sus pequeños y simples cerebros con la Luz Oscura y han ejecutado sus tareas a satisfacción, pero los estamos obligando a sobrepasar su resistencia física.

—Por necesidad. Necesitamos resultados —dijo el viejo styx, pero sin hostilidad. Muy a su pesar respetaba a Danforth, que les estaba ayudando en campos de la tecnología que habrían estado fuera del alcance de los styx sin su experiencia.

Y su actual ubicación, justo al sur de Londres, en una subestación de comunicaciones del gobierno desde donde se podía controlar el tráfico electrónico, se estaba revelando como una auténtica bendición para los styx mientras seguían atacando los objetivos claves. Desde luego, la mayoría de las formas de comunicación, como las líneas terrestres, los teléfonos móviles, cualquier transmisión televisiva o radiofónica e Internet, hacía mucho que habían sido liquidadas. Pero las comunicaciones más especializadas utilizadas por el ejército o la conexión vía satélite no podían ser detenidas ni bloqueadas, y ahí es donde entraba Danforth.

Él no era otro autómata de la Luz Oscura que hacía sólo lo que le ordenaran; su experiencia significaba que los styx podían mantenerse un paso por delante de la limitada resistencia militar con la que se encontraban de tanto en tanto.

Danforth estaba demostrando ser valioso, lo que era una suerte para él, pues de lo contrario habrían prescindido de él hacía muchas semanas.

Y también les había indicado a los styx qué instalaciones de vigilancia por radar debían ser destruidas o mantenidas operativas, de manera que cualquier interferencia de la comunidad internacional pudiera ser detectada prematuramente y atajada. No había duda de que los styx no deseaban que un grupo operativo internacional les aguara la fiesta mientras desmantelaban sistemáticamente el país.

—Bien, contamos entonces con unos recursos limitados —dijo Danforth, echando una vistazo rápido a las caras silenciosas y demacradas iluminadas por las pantallas—. Muchos de estos operadores no durarán mucho más allá de un día o dos sin descanso y una alimentación adecuada.

El viejo styx asintió con la cabeza.

—Entonces deje que los importantes se tomen un descanso. El resto, los que realicen tareas menos cualificadas, pueden seguir trabajando hasta que se caigan.

—Muy bien —consintió Danforth, aunque el viejo styx acababa de sentenciar a muerte a la mayoría de los humanos presentes en la sala—. Y quiero enseñarle algo. —Condujo al viejo styx de nuevo a la pantalla donde se había detectado una señal. Tras apartar de un empujón a la mujer que había estado delante del monitor, se inclinó sobre el teclado y escribió algo rápidamente en él. Una lista de números se desplazó por la pantalla—. Puede que no sea nada, pero alguien está utilizando intermitentemente un equipo analógico en este lugar. —Cuando pulsó una tecla, apareció un mapa con un círculo parpadeante—. La señal se origina aquí. —Danforth envió las coordenadas a la impresora, y cuando salió la hoja, la arrancó para entregársela al viejo styx—. Vale la pena enviar una patrulla a investigar, ¿no le parece?

—Sí, enviaré una inmediatamente —confirmó el viejo styx.

Danforth levantó la vista hacia él.

—Y está muy cerca de donde le aconsejé que deberíamos estar en este preciso momento. Es en una de las principales rutas de alimentación para la Oficina Central de Comunicaciones del Gobierno de Cheltenham. —Entonces señaló a todos los operadores de la sala con un movimiento circular de la mano—. Por supuesto, desde aquí podemos detectar y fijar las transmisiones, pero el equipamiento que tienen en esa instalación (en la Rosquilla, como la llaman) no tiene parangón. Lo sé porque diseñé una parte del equipo cuando se estaba construyendo el lugar. Y con ese equipo a su disposición, pueden interceptar las señales (incluso en el tráfico por satélite) y escuchar a escondidas todo lo que les plazca. Incluso las transmisiones encriptadas.

—Sí, se ha tomado nota de su recomendación —respondió el viejo styx—. De todas formas, eso es algo a lo que tendremos que enfrentarnos tarde o temprano, y resulta irritante que no hayamos podido entrar ahí antes y poner a nuestro servicio esa instalación. Las medidas de seguridad para detectar a las mulas de la Luz Oscura son considerables, y el perímetro militar formidable.

—Bueno, ¿es eso un sí? ¿Vamos a lanzar un ataque?

—Sí, muy pronto. —El viejo styx tomó aire. Aunque su voz no dejaba entrever ninguna emoción, entrecerró los ojos lo mínimo—. Ese lugar siempre ha sido el primero de su lista, Danforth. ¿Hay algún motivo oculto para su sugerencia?

Danforth sonrió, aunque fue una sonrisa maliciosa.

—Años atrás, ofrecí voluntariamente mis estimables servicios, y ni siquiera se dignaron concederme una entrevista. De no ser por mí, buena parte de esas instalaciones no existirían hoy día. Se tienen bien merecido un castigo.

—Pues brilla como un cometa de venganza —dijo el viejo styx, citando a *Enrique VI* de Shakespeare.

—¡Augurio de la caída de nuestros enemigos! —se animó Danforth, añadiendo el siguiente verso.

Al reconocer un espíritu afín, ambos hombres se miraron mutuamente durante un instante, antes de que el viejo styx hablara.

—Comprendo a un hombre con esa motivación. —Se dio la vuelta hacia los dos Limitadores—. Se os ordenó que retirarais el cuerpo. ¿Por qué no lo habéis hecho todavía? —Giró sobre sus talones y se alejó.

Danforth se quedó con uno de sus escoltas Limitadores mientras el otro se encargaba del operador muerto. Reprimiendo un bostezo, hizo una última ronda por la planta y empezó a dirigirse al despacho sin ventanas que era su hogar desde hacía un mes. Aunque nunca dormía durante mucho tiempo, echaba una cabezadita ocasional siempre que podía. Sin encender la luz y todavía completamente vestido, se dirigió al catre de campaña y se tumbó, mientras que el Limitador se quedaba en el pasillo, donde se apostó.

Danforth bostezó mientras se daba la vuelta de costado. El Limitador que estaba fuera de la habitación no tenía manera de ver lo que estaba haciendo cuando se puso la mano en la boca e hizo girar uno de sus molares. La corona hueca se desprendió con un chasquido insignificante.

Hubo un tiempo, cuando le destinaban al extranjero para asesorar a los servicios de inteligencia de otros países sobre sus sistemas de vigilancia electrónica, en que siempre existía el riesgo de que pudiera ser secuestrado y torturado para sacarle lo que sabía. Entonces el molar hueco había contenido suficiente cianuro para matarle en segundos.

Pero si Danforth superaba en algún talento a los demas, era en la capacidad para coger un equipo electrónico y miniaturizarlo. Y eso era exactamente lo que había hecho para encajar una radio de tecnología punta dentro del diente.

—Sabía que debía haberle vendido la patente a Sony —masculló mientras activaba la diminuta radio con una presión de la uña.

No necesitaba ver el dispositivo, que manejaba valiéndose sólo del tacto. Tras teclear el mensaje en morse, el dispositivo empezó a grabarlo. Era un mensaje breve, y cuando estuvo listo, Danforth apretó un número predeterminado de veces y fue enviado a una frecuencia que, no por casualidad, estaba en un punto ciego para el equipo de detección del final del pasillo.

En cualquier caso, la transmisión había durado sólo la fracción de una fracción de segundo —o, como decían los militares, un «eructo»—, porque el mensaje estaba enormemente comprimido. Aunque uno de los operadores de la sala principal hubiera captado casualmente la transmisión en su pantalla, muy probablemente lo habría achacado a un fallo del escáner.

Cuando se hubo colocado la muela en su sitio de nuevo, la ligera sonrisa en sus labios se fue desvaneciendo a medida que se fue entregando al sueño.

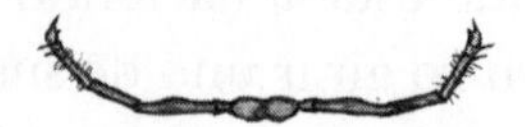

—Esto... no puedes hacer eso —dijo Chester.

—¿Hacer qué? —Stephanie estaba sentada a la mesa al lado de la ventana, inclinada sobre un tablero de ajedrez.

Chester se levantó del sofá colocado junto a la chimenea y se le acercó.

—Los peones sólo se mueven en diagonal cuando van a comerse algo —explicó, echando un vistazo a las distintas piezas que ella había colocado aleatoriamente para practicar—. Eso debe habértelo dicho ya tu abuelo.

—Sí, pero ¿no son débiles por eso? —Stephanie le dio la vuelta al pequeño peón con una de sus brillantes uñas rojas—. Los *peleones* son aburridos y casi tan inútiles como los estúpidos caballos y torres.

—Peones —le corrigió Chester con amabilidad—. Se llaman peones. —Poco a poco había ido saliendo de su caparazón después del trauma de ver morir a sus padres en el Complejo. Pero había sido un proceso lento, y al principio, hasta un ruido inesperado, como un portazo o un grito, le superaba y podía hacerle llorar. Lo único que

Chester había deseado era esconderse bajo las mantas de uno de los diminutos dormitorios del piso de arriba de la casa de campo, y dormir y seguir durmiendo, porque era la única manera que tenía de escapar de su angustia.

El problema era que cuando finalmente se despertaba, sólo transcurrían unos pocos segundos apacibles antes de que recordara lo que estaba haciendo allí. Entonces los terribles recuerdos volvían de sopetón, y el dolor le hacía compañía de nuevo. Era más de lo que podía soportar, como si le estuviera devorando por dentro hasta que lo único que quedaba era la pérdida y la aflicción y una parálisis invalidante.

Tras dos semanas de soportar esto, Chester había dormido todo lo que podía, así que se tumbaba en la cama y se quedaba mirando fijamente los rincones de la habitación. Y aún se sentía más perdido y solo cuando el viento aullaba desde el mar y sacudía ruidosamente las tejas del tejado haciendo que pareciera el tamborileo de una procesión lejana. Su mente no dejaba de reproducir una y otra vez el fatídico día de la muerte de sus padres, mientras analizaba y revivía cada acontecimiento insignificante que había conducido al momento de la explosión, modificándolos ligeramente cuando imaginaba qué podría haber hecho él para evitar sus muertes.

«Nunca jamás debería haberla abandonado.» Si tan sólo se hubiera quedado con su madre en la cocina. ¿Por qué la había dejado sola para ir con Drake? Debería haberse pegado a ella, no haberla perdido de vista. «¡No! ¡Papá! ¡Alto!» Chester podría haber impedido que su padre descendiera por la galería de acceso para ir a buscar a su madre, haciéndole un placaje de rugby si hubiera sido necesario. Si lo hubiera hecho, lo más probable es que su padre siguiera vivo, y quizá también su madre. Su versión de aquel día se iba haciendo cada vez más fantasiosa, hasta llegar al momento en que se enfrentaba a Danforth en la galería y vaciaba un cargador entero en el traidor con el Sten corcoveando en sus manos.

«¡Toma, apestoso bastardo!», gruñía entre dientes, saliendo de su ensoñación empapado en sudor y con los puños apretados por el odio que sentía por el hombre que había masacrado a sus padres. Jamás había deseado tanto dañar y matar a alguien, puede que incluso más que a las gemelas Rebecca y a los mismísimos styx. Aunque, cuando pensaba en ello, Martha no estaba lejos de los primeros puestos de su lista de odiados por lo que le había hecho pasar a él.

Y aunque necesitara desesperadamente bajar, quizá porque estuviera sediento y deseara beber un poco de agua, permanecía donde estaba sin importarle lo incómodo que estuviera. De todas formas, el Viejo Wilkie se mantenía en vela toda la noche sentado en un sillón al lado de la puerta principal, armado con su escopeta por si los styx decidían aparecer por sorpresa. Deprimido como estaba, a Chester no le hacía mucha gracia que sus sesos acabaran esparcidos por las paredes de la casa por chocar accidentalmente con el hombre. Sería considerablemente molesto.

Entonces, y para su sorpresa, se encontró empezando a anhelar la compañía humana, aunque a distancia. Descubrió que estar cerca de Stephanie y el Viejo Wilkie le hacía sentirse un poco mejor, aunque fingiera estar enfrascado en la lectura de su libro y así tener una excusa para no hablar con ninguno de los dos.

Esa falta de comunicación con Stephanie y el Viejo Wilkie dificultaba considerablemente la vida en el confinamiento de la reducida casa de campo, donde vivían absolutamente apartados del mundo exterior. Habían tenido la comida de Navidad más infeliz que Chester hubiera podido imaginar, sentados en silencio la mayor parte del tiempo en torno a la comida que el Viejo Wilkie tanto se había esforzado en preparar. Lo cual sólo consiguió que Chester se acordara de las navidades pasadas con sus padres. Incapaz de controlar sus emociones, había pretextado un falso dolor de cabeza para levantarse de la mesa, incluso antes de que el Viejo Wilkie hubiera sacado el pudín de Navidad.

—Pues peones, qué mas da —dijo entonces Stephanie sacudiendo la cabeza, y entonces agarró con fuerza la reina del tablero para admirarla—. El asunto está en estas tías, porque se pueden mover en todas las direcciones y todos los escaques que quieras. Y son más poderosas que todos los demás, incluidos los estirados vejestorios de los reyes, que sólo son buenos para huir y retrasarte en el juego. Qué narices, ¿por qué no pueden ser todo reinas? El juego sería mucho mejor.

—Pero entonces no sería ajedrez —razonó Chester. Empezó a bostezar, pero transformó el bostezo en un sonido nasal, como si estuviera considerando seriamente la sugerencia de la chica, porque no quería disgustarla. No podía soportar la idea de disgustar a nadie; seguía sintiéndose tan desecho y mustio por dentro que rehuía cualquier cosa desagradable. Y observar a Stephanie intentando aprender a jugar al ajedrez le había hecho comprender cuánto echaba de menos a Will, su inveterado rival en aquellas lides—. No puedes pretender cambiar completamente el juego, aunque hay otras maneras de jugarlo —añadió.

Stephanie se cruzó de brazos y puso cara de pocos amigos, aunque Chester se dio cuenta de que era una expresión fingida.

—Tal vez deberías probar a jugar según mis normas —dijo ella, echando un vistazo al chico desde debajo de su melena roja, que le caía suelta delante de la cara. Aquélla era una novedad sorprendente porque normalmente cuidaba muchísimo su aspecto, aunque ese día era uno de los que ella denominaba «días nefastos».

Había comunicado a su abuelo y a Chester que como sólo estaban ellos tres en la casita de campo, no se iba a tomar ninguna molestia en lavarse el pelo cada mañana. También era un «lío», había dicho, porque acarrear el agua caliente desde la estufa térmica Aga hasta la planta de arriba era fatigoso, y bajo ningún concepto estaba dispuesta a darse un baño helado. Además —había seguido diciéndoles—, y dado que estaban en un lugar perdido y no había ninguna probabilidad de que nadie fuera a hacerles una visita, ¿qué sentido tenía?

Chester no tenía muy claro si sentirse halagado porque se sintiera tan cómoda en su compañía, o molestarse porque no se tomara ninguna molestia por él.

Stephanie devolvió las piezas a ambos extremos del tablero, pero sin colocarlas en sus posiciones habituales.

—Bueno, como ahora vamos a jugar a «mi» juego, hagamos como si todas fueran reinas. Excepto, claro está, estos dos aburridos reyes. —Levantó la vista hacia Chester—. ¿Preparado para recibir una paliza, pollito?

—Bien —empezó a decir él, volviendo la vista hacia el libro que había dejado abierto en el sillón. No quería participar de aquello, pero no se le ocurrió una excusa con tan poca antelación.

—Mueve un *pelón*, y sal al encuentro de tu destino —le desafió Stephanie, señalando la silla que tenía enfrente—. ¿Sabes?, tu cara tiene mejor aspecto —dijo cuando él se mostró remiso a hacer lo que se le pedía—. Mis hidratantes están funcionando realmente.

—Sí, te lo tengo que agradecer —replicó Chester, tocándose la frente donde estaban cicatrizando las pequeñas costras. Su eccema le había salido por toda la cara y las manos con una virulencia inusitada. El Viejo Wilkie había sugerido que muy probablemente el desencadenante hubiera sido todo lo que había padecido, aunque en su fuero interno Chester prefería atribuirlo a la humedad de la casa de campo—. Ahora ya no parezco tanto un fenómeno de circo —comentó, con incomodidad.

Stephanie sonrió.

—Tú nunca…

Se interrumpió cuando la puerta de la cocina se abrió y el Viejo Wilkie entró con alguien que parecía ser un soldado y que le seguía de cerca. El hombre llevaba una casaca cortavientos del SAS con la capucha levantada, que se la retiró en ese momento.

—¡Parry! —prorrumpió Chester al reconocer la cara de barba gris y rasgos marcados, y se precipitó hacia él—. ¡No tenía ni idea de que estuvieras aquí!

—Hola, chaval, ¿cómo te va? —le saludó Parry cariñosamente, cogiendo la mano de Chester entre las suyas—. Lamento haberte dejado aquí fuera tanto tiempo.

—Pensábamos que te habías olvidado de nosotros —terció Stephanie.

Parry la saludó con una rápida sonrisa y se volvió de nuevo a Chester.

—Vine en cuanto tuve ocasión. Las cosas han estado un poco caóticas, por decirlo de una manera suave. —Mientras el hombre hablaba, el muchacho reparó en su boina beige y no se le pasó por alto la daga alada del distintivo—. Sí —continuó—, he estado echando una mano en el Regimiento. Pero, dime, ¿cómo estás?, que eso es lo que importa.

—Supongo que mejor.

—Ayyyy, debo tener una pinta asquerosa —masculló Stephanie mientras se arreglaba el pelo, lanzando rápidas miradas hacia la puerta por donde había entrado Parry no fuera a ser que estuviera a punto de entrar alguien más.

—¿Has tenido noticias de alguien? ¿De Will o de Elliott? ¿O de Drake? —preguntó Chester—. ¿Han vuelto?

Parry había sacado su teléfono vía satélite, y empezó a pasárselo de una mano a otra.

—No, pero es demasiado pronto todavía para perder las esperanzas respecto a ellos. ¿Quién sabe dónde se meterían cuando llegaron allí abajo? Quizá terminaron el trabajo, pero encontraron resistencia en el camino de vuelta —respondió Parry con mesura, aunque a Chester no se le escapó la ligera preocupación reflejada en su rostro antes de que Stephanie se entrometiera.

—Pero ¿cómo llegaste aquí, Parry? —preguntó la chica—. No te oímos llegar.

—En helicóptero —respondió él—. En estos días es casi la única manera de desplazarse.

—Entonces, ¿tenemos el visto bueno ya? ¿Podemos volver a casa? —preguntó rápidamente Stephanie.

No quedó ninguna duda de la preocupación de Parry cuando su ceño se pobló de uves. Sus ojos localizaron la radio colocada en el alféizar.

—¿Qué sabéis exactamente de lo que está sucediendo en el resto del país?

—En realidad, nada —dijo Stephanie, girándose también para echar un vistazo a la radio—. Sólo tenemos esa antigualla. Podemos sintonizar un puñado de emisoras, pero la señal es tan débil que siempre se está como perdiendo. Ni siquiera puedo encontrar algo de música decen...

—Eso se debe a que el objetivo de los styx sigue siendo el control de la difusión de las noticias —le interrumpió Parry—, e interfieren las frecuencias para que no haya ninguna comunicación.

Cuando tomó aire, Chester aprovechó la oportunidad para hablar.

—Así que la cosa está fea, ¿no es así?

Parry se rió entre dientes sin ganas.

—Fea ni siquiera empieza a describirla. Nadie confía en nadie, sobre todo porque la gente está asustada y tiene mucha hambre. Las importaciones se han detenido, así que hay escasez de alimentos, y en cualquier caso la infraestructura de transporte está inmovilizada.

Meneó la cabeza.

—Hay disturbios y saqueos por todo el país, porque los agentes que quedan de la fuerza policial prácticamente se han dado por vencidos. La gente se esconde en sus casas, pueblos armados levantan fortificaciones como si fueran pequeños feudos y bandas de paramilitares descargan su frustración sobre la minoría más cercana a la que pueden echarle el guante. Es como si el país hubiera sido arrojado de nuevo a la Edad Media.

—Pero ¿qué es lo que está haciendo el gobierno al respecto? —preguntó Stephanie.

—El gobierno no tiene ni la menor idea de cómo arreglar las cosas —respondió Parry—. Y no sirve de nada acudir a nadie en busca de ayuda en Europa. A todos les aterroriza que esto se vaya a extender más allá de nuestras fronteras, así que sencillamente nos ignoran.

—Entonces, nuestro ataque al almacén no sirvió de mucho para detener a los styx —comentó Chester.

—Por desgracia, no —admitió Parry—. Cuando las gemelas Rebecca salieron pitando, una de las dos permaneció en la Superficie con una mujer styx, mientras que la otra creemos que descendió al mundo interior. Así que, desgraciadamente, todo lo que Eddie avisó que ocurriría se está haciendo realidad.

Por mucho que Chester deseara mantenerse al margen de todo lo que estaba pasando, no pudo evitar hacer la pregunta inevitable.

—¿Estás hablando de la Fase? —preguntó.

—La retrasamos con nuestro ataque al almacén, pero el único efecto que tuvo eso fue que aumentara su intensidad, puede que para convertirse en algo aún peor. Aquí, en la Superficie, nos estamos enfrentando ahora a algo más que unos meros Limitadores y humanos sometidos a la Luz Oscura. Ahora también intervienen los Armagi.

—¿Qué aspecto tienen? —terció Stephanie.

—Parecen Limitadores, hasta que se transforman, y entonces no se parecen a nada que hayas visto jamás. Son unas máquinas de matar sumamente efectivas, con independencia del entorno en el que actúen. Lo sé porque los he visto en acción. —De pronto, Parry pareció muy cansado—. Y en cuanto a la manera exacta de enfrentarnos a ellos, tengo que admitir que en este momento no tenemos ninguna respuesta.

Stephanie abrió la boca para hablar de nuevo, pero Parry la interrumpió.

—No sé cuánto tiempo estaremos a salvo aquí, aunque es posible que los Armagi hayan detectado mi helicóptero mientras venía. Y también, la última información que hemos recibido es que los styx han ocupado una serie de instalaciones de radar claves.

—¿No estamos seguros aquí? —masculló Chester.

—Así es, así que quiero que recojáis todas vuestras cosas. Os largaréis de aquí conmigo cuando me vaya.

—¿De verdad nos vamos a ir? —preguntó Stephanie, esforzándose al máximo en ocultar su regocijo.

—Sí, pero no inmediatamente. Chester, primero necesito que me acompañes a un sitio. Y procura abrigarte bien —dijo Parry, dirigiéndose ya hacia la puerta.

—¿Vamos a salir? —inquirió el chico sin ningún entusiasmo y echando un vistazo por la ventana hacia la oscuridad creciente—. ¿De verdad tengo que ir?

—Sí, te necesito conmigo —contestó Parry. Por su tono, Chester supo que entre sus alternativas no estaba el negarse, no obstante su nula disposición a implicarse de nuevo—. Vamos a reunirnos con uno de mis contactos. Y no lleves ninguna arma contigo; es mejor que no vayas armado —añadió, antes de golpear una vez el suelo con su bastón de paseo y luego darse la vuelta hacia la puerta de entrada.

Chester siguió el consejo de Parry y se puso un jersey grueso y su chaquetón más abrigado. Cuando salió de la casa de campo, el hombre estaba hablando por un teléfono vía satélite, aunque uno diferente al que había llevado dentro. Parry levantó una mano para indicar que tenía que terminar la conversación, y entonces se alejó un poco para que el chico no pudiera oír lo que estaba diciendo. Cuando el viento helado le mordió por dentro, Chester empezó a encolerizarse; por mucho que respetara a Parry, él había terminado con todo aquello. Ya estaba haciendo acopio de valor para decírselo y así poder volver dentro, a su preciosa cama caliente, cuando el hombre terminó inopinadamente la llamada.

—Hemos de apresurarnos —dijo, y echó a andar resueltamente por el campo cubierto de tojos en dirección al mar. Con un gruñido, Chester le siguió. Parry fue apretando el paso sin apenas utilizar su bastón a medida que se fueron aproximando al acantilado. Y parecía estar muy familiarizado con el estado del terreno cuando siguió caminando por el borde de la escarpa hasta llegar a un sendero que llevaba abajo. El viento les azotó entonces con toda su fuerza, y Chester avanzó con dificultad mientras sorteaba los escalones tallados en la roca. Una gruesa soga colgaba bordeando el camino, pero aun así seguía siendo una labor descomunal, ya que la única iluminación del camino provenía de la débil luz de la linterna de Parry. Entonces llegaron al final.

—Mantén los brazos a los costados y abre las manos —le indicó Parry a Chester, levantando la voz para que se le oyera por encima del rugido del viento—. Y no hagas ningún movimiento brusco. No tienes ningún motivo en absoluto para alarmarte por lo que está punto de suceder.

—¿Alarmarme? Pero ¿qué es lo que está a punto de suceder? Y de todas formas, ¿por qué tengo que estar aquí? —preguntó Chester, incapaz de disimular su beligerancia en la voz. En realidad no había dado su consentimiento para nada de aquello, y ahora estaba en una playa azotada por el viento en plena oscuridad. No estaba dispuesto a dejarse embrollar en otro de los planes de Parry. El último había acabado con todo el mundo sin aire en el Complejo, después de que el loco de Danforth lo hubiera volado en pedazos y asesinado a sus padres.

—Mira, colega, siento traerte a la fuerza después de todo lo que has pasado —se disculpó Parry, dándole un apretón en el brazo a través del chaquetón de lona—. Pero esto es importante, y tú eres importante.

Tiró de él ligeramente para que le siguiera cuando empezó a bajar la cuesta de la playa. Mientras sus pies hacían crujir los guijarros, Chester se esforzó en ver si había alguien allí, entrecerrando los ojos para protegerse del rocío del mar. Pero no vio un alma en toda la playa azotada por la marea, que desaparecía en la turbia oscuridad a ambos lados de él.

Parry se paró en seco en cuanto hubieron recorrido como la mitad de la distancia que les separaba del mar, y se enganchó la linterna en la cazadora.

—Ahora ponte las manos en la cabeza. Lentamente —le dijo a Chester—. Y relájate. No te va a pasar nada.

El chico siguió a regañadientes el ejemplo de Parry, por una parte muy nervioso, y por otra sumamente resentido por aquella intromisión en su vida. En su duelo.

—Distintivo de llamada Delta Eco —anunció de pronto Parry en voz alta, y luego repitió las palabras aún más alto para que pudieran oírse por encima del sonido del viento y el estrépito de las olas.

Desde algún sitio cercano llegó una respuesta penetrante y concisa.

—Yanqui Alfa.

De pronto unas sombras cobraron vida alrededor de ellos.

Chester alcanzó a ver a unos hombres vestidos de negro y armados hasta los dientes antes de que le sujetaran los brazos y se los retorcieran a la espalda. Notó que le rodeaban las muñecas con una cuerda y se las unían con fuerza antes de que una capucha le bajara por la cabeza.

La situación era tan evocadora del trato brutal que había recibido en la Colonia cuando fue condenado al Destierro que empezó a forcejar con sus raptores, retorciendo el cuerpo para librarse de ellos.

Alguien le susurró al oído:

—Tranquilo, hijo, o te dejamos grogui de un castañazo. —El acento era norteamericano, y ni por un instante Chester dudó que el hombre haría lo que había dicho. Aflojó los músculos del cuerpo, cerró los ojos bajo la capucha y dejó que lo condujeran por la playa y luego le metieran en una especie de barca o lancha neumática. Las olas sacudían la embarcación por todas partes cuando un fueraborda se puso en marcha con un zumbido sordo, tras lo cual Chester notó el movimiento de avance. Estaba en marcha.

Cinco minutos más tarde, la embarcación golpeó con algo, y dos hombres lo levantaron cogiéndole por las axilas hasta que sus pies encontraron una superficie firme. Mientras era arrastrado un corto trecho por ella, se dijo que debía de estar en un barco, pero entonces los dos hombres le hicieron detenerse.

—Quitadles las capuchas y desatadlos —atronó otra voz con acento norteamericano.

Cuando tuvo libres las manos y le arrancaron la capucha de la cabeza, Chester parpadeó intentando distinguir dónde estaba. Una difusa luz roja se filtraba a través del rocío del mar. Parecía provenir de algún sitio en lo alto.

—Los brazos en cruz, colega —le ordenó a Chester un tipo que tenía a su lado, y él obedeció de inmediato.

Los hombres le cachearon concienzudamente, palpándole los brazos y las piernas e incluso diciéndole que levantara ambos pies para poder examinar las suelas de sus botas. Entonces sacaron una especie de escáner, que iba emitiendo un sonido agudo a medida que se lo pasaban por el cuerpo, concentrándose especialmente en su estómago. No muy lejos de donde se encontraba vio que a Parry le estaban aplicando el mismo tratamiento.

—Controles realizados. Está limpio —gritó uno de los hombres que Chester tenía al lado.

—Éste igual —informó uno de los escoltas de Parry.

—Hacia la escalera —le dijeron al chico mientras le conducían en dirección a la luz.

Fuera lo que fuese donde se encontraba, cabeceaba en el mar como algo de tamaño considerable. No era un barco; de eso estaba seguro. Las olas más grandes bañaban de lado a lado su cubierta, y la única estructura que pudo adivinar vagamente cuando se acercó a ella medía alrededor de unos doce metros de altura.

Bajo el resplandor de la iluminación rojiza divisó unas grandes letras blancas escritas en la torre que surgió imponente de la brumosa oscuridad delante de él.

USS Herald, leyó Chester. Entonces cayó en la cuenta.

—¿Un submarino? —preguntó incrédulo, cuando empezó a subir los peldaños metálicos por el costado de la torre cónica—. ¿Estamos en un submarino norteamericano?

—Sí, amigo mío, eres huésped de uno de los más sofisticados e impresionantes submarinos nucleares de la clase A de Estados Unidos —dijo detrás de él una voz arisca, arrastrando las palabras.

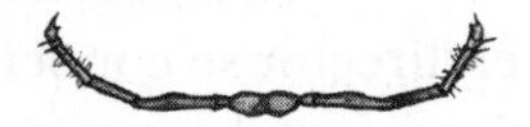

—No hay mucho movimiento esta noche, ¿verdad? —preguntó Eddie.

—No. Ni dentro ni fuera —respondió el hombre de la mira telescópica sin levantar la vista.

Se habían establecido varios puestos de observación en los edificios que rodeaban la periferia de la Oficina Central de Comunicaciones del Gobierno, la instalación estatal frecuentemente denominada la «Rosquilla» debido a la estructura circular que tanto recordaba a una rosquilla y en ese momento Eddie estaba inspeccionándolos todos. Aquél en concreto había sido establecido en el ático de una casa abandonada en la que se había eliminado parte del tejado a fin de conseguir una vista despejada de la instalación oficial, situada a varios cientos de metros de distancia y una de las pocas que los styx no se habían molestado todavía en inutilizar. Y aquel puesto de observación tenía las característica de todos los demás: integrado por uno de los ex Limitadores de Eddie y un miembro de la Vieja Guardia, entre los dos llevaban a cabo la vigilancia las veinticuatro horas del día.

Después de acercarse a la abertura hecha en el tejado, Eddie escudriñó las luces de la Rosquilla. Aunque Londres parecía estar recibiendo el peso de los ataques de los styx, sospechaba que no era más que cuestión de tiempo el que hicieran algo respecto de la Oficina Central de Comunicaciones del Gobierno, ya que seguía operativa. La amenaza, cuando llegara, provendría del exterior y no del personal de la propia instalación, porque desde el instante en que los primeros informes de Parry alertaron de que la Luz Oscura afectaba a miembros del ejército, el director de la Oficina Central de Comunicaciones del Gobierno había tomado la precaución de activar las medidas de clausura del centro. Parry y el director se conocían desde hacía décadas, así que el último no había tenido ninguna duda de que se trataba de algo que debía tomarse en serio. Dobló el personal en todos los puntos de acceso a la Rosquilla, estableció un perímetro militar extra alrededor de las instalaciones y, lo que era crucial, había puesto en marcha la utilización de los Purgadores en todo el personal entrante antes de que la mayoría de los demás emplazamientos sensibles hubieran hecho lo propio.

Y ahora, mientras el miembro de la Vieja Guardia inspeccionaba la carretera de acceso con sus binoculares, con una taza de humeante sopa de su termo al alcance de la mano, Eddie le miró insistentemente por última vez.

El Limitador, sentado en un rincón del ático, salió de su estado como de trance al oír la voz de Eddie.

—Voy a inspeccionar el siguiente puesto —dijo, echándole un vistazo a su reloj antes de dirigirse a las escaleras que bajaban desde el ático.

Cuando su pie encontró el primer escalón, le dio pena que aquellos dos hombres formaran parte de una cacería que les costaría la vida. Su emplazamiento había sido entregado en bandeja a los styx, y ambos iban a ser sacrificados para mantener las apariencias, aunque la cara de Eddie —tan inexpresiva como siempre— no reveló nada.

—Gracias a los dos —dijo cuando empezó a desaparecer de la vista.

SEGUNDA PARTE

La torre

4

El nativo rebotaba en el asiento al lado de Jürgen, que conducía el semioruga neogermano por la jungla a considerable velocidad. Era un pesado vehículo del ejército de dieciocho toneladas decomisado en un recinto militar de la ciudad y al que la combinación de ruedas y oruga hacía ideal para la pista de la selva, a la sazón convertida en un torrente de barro por un monzón reciente.

En la parte de atrás del vehículo había numerosas cajas de aparatos que los hermanos neogermanos habían reunido apresuradamente para la expedición. A pesar de ello, seguía quedando espacio de sobra para que Will y Elliott estuvieran a sus anchas.

Sentados uno enfrente del otro en los bancos laterales, Will llamó la atención de la chica.

—Lo está haciendo de nuevo —dijo moviendo los labios sin emitir ningún sonido, mientras señalaba al nativo en el asiento delantero.

Les había llevado algún tiempo acostumbrarse al nuevo aspecto del indígena. En ese momento parecía muy cambiado, vestido con un pantalón de peto azul, un sombrero militar de camuflaje y unas gafas de sol envolventes, todo muy necesario para protegerle del sol desde que había perdido su extraordinaria capa epidérmica.

Pero no era ésa la razón de que Will le estuviera señalando. Como había hecho desde el primer instante en que Elliott le había hablado en styx, el nativo no paraba de echarle miradas furtivas, como si no pudiera apartar la mirada de ella. Y cada vez que la muchacha le devolvía una de esas miradas, él apartaba los ojos.

Entonces volvió a hacerlo otra vez, mirándola por encima del hombro. Y, como siempre, cuando ella se disponía a saludarle, el nativo giró rápidamente la cabeza hacia el parabrisas una vez más. Ni una sola vez su mirada se había cruzado con la de Elliott.

Will se inclinó hacia ella y le hizo un gesto para que se acercara y así pudiera oírle por encima del ruido del motor.

—Reconoce que aquí nuestro nativo está completamente colado por ti —señaló con malicia.

Elliott sacudió la cabeza.

—No seas cretino, Will.

Éste estaba sonriendo con ganas.

—Deberíamos ponerle un nombre a tu nuevo ligue. No podemos seguir llamándole «el nativo».

Elliott no le siguió la broma cuando expresó en voz alta lo que estaba pensando.

—No, tengo la sensación de que me tiene como miedo... por algún motivo —comentó.

—¡Ya sé! ¡Tronco! —prorrumpió Will de repente—. Sí, así es como deberíamos llamarle, Tronco... ¿Lo pillas?

Elliott soltó un gruñido.

—Eso es tan malo como los horribles chistes de Drake —dijo, sonriendo con tristeza—. Nunca pensé que los echaría tanto de menos.

—Y si a Tronco le vuelven a crecer las hojas, podemos cambiarle el nombre por el de Russell —añadió Will, pero ya sin entusiasmo, porque al igual que Elliott estaba pensando en su amigo Drake y las escasas probabilidades de que hubiera sobrevivido a la explosión nuclear.

Pero lo que Elliott había dicho de Tronco, como acababa de ser bautizado, tenía visos de verosimilitud. Parecía completamente intimidado por ella y, aunque había vuelto a mirar los fugaces árboles a través de sus gafas de sol mientras seguían avanzando por la espesa selva, sí que parecía estar exclusivamente interesado en ella. Durante las primeras veinticuatro horas después de haber recuperado el conocimiento, Tronco había intentado repetidamente postrarse a los pies de Elliott. Y lo único que dijo en todo momento fueron las mismas palabras: «Han regresado».

La revelación de que Elliott era medio styx —o medio invasora, como insistían en decirlo ellos— había cogido por sorpresa a los dos hermanos neogermanos, puesto que ni Will ni Elliott le habían dado importancia a dicho parentesco al resumirle a Jürgen la serie de acontecimientos que había conducido a la liberación del virus en el mundo interior. Pero los hermanos parecieron aceptarlo después de hablar más detenidamente del asunto con Elliott, y en cualquier caso, al empezar el segundo día, la fiebre de Tronco había remitido por completo. Dejó entonces de balbucir su mantra en styx; de hecho, se calló como una tumba y se volvió muy retraído.

El diagnóstico de Werner era que Tronco padecía una conmoción a causa de su repentina transformación física. En un intento de ayudarle a readaptarse, Jürgen había pasado algún tiempo con el nativo en su habitación tratando de comunicarse con él como había hecho anteriormente, utilizando la técnica de los jeroglíficos pintados a mano. Al menos, quería hacerle comprender que era inmune al virus y que podía abandonar la sala de cuarentena cuando quisiera.

Acto seguido, habían puesto el asunto a prueba. Después de tantas semanas enjaulados allí dentro, fue todo un acontecimiento cuando los hermanos neogermanos, junto con Karl y Tronco, pasaron en fila india por las áreas de descontaminación sin los trajes puestos. Nadie habló cuando salieron del sombrío interior del hospital y traspusieron la entrada principal seguidos por Will y Elliott. Las lluvias habían llegado y lavado buena parte de las cenizas, así que las calles parecían más limpias que antes. Era casi como si la ciudad hubiera recobrado la normalidad, salvo que el montículo de huesos calcinados permanecía como testimonio del terrible impacto de la epidemia.

Cuando se pararon bajo el sol deslumbrante, se miraron unos a otros. Entonces Werner abrió los brazos como un cantante de ópera que se dispusiera a atacar una canción y tomó una gran bocanada de aire. Lo contuvo durante varios segundos, como si lo estuviera saboreando, y a continuación lo exhaló de forma lenta y melodramática por la nariz. Lo único que habían conocido durante tantas semanas los neogermanos y el nativo había sido la atmósfera perfectamente filtrada de la sala de cuarentena, pero en ese momento eran libres de ir a cualquier sitio de la ciudad que se les antojara.

—Bueno, hasta el momento muy bien. Todavía no siento ningún síntoma —proclamó finalmente Werner, que se echó a reír—. Estoy de broma. Las pruebas demostraron que la vacuna es efectiva. ¡Estaremos a salvo!

Jürgen también se estaba riendo y abrazaba a su hijo; sólo Tronco permanecía quieto mientras ladeaba la cara para que su nueva piel absorbiera los rayos de sol.

Jürgen se volvió hacia Will y Elliott.

—De no ser por vosotros, puede que jamás hubiéramos visto este día. Era sólo cuestión de tiempo que se agotara la reserva de energía, y entonces nos habríamos quedado desprotegidos.

—No tiene importancia —respondió Will, disfrutando

del momento con ellos—. Y ahora voy a saquear la confitería. ¿Alguien está interesado?

Al oír aquello, los ojos de Karl se iluminaron.

Habían regresado a la sala de cuarentena ya entrada la noche con un cargamento de bolsas de comida fruto de sus correrías. Ahora que estaban vacunados, no tenían que preocuparse de esterilizar nada. Jürgen había preparado una cena para celebrar la libertad recién hallada, y estaban todos sentados en torno a la mesa sintiéndose muy satisfechos cuando, sin previo aviso, Tronco empezó a parlotear a toda prisa en styx, como si por fin hubiera asimilado que estaba a salvo de la epidemia.

—No le pillo nada —dijo Elliott, que se esforzaba al máximo en comprender lo que estaba diciendo—. Pero creo que habla de su pueblo... Cree que pueden seguir vivos en... No reconozco la palabra, pero puede que se refiera a las pirámides. En lo profundo de ellas.

—¿Es posible eso? ¿Después de tanto tiempo? —le preguntó Jürgen a su hermano.

—Todo es posible —respondió Werner—. Tú mismo dijiste que vivían encerrados en las pirámides durante meses seguidos. Es posible que supieran que pasaba algo cuando la fauna de la selva empezó a morir y se enclaustraran a tiempo. —Miró a Tronco, que seguía farfullando—. Todo depende de la circulación del aire en el interior de las pirámides. Me parece sumamente improbable, pero... —dijo, dejando que sus palabras se apagaran.

Jürgen sopesó la cuestión un instante.

—No podemos ignorar sin más lo que nos está diciendo. Si podemos salvar a más nativos, tenemos que actuar, y actuar rápidamente.

Will y Karl estaban disfrutando de los pirulís Kriesel que

habían expoliado ese día cuando la mirada del primero se cruzó con la de Elliott. Según parecía, todavía no iban a recuperar su sencillo estilo de vida de antaño en las pirámides.

Y en ese momento se encontraban en el semioruga, embarcados en una misión de rescate de más nativos cuando no tenían ni idea de si alguno habría sobrevivido tanto tiempo.

—Aquí es donde termina el sendero principal. Seguiremos a pie —dijo Jürgen cuando detuvo el semioruga en un claro que a todas luces ofrecía espacio para girar el vehículo. Después de apagar el motor y bajarse de un salto al suelo, echó un rápido vistazo en la dirección por la que habían venido.

—Bueno, ¿y ahora qué hacemos? ¿Esperar a que Werner y Karl nos den alcance? —preguntó Elliott.

—No, sigamos sin ellos —respondió Jürgen mientras rodeaba la parte posterior del semioruga y abría la puerta trasera—. Tardarán un rato en llegar aquí, y me llamarán por radio cuando estén cerca. Mientras, podemos empezar a trasladar parte del equipamiento a la pirámide —dijo.

Jürgen, Will y Elliott cogieron cada uno una caja de considerable tamaño de la parte posterior del vehículo. El hecho de que la gravedad fuera menor que en la Superficie les permitía levantar bastante más peso del que hubieran podido en el exterior. Se colocaron las cajas en equilibrio sobre las cabezas y Tronco los condujo en procesión mientras se internaban en la densa vegetación. Nadie esperaba realmente que el nativo transportara algo, pero al menos utilizaba su conocimiento de la selva para guiarlos siguiendo las huellas de los animales, de manera que no se vieran obligados a abrirse una senda a machetazos.

Tenían que recorrer una distancia considerable, y Tronco parecía tan decidido a llegar a la pirámide que no paraba de apretar el paso. Y cada vez que lo hacía, Jürgen le instaba a reducir la marcha. Por último, salieron de la línea de árboles y allí estaba la pirámide. Todavía mojada por el reciente diluvio, el sol se reflejaba en las gotas de agua que la cubrían y las hacía brillar como miles de diamantes diminutos.

—No hay nada como llegar al hogar —dijo Will con un resoplido. Se asomó un poco más con cuidado para poder ver la plataforma que él y Elliott habían construido en las ramas del árbol cercano, y sintió más de una punzada de arrepentimiento. Lo que en realidad estaba pensando era: «Para empezar, ojalá no la hubiéramos abandonado jamás».

Aunque se habían salvado unas vidas de resultas de su expedición de saqueo a la metrópolis, una parte de él se lamentaba por haberse dejado convencer por Elliott. En su fuero interno no le gustaba admitir que había algo de cierto en lo que ella había dicho sobre que se estaba haciendo mayor y acomodaticio. Reconocía que era una persona diferente; había perdido parte de su afición por la aventura. Tal vez la guerra constante contra los styx había acabado por quitársela a golpes, pero en ese mismo instante, lo único que deseaba era volver de nuevo a su sencilla vida en la selva con Elliott y sin ninguna interferencia externa de los neogermanos ni del balbuceante nativo.

—El hogar —repitió Will, cuando se dio cuenta del significado de la palabra y de lo feliz que había sido allí con Elliott. Con el pasadizo de los Antiguos y la sima cegados, ni él ni la muchacha albergaban serias esperanzas de que alguna vez fueran a regresar de nuevo al mundo exterior. Aquel lugar, con su plataforma en el árbol al lado de la pirámide, y aquel mundo en el centro del mundo se habían convertido en el mejor hogar que Will hubiera conocido en su corta existencia. Y entonces, cuando le pareció que todo se estaba acercando al final por culpa de aquellas nuevas personas que había ahora en sus vidas, el corazón se le empezó a acelerar con una especie de pánico.

Se había ganado pasar aquel tiempo con ella. Había aportado su granito de arena a la lucha contra los styx, y ahora quería dejar todo eso atrás. Se sentía tan lejos de su madre, a la sazón en la Colonia, y de su amigo Chester. Y en cuanto a Parry y Eddie, por supuesto que andaba preocupado por cómo les iría en su búsqueda de la segunda mujer styx. Pero no podía evitar sentir que todo aquello ya no era su guerra.

—¡Hola! ¡Te estoy hablando a ti! —gritó Elliott, sacando a Will de sus pensamientos—. ¿Nos acompañas hoy?

—Sí, lo siento... Estaba distraído. —Sonrió y echó a correr para alcanzarles a ella y a Jürgen.

Todavía con las cajas a cuestas, ascendieron por el lateral de la pirámide. Se pararon poco antes de pisar la lisa plataforma en la que culminaba, y en su lugar siguieron el saliente que rodeaba la grada inmediatamente inferior, hasta que Tronco les indicó que se detuvieran.

—Henos aquí de nuevo —dijo Will, examinando el lugar exacto donde él y el doctor Burrows cayeron rodando cuando los styx habían rodeado la pirámide en un intento de capturarlos—. Ahí hay una entrada —añadió para ayudar a Jürgen.

—Sí, estamos informados de eso —respondió el neogermano mientras todos depositaban las cajas en el suelo—. Los invasores no llegaron muy lejos, ¿verdad? —observó cuando empezó a inspeccionar los daños causados por los styx al intentar abrir un acceso al interior de la pirámide utilizando explosivos—. Interesante... —comentó, pasando la mano sobre lo que quedaba de las piedras talladas, y luego sobre la mampostería que había quedado al descubierto y cuyo color era considerablemente más oscuro—. ¿Aprecias la diferencia entre los dos materiales?

Aunque las piedras del revestimiento exterior habían sido voladas, la estructura de apoyo no parecía presentar ninguna marca en absoluto.

—Sí, parece como si… como si la mampostería fuera nueva —admitió Will—. Y los explosivos de los styx arrancaron lo que mi padre llamaba las «piedras movibles», pero allí siguen ésas para mostrar dónde estaban. —Estaba señalando una hilera de diez cuadrados que destacaban sobre la, por lo demás, uniforme superficie.

Tronco soltó lo que podría haber sido una palabrota styx, aunque gran parte de ese idioma sonaba exactamente igual.

—Will, quiere que te apartes —le tradujo Elliott.

—Muy bien —replicó el chico, molesto por la brusquedad del nativo.

No obstante, se hizo a un lado para dejar pasar a Tronco, que se dirigió directamente a los cuadrados. Al llegar a ellos, se puso de puntillas y empezó a tocarlos uno tras otro.

—Mi padre y yo pensamos que tenía que haber una combinación para entrar. Nos tiramos una eternidad empujando los bloques hacia dentro y sacándolos hacia fuera utilizando diferentes secuencias, para intentar abrir una brecha —explicó Will mientras observaba a Tronco, que seguía tocando los cuadrados a una velocidad de vértigo—. Pero no sé qué es lo que cree que está haciendo.

—También está probando diferentes secuencias —comentó Jürgen, observando embelesado al nativo—. Pero no se trata de nada que pueda influir en una combinación mecánica. Debe ser sencillamente algún tipo de ritual previo a la apertura de la puerta.

—¿Así que usted nunca ha visto el interior? —le preguntó rápidamente Will.

Jürgen negó con la cabeza.

—Jamás. Y los nativos tenían buen cuidado de no dejarnos observarles cuando hacían esto —replicó.

Tronco había terminado sin duda la larguísima serie. Cuando se apartó rápidamente de un salto, se oyó un sonido chirriante.

—¡Atrás! —avisó Will. Por nada del mundo iba a dejarse sorprender una vez más.

La pared debajo de los cuadrados y una parte del saliente que estaba delante de donde Will y los otros estaban parados parecían haber desaparecido de buenas a primeras, dejando a la vista un tramo de escalones de piedra de poca altura que conducían a las profundidades de la pirámide.

Jürgen estaba estupefacto.

—No lo entiendo. ¿La mampostería desapareció sin más? —preguntó.

—Yo tampoco lo entiendo —dijo Elliott, igual de perpleja.

Todos se quedaron donde estaban excepto Will, que se había adelantado hasta el borde de la abertura y miraba hacia abajo para escudriñar el interior.

—Así que fue aquí por donde caí... aquel día —dijo en voz baja.

Tronco pronunció unas cuantas palabras y desapareció de sopetón por los polvorientos escalones, que empezó a bajar a toda prisa.

—Ha dicho que le sigamos —tradujo Elliott.

—¡Espera! —gritó Jürgen—. Dile que no se precipite, ¿te importa? Si entramos a ciegas, estaremos llevando el virus directamente con nosotros.

Elliott llamó a Tronco, que se detuvo un momento en los escalones mientras contestaba rápidamente.

—Dice que lo que queremos está más adentro —tradujo la muchacha.

—Entonces, ¿deberíamos llevar el equipo con nosotros y establecernos en el interior? —sugirió Will.

Jürgen consideró la situación.

—Supongo que no tenemos elección. No sabemos lo cerca que están los demás indígenas —dijo con un encogimiento de hombros—. En cuanto los localicemos, podemos levantar la tienda de descontaminación y tratar de realizar alguna esterilización básica. Y si eso no es factible, tendremos que administrar la vacuna y esperar lo mejor.

—Entonces, vamos —dijo Will, y Jürgen se sacó una linterna del bolsillo y la encendió para que al menos tuvieran alguna idea de en dónde ponían los pies. Los tres cogieron sus cajas y empezaron a bajar los escalones hacia la tenebrosa oscuridad.

—Aquí es donde acabamos mi padre y yo —explicó Will cuando llegaron al final de los escalones y se encontraron en una superficie nivelada, un espacio cerrado donde sus pisadas resonaban por todas partes. El chico no pudo evitar acordarse de las contradictorias emociones que había experimentado la última vez que había caído rodando hasta aquella misma cámara con su padre. El espanto por estar siendo perseguidos por los Limitadores se había transformado en alborozo al darse cuenta de que por algún milagro él y el doctor Burrows se encontraban de pronto fuera de su alcance, aunque el entusiasmo fue efímero cuando descubrieron que estaban rodeados por los nada amistosos nativos.

Entonces Will se acordó de lo que el doctor Burrows había descubierto allí.

—Mirad el suelo —les indicó a los otros. Jürgen dirigió la linterna hacia donde señalaba el muchacho.

—Un mural —dijo Elliott—. ¿O sólo se le llama así cuando está pintado en un muro?

Will sonrió.

—Entonces quizá sea un *suelal.* —Se volvió hacia el neogermano—. En realidad está tallado en las baldosas, y luego pintado. Mi padre pensaba que los personas encargadas de construir las pirámides, los Antiguos, como los llamaba, tenían rutas comerciales por todos los continentes. Así es como pudieron elaborar este mapa.

Jürgen avanzó cautelosamente siguiendo los perfiles de los continentes tallados sobre el suelo de piedra, como si le preocupara que pudiera estropearlos por pisarlos.

—Sí, pero esto debe de datar de hace varios miles de años… y está todo perfectamente proporcionado. Así que ¿cómo es posible que dispusieran de los medios para confeccionar un mapa con este grado de detalle o precisión? —preguntó.

Cuando Tronco reapareció sin previo aviso con una tea encendida, la cámara se llenó de luz.

—Y tenéis que ver esto —dijo Will, ahora que las llamas iluminaban el resto del espacio. Llevó a Elliott y Jürgen hasta donde había sido pintada la procesión de las grandes figuras en la pared, el rey y la reina con sus mejores galas y adornados con joyas de oro parecidas a las que podrían haber llevado los gobernantes egipcios.

—A mi padre esto le parecía asombroso —siguió Will, acordándose del doctor Burrows encendiendo una cerilla tras otras mientras estudiaba todas las figuras.

—Aquí vuelve a aparecer ese símbolo del colgante de Tam —dijo Elliott al localizar las tres líneas convergentes en la corona del rey, y más tarde en la coraza de un guerrero—. Está por todas partes.

Will estaba a punto de responderle, cuando Tronco empezó a parlotear rápidamente en styx.

—Quiere que le acompañemos —comentó Elliott.

Llevando las cajas consigo, siguieron al nativo hasta el

extremo de la cámara y salieron a un rellano donde se les ofreció a la vista otra escalera.

—Esperaba que los demás nativos estuvieran más abajo dentro de la pirámide, no ahí arriba —masculló Jürgen mientras Tronco los hacía subir un tramo tras otro.

—La última vez fue ahí adonde nos llevaron —comentó Will—. A las mismísimas entrañas de la pirámide.

Cuando llegaron a otro rellano, Tronco hizo que se alejaran de la escalera y los introdujo en una cámara circular de techo bajo y aproximadamente nueve metros de diámetro. El nativo empezó a gesticular hacia un punto en el muro curvilíneo situado justamente enfrente de la entrada. Como no parecía haber otra forma de entrar o salir de la cámara, los tres dejaron las cajas junto a la entrada.

—Si el resto de los nativos están a ese otro lado, éste sería un lugar ideal para la descontaminación —dijo Jürgen. Tras abrir la parte superior de una de las cajas, empezó a sacar varios de los recipientes verdes que contenían el agente esterilizante—. En el peor de los casos, aquí dentro tengo ya preparadas algunas jeringas con la vacuna —dijo, al tiempo que sacaba un pequeño maletín.

Tronco estaba parloteando como un loco, intentando desesperadamente que le hicieran caso.

—¿Qué es lo que quiere que veamos allí? —preguntó Will cuando la luz de la antorcha del nativo cayó sobre algo que tenía delante.

Al acercarse, descubrieron una pequeña repisa que sobresalía de la pared a la altura de la cintura. Encajado en ella y formando un ángulo de cuarenta y cinco grados, había un panel negro, que Will empezó a tocar.

—¿Para qué narices sirve esto? —preguntó.

—Dímelo tú. ¿Qué estás mirando? —preguntó el neogermano mientras vaciaba apresuradamente otra de las cajas y dejaba su contenido en el suelo, el cual empezó a organizar para poder montar la tienda de descontaminación.

—Bueno, parece cristal…, un cristal negro… o alguna clase de mineral perfectamente pulido. Lleva tallado el símbolo de los Antiguos, pero los bordes son rugosos, son como unas gubias —explicó Will mientras examinaba el símbolo de tres puntas con los dedos—. Si esto es lo mismo que los cuadrados del exterior y abre una entrada, Tronco tiene que enseñarnos a activarlo.

—¿Quién es Tronco? —preguntó Jürgen, aunque en lo que andaba ocupado era en levantar la tienda. Para entonces el nativo había empezado a caminar con impaciencia de un lado a otro cerca del muro, todavía hablando rápidamente—. Entonces, ¿tenemos definitivamente una vía de entrada? —preguntó Jürgen desde el otro lado en el momento justo en que Elliott, al evitar a Tronco cuando pasó como una bala por su lado, perdió el equilibrio. La chica extendió una mano para apoyarse en el lateral de la cámara y no caerse.

Unos impulsos luminosos de color azul recorrieron varios metros alrededor del lugar donde había entrado en contacto con la pared, dejando a la vista una intrincada red de líneas y círculos.

—¡Caray! —gritó Will.

Todos estaban demasiado asustados para hablar, así que el único sonido audible en la cámara era el chisporroteo de la antorcha de Tronco mientras se consumía.

—Decidme que no me lo he imaginado —dijo Will en un susurro, casi sin atreverse a respirar.

Jürgen dejó caer la estaca de aluminio de la tienda que acababa de ensamblar, se acercó a toda prisa y dirigió el haz de su linterna a lo largo de la pared al lado de Elliott.

—No, yo también lo he visto —confirmó el neogermano, y estiró lentamente la mano para tocar la pared.

Will ya estaba dándole golpecitos a uno de los grandes bloques de sillería que tenía a su lado.

—Fuera lo que fuese, ha desaparecido. Y la verdad, no lo entiendo. ¡Esto no es más que piedra!

—Entonces, ¿de dónde salieron esas luces? —preguntó Elliott, todavía completamente sumida en la confusión.

—Eran más como unas chispas —sugirió Jürgen, inclinándose para examinar la base del muro—. Y estoy de acuerdo contigo, Will. No hay duda de que esto es piedra. —Apartó la mano y restregó el polvo entre los dedos—. Aunque el fenómeno que acabamos de presenciar se pudiera explicar por alguna especie de descarga electrostática, ¿cómo iba a conducir eso la mampostería de esta manera? He visto... formas... dibujos.

Will se acercó un poco más a la pequeña repisa.

—Puede que esto tenga algo que ver con ello. —Estaba haciendo presión sobre el panel para ver si podía moverlo en alguna dirección, cuando Tronco empezó a hablar con gran nerviosismo.

—¿De qué está parloteando ahora? —le preguntó Will a Elliott.

—No le entiendo. Habla demasiado deprisa —respondió ella. Suspendió la mano sobre el brillante panel—. Enséñame cómo funciona esto. ¿Abre una puerta? —le dijo al nativo en styx.

Por primera vez, Tronco pareció mirarla directamente a los ojos.

Antes de que Elliott supiera qué estaba sucediendo, la agarró por la muñeca y la obligó a bajar la mano sobre el panel, embutiéndole los dedos en el símbolo de tres puntas.

Se produjo un fogonazo tan intenso como el de la llama de una soldadora. Elliott salió despedida de espaldas contra el suelo de la cámara, como si hubiera recibido una descarga eléctrica.

—¡No! —gritó Will, que se precipitó a su lado y la ayudó a incorporarse—. ¿Te encuentras bien?

Ella cerró el puño y abrió la mano de nuevo extendiendo los dedos.

—Muy bien. No duele nada —respondió sorprendida—. Pero ha sido realmente extraño.

Will estaba furioso.

—¡Qué estás diciendo! —Giró en redondo para enfrentarse al nativo—. ¿Qué puñe…?

El suelo de la cámara tembló.

Jürgen se acuclilló, pensando que habría más temblores.

—Un terremoto —dijo—. Son muy habituales en esta parte de…

Pero no era un terremoto, y cuando lo supo, su voz se fue apagando.

Con el aullido del aire al desplazarse, el techo que tenían encima desapareció y la luz del sol los inundó. Protegiéndose los ojos del resplandor, Will tuvo una vista directa del cielo despejado.

—¿Qué? —exclamó, con un grito ahogado.

Antes de que ninguno se enterara, los muros a ambos lados del panel se desintegraron. Lo raro fue que el único sonido era el que hizo la ráfaga de viento que los envolvió. Sus ojos no habían tenido tiempo de acostumbrarse del todo a la luz pero, por lo que pudieron ver, una especie de ola gigante se alejaba de ellos y de la pirámide a una velocidad de varios nudos. Una ola de piedras y polvo que se extendió entre los gigantescos árboles de la selva barriéndolo todo a su paso.

Acompañado de Karl, que sujetaba cuidadosamente en su regazo un estuche lleno de jeringas complementarias con la vacuna recién preparada, Werner había estado conduciendo el pequeño Kübelwagen por el camino de la selva.

Pero cuando Karl señaló apremiantemente algo, Werner empezó a frenar.

El niño había descubierto que el cielo por encima de los árboles se había llenado de pronto de pájaros, como si todos hubieran levantado el vuelo al mismo tiempo. Grandes bandadas de aves giraban y se entremezclaban a gran velocidad. Y mientras los observaba, las bandadas se dispersaron para formar otra cosa; eso ya no eran pájaros, sino una diversidad de proyectiles de diferentes tamaños, con perfiles duros e irregulares. Gracias a que Karl había sido tan rápido en advertir que estaba sucediendo algo extraordinario, a Werner no le pilló totalmente por sorpresa cuando un trozo considerable de sillería cayó vertiginosamente y se estrelló contra el capó, provocando que el vehículo rebotara sobre los amortiguadores.

Acababa de detener completamente el Kübelwagen cuando el fragmento de una raíz de árbol golpeó el parabrisas y lo hizo añicos. Como el bombardeo continuara cual inusitada granizada, Werner le gritó a Kark que saliera. Entonces protegió al niño con su cuerpo mientras los dos se agachaban contra el lateral del vehículo.

Sin proferir una sola palabra, Will, Elliott y Jürgen echaron a andar juntos arrastrando los pies, hasta más allá del lugar donde el muro de la cámara se levantaba inicialmente.

—¿Qué es esto? Hace un momento estábamos dentro, y al siguiente aparecemos aquí fuera —dijo Will, sin saber todavía qué decir ante el repentino giro de los acontecimientos.

—Increíble —repetía Jürgen una y otra vez, después de

que se acercaran al borde de la pirámide y se quedaran mirando las gradas de debajo.

—Tiene un aspecto completamente diferente. Todas las piedras talladas han desaparecido —señaló Will—. Es como si estuvieran ocultas por una capa de piedra. —Tenía razón; el aspecto de la pirámide se había transformado en cuestión de sólo unos segundos, y la infraestructura estaba ahora completamente a la vista.

—Increíble —volvió a decir Jürgen en un tono de voz extrañamente lacónico.

Los tres se sentían bastante paralizados, porque a pesar de sus esfuerzos seguían sin encontrar una explicación para lo que acababan de vivir.

—Pero ¿cómo es posible que sigamos aquí... y vivos? —prorrumpió Elliott—. ¿Por qué no hemos salido volando de la pirámide también?

Ni Will ni Jürgen le respondieron; su vista estaba todavía acostumbrándose a la luz del sol, pese a lo cual pudieron entrever por primera vez otra cosa que los sumió en la confusión. A medida que el velo de polvo se alejaba, vieron que la selva había sido pelada, como si una plaga de langostas lo hubiera devorado todo a su paso. Pero ni siquiera se veía un árbol arrancado de raíz, sino sencillamente una hectárea tras otra de tierra pelada con algún tramo de vegetación ocasional aquí y allá.

—La selva ha desaparecido sin más —dijo Will. Se protegió los ojos con la mano, afanándose en escudriñar el horizonte—. ¿Lo veis? No hay más que un espacio vacío hasta las demás pirámides.

Elliott soltó una extraña carcajada cuando reclamó la atención de Will para que mirase la zona que tenían debajo, el suelo removido que rodeaba la base de la pirámide.

—Ahí es donde estaba nuestro campamento.

Jürgen meneaba la cabeza.

—Nada de esto tiene la menor lógica. Es como si hubiera habido una explosión. Pero ¿por qué no sentimos ni oímos na...? —Se calló cuando su *walkie-talkie* chisporroteó y la voz angustiada de su hermano surgió por el transmisor. Jürgen escuchó durante un instante, y entonces masculló: «Ah, gracias a Dios». Miró rápidamente a Will y a Elliott para decirles lo que acababa de oír—. Karl y Werner fueron bombardeados por los escombros cuando estaban dentro del vehículo, pero ambos están a salvo. —Volvió a hablar por la radio—. Werner, por lo que sabemos, parece haberse originado aquí, pero...

La radio crepitó y se oyó decir a Werner: «Hola, hola, ¿estás ahí?», pero Jürgen estaba sosteniendo el aparato lejos de su oreja.

Igual que Will y Elliott, estaba mirando fijamente a lo lejos, al punto de intersección de las tres pirámdes.

Al lugar donde algo estaba provocando que el suelo y la corteza fueran arrojadas contra el cielo en un enorme surtidor.

Entonces una descomunal construcción en forma de aguja brotó súbitamente del mismo suelo y se fue proyectando cada vez más hacia arriba con un estruendo sordo.

—Justamente cuando pensaba que era imposible que esto pudiera ser más extraño —masculló Will.

El suelo y las rocas se derramaron desde el pináculo de la construcción cuando ésta alcanzó su altura máxima, varias veces la de la pirámide en la que los tres se encontraban.

—¿Una torre? —murmuró Elliott.

—Werner..., esto... volveré a contactar contigo —dijo Jürgen hablándole a la radio en un murmullo—. No, yo te llamaré. Tú y Karl quedaos exactamente donde estáis ahora hasta que os llame. —La voz angustiada de Werner siguió oyéndose por la radio cuando Jürgen la apagó sin más preámbulos.

—¿Dónde está el nativo? —preguntó Elliott al darse cuenta de que no estaba con ellos.

—Por allí va —respondió Will cuando localizó la solitaria figura que avanzaba resueltamente por la tierra pelada en dirección a la torre—. Creo que tenemos que ir tras nuestro amigo Tronco y obligarle a que nos dé algunas respuestas. —Entrecerrando los ojos hacia la lejana torre, se rió entre dientes—. Además, ¡tenemos que mirar eso más de cerca!

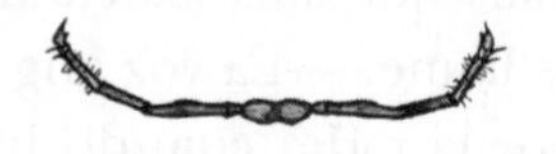

Parry fue el primero en ser escoltado a través de la esclusa, seguido de Chester. Una vez dentro, se les hizo atravesar el puente, donde el chico se dedicó a observar los diferentes terminales controlados por la tripulación. Algunos de los hombres levantaron la vista de sus paneles de instrumentos para mirarlos con curiosidad tanto a él como a Parry, aunque fugazmente, como si no tuvieran que mostrar demasiado interés. Chester estaba mareado; le habían sacado a la fuerza de una pequeña granja del siglo XVII, que dependía para su electricidad de un generador situado en un cobertizo, para llevarle a un submarino nuclear de última generación lleno hasta los topes de aparatos electrónicos. Y que pertenecía a la principal superpotencia mundial, nada menos.

Le parecía todo bastante irreal, como si estuviera en una película. Salvo que en una película uno no se hacía idea de lo asquerosamente mal que olía allí dentro, con tantos hombres metidos en un espacio cerrado. Aquello le recordó un verano en que él y sus padres habían cogido un vuelo de larga distancia para volver a casa de sus vacaciones.

Dos personas vestidas con trajes azul marino aparecieron sin previo aviso.

—Seguridad Nacional —declaró la mujer joven, mostrándole fugazmente una placa a Parry.

—Miren al pajarito —dijo el hombre que la acompañaba cuando apuntó por turnos con un artilugio a Chester y a Parry.

—Reconocimiento facial. Se están asegurando de que seamos quienes somos —le dijo Parry al muchacho, cuando el hombre escudriñó una pantalla en el reverso del artilugio y se volvió hacia su compañera.

—Positivo en ambos casos.

—¿Yo también? —le preguntó Chester a Parry—. Pero ¿cómo saben quién soy yo?

Parry estaba a punto de responder cuando la mujer levantó algo en el aire. Chester lo reconoció inmediatamente.

—¡Es uno de los de Danf…! —empezó a exclamar, aunque logró contenerse antes de pronunciar el nombre del hombre que más despreciaba en el mundo—. Es un Purgador —se apresuró a rectificar.

—Sí. Nada como que tu propia tecnología se vuelva en tu contra, ¿no te parece? —dijo Parry.

—Por favor, no hablen. Concéntrense en este punto de aquí —soltó la mujer, señalando con el dedo los pequeños objetivos situados en lo alto del pequeño cilindro.

—Perdone —masculló Chester mientras la mujer dirigía primero el haz púrpura a sus ojos y luego a los de Parry.

—No han sido sometidos a la Oscura Luz —confirmó la mujer, que pasó a teclear el resultado en su agenda electrónica.

—En realidad es Luz Oscura —comentó Chester levantando la voz antes de saber lo que estaba diciendo.

La mujer le lanzó un mirada gélida en el momento en que otro hombre se acercaba a ellos.

—Comandante —le dijo a Parry. Por su edad e insignia, Chester adivinó quién era antes de que el hombre les estrechara las manos a ambos.

—Me alegro de verle, capitán —replicó Parry.

—Y yo a usted. Me disculpo por una bienvenida tan poco hospitalaria. Espero que nuestro comando de marines no fuera demasiado violento con ustedes —respondió el capitán—. Tal y como están las cosas, estos procedimientos son ahora una práctica habitual antes de permitir subir a bordo a cualquiera. Ni siquiera los miembros de mi tripulación están eximidos cuando regresan de tierra.

—Me parece perfecto —dijo Parry—. Lo último que

uno quiere es un terrorista suicida en un espacio cerrado como éste.

Era evidente que el hombre de la Seguridad Nacional estaba preocupado, porque no dejaba de mirar constantemente su reloj.

—Según parece, caballeros, tienen que ir a algún sitio —comentó el capitán.

—Así es, el canal de comunicaciones está conectado, comandante —terció el hombre del traje azul.

Uno de los marines se quedó detrás mientras el resto de la escolta se retiraba. A Parry le devolvieron los teléfonos vía satélite y el bastón de paseo antes de que él y Chester fueran conducidos desde el puente a través de varias secciones del submarino. El hombre del traje azul de la Seguridad Nacional los condujo a un camarote sorprendentemente pequeño, el cual tenía una mesa en el centro sobre la que se habían colocado en fila tres pantallas, con una especie de cámara instalada en lo alto de la del centro. Parry le dijo a Chester que ocupara un lugar en la mesa mientras él permanecía de pie, hablándole en murmullos al del traje azul.

Sin la menor idea de por qué estaba allí ni de lo que iba a pasar, el chico se recostó en la silla y se metió las manos en los bolsillos de los vaqueros. Se puso a mirar las pantallas de una en una, las cuales mostraban todas el escudo de la Marina de Estados Unidos sobre un fondo azul.

Tomó aire y le echó un vistazo al marine parado junto a la puerta del camarote, que sujetaba su fusil de asalto en posición de preparado.

—Un a erre dieciséis —comentó Chester en voz alta, al reconocer el arma por uno de sus videojuegos. El marine se limitó a mirarle ceñudo, así que el chico apartó la mirada rápidamente, asintiendo con la cabeza para sí y mascullando—. Sí, un a erre dieciséis.

En un altavoz situado en alguna parte de la pieza repicó una señal acústica, y Parry y el del traje azul se apresuraron a ocupar sus sitios en la mesa al lado de Chester.

Las pantallas estaban en blanco salvo por las palabras «Estado de transmisión» y un contador que iba marcando los segundos. Cuando la cuenta atrás llegó a cero, el título cambió al de «codificado nivel uno», tras lo cual hubo un momento de interferencias digitales mientras unos bloques aleatorios de colores parpadeaban sobre los monitores. Finalmente, la imagen se estabilizó y mostró un escenario muy parecido al del camarote de Chester: una mesa o tablero con tres sillas colocadas a lo ancho. Un hombre que sujetaba varias carpetas con documentos se movió por ella hasta hacerse visible.

—Bob Harper —dijo Parry—. ¡Lo que me alegra volver a verte después de tanto tiempo, viejo crápula!

Cuando el hombre se inclinó hacia la cámara montada encima de la pantalla del centro, Chester vio que era calvo y que llevaba unas gafas de montura metálica.

—Lo mismo te digo, Parry —respondió Bob, pero no tan cariñosamente como el muchacho había esperado, dado que se suponía que eran buenos amigos. Pero Chester se dio cuenta de que Bob tenía otras cosas en la cabeza cuando abrió una de las carpetas y extrajo varios documentos, los cuales colocó minuciosamente sobre el tablero de la mesa.

Entonces levantó la vista de nuevo.

—Muy bien, ya estoy listo. Y muy buenas tardes a todos —anunció, esta vez con más entusiasmo. Miró con los ojos entornados al del traje azul, sentado a la derecha de Parry, y luego a Chester.

—Y tú debes de ser... esto... Chester Rause.

—Rawls —le corrigió Parry—. ¿Cómo están los chicos, Bob?

Se produjo un leve desfase temporal entre la imagen y

el sonido, lo que supuso que los labios de Bob dejaran de moverse, pero sus palabras siguieron transmitiéndose.

—Bien, gracias. Con uno en el MIT y el otro ejerciendo de abogado en Wall Street, ya les he dicho que pueden mantener a su viejo cuando por fin cuelgue las espuelas. Y ya sabes que Debbie te habría enviado un cariñoso saludo si hubiera podido decirle que íbamos a hablar. La próxima vez que estés a este lado del charco, tienes que quedarte de nuevo con nosotros, Parry. —Bob se frotó la barbilla con aire preocupado—. Una vez que haya acabado todo esto.

—Dalo por hecho —dijo Parry.

Nadie habló durante un instante mientras Bob le echaba un vistazo a sus documentos.

—Aquí en Washington tenemos un día gélido, aunque soleado. ¿Qué tiempo hace donde estás?

—Ah, aparte de que aquí es noche cerrada, ¿de verdad tienes que preguntarlo, Bob? Esto es Inglaterra; inevitablemente lloverá antes de que amanezca —respondió secamente Parry.

Pero Bob no estaba escuchando. Por el ruido de fondo, Chester se dio cuenta de que había entrado más gente en la habitación. Un hombre fornido, más joven que Bob y con un traje gris marengo, apareció en el monitor. Inspeccionó las pantallas y la mesa para asegurarse de que todo estuviera como debía, y se quitó de en medio para permitir que otra persona ocupara la silla del centro.

Chester se quedó boquiabierto, y los ojos casi se le salen de las órbitas.

Bien cierto era que durante el año anterior había pasado mucho tiempo bajo tierra, pero habría sido imposible que no reconociera al hombre que apareció en la pantalla que tenía delante.

Una de las personas vivas más famosas del planeta, y sin duda la más poderosa.

—¿Ése es...? —intentó preguntar, pero de su garganta no salió ningún otro sonido.

Le lanzó una mirada a Parry, que le respondió con un rápido gesto de la cabeza.

—Buenos días, caballeros —les saludó el presidente de Estados Unidos mientras examinaba una de las notas informativas de Bob que tenía sobre la mesa. Cuando por fin levantó la vista, recorrió con la mirada al del traje azul y a Parry, y la posó sobre Chester.

—Hola —dijo el presidente.

5

La cara de Drake era enfermizamente blanca, aunque las arrugas de debajo de los ojos y en torno a la boca mostraban una coloración sanguínea. Y aunque llevaba el brazo del hombro herido en cabestrillo y numerosos vendajes le cubrían las quemaduras, nada de esto le preocupaba tanto como su boca, en la que en ese momento andaba metiéndose el dedo para examinar la hinchazón de sus encías. Pese a la mueca provocada por el dolor mientras se las tocaba, se rió para sus adentros.

—Un hombre entra en la consulta de un dentista y se sienta en la silla. —Resultaba difícil comprender lo que estaba diciendo porque los dedos estaban en medio, pero de todas formas continuó—: Entonces el dentista dice: «¿Qué puedo hacer por usted, señor?» Y el hombre contesta: «Tiene que ayudarme; creo que soy una palomilla».

Drake se detuvo un instante cuando se apretó un diente de la mandíbula inferior y notó que se movía en la encía.

—Así que el dentista le dice: «Pero como puede ver, yo soy dentista, y usted lo que necesita es un médico. Así que ¿por qué viene aquí?» —Drake había sacado la mano de la boca y estaba examinando la sangre en la yema de sus dedos—. Y va el hombre y contesta: «Bueno, usted siempre tiene la luz encendida».

Jiggs se rió entre dientes.

—Anda que no es viejo —dijo mientras sostenía el brazo bueno de Drake y se lo rodeaba con un brazalete. Estaba utilizando un tensiómetro antiguo, un medidor de la presión sanguínea, que había encontrado en el compartimento médico—. Siempre sé cuándo las cosas van mal porque empiezas con los chistes. —Sonrió—. ¿Te acuerdas de aquella ocasión en que Parry estaba fuera, y Chispas, Danforth y yo tuvimos que llevarte casi cien kilómetros en coche por Escocia hasta el hospital más próximo, en medio de la nevada más fuerte de aquel invierno, porque se te había reventado el apéndice? ¿Cuántos años tenías…? Puede que unos dieciséis. Y aunque tenías unos dolores horribles, no paraste de contar chistes en todo el puñetero camino.

Drake asintió con la cabeza, luego la echó hacia delante y la sacudió.

—Y como nevada, ¿qué te parece ésta? —preguntó. El pelo le había empezado a crecer de nuevo después de que unos meses antes se lo hubiera cortado del todo para alterar su aspecto, pero en ese momento unos cuantos mechones se esparcieron sobre la superficie de la mesa.

—Encías sangrantes, pérdida del cabello… Mucho me temo que son todos síntomas de la enfermedad por radiación crónica —dijo Jiggs. Infló el brazalete que envolvía el brazo de Drake, fue soltando el aire poco a poco mientras escuchaba a través de un estetoscopio y luego tomó la lectura en el tensiómetro.

Drake tenía la mirada perdida y no estaba prestando atención a lo que Jiggs hacía.

—Las elecciones que he hecho en la vida han supuesto que me haya salvado por un pelo varias veces, y no estoy culpando a nadie por cómo han salido las cosas. —No esperaba ninguna respuesta de Jiggs, y éste lo sabía—. Nunca me hice ilusiones de una jubilación pescando truchas en los Cairngorms, aunque…

—¿Es que hay truchas en los Cairngorms? —le interrumpió su amigo.

—Ya sabes a qué me refiero —respondió Drake—. ¿Dónde estaba...? Pero... pero siempre imaginé que cuando me llegara el turno, sería rápido. —Chasqueó los dedos—. Pensaba que recibiría un balazo o que saltaría por los aires. Así que, dime: ¿es así como va a evolucionar esta enfermedad en mi caso, silenciosa y dolorosamente, hasta la desaparición definitiva?

—Primero, la parte fácil; la bala que te alcanzó en el hombro te rompió la clavícula, aunque se trata sólo de una fractura menor. Así que no es nada serio. —Jiggs suspiró y empezó a guardar de nuevo el anticuado tensiómetro en su caja de madera—. En cuanto a la exposición a la radiación, tendrás tus días buenos y malos. Pero te irás debilitando a medida que las náuseas y los vómitos se hagan más frecuentes y la hemorragia interna se intensifique. Me temo que a partir de ahora todo irá de mal en peor.

—No, por favor, cuénteme lo peor, ¿vale, doctor? —dijo Drake con ironía. Cogió un viejo frasco de pastillas de yodo que Jiggs también había encontrado entre las existencias médicas—. ¿Cambiarán algo éstas?

—Te ayudarán a eliminar algunos isótopos, pero estuviste expuesto a una dosis masiva de radiación ionizante. Aunque estuviéramos en la Superficie con todas las instalaciones que hay allí, no se podría hacer mucho más por ti. —Jiggs sacudió la cabeza—. Lo siento.

—Así es la vida —sentenció Drake con resignación, y respiró antes de continuar—. Supongo que tarde o temprano todos somos atraídos hacia la gran luz, como si fuéramos polillas. Lo que pasa es que quiso la casualidad que mi gran luz fuera un arma nuclear y me friera. —Empezó a reírse, pero la risa se convirtió en un ataque de tos, y transcurrió un rato antes de que pudiera volver a hablar—.

Si hubiera sabido que llegaríamos a esto, jamás le habría prestado tanta atención a mi dieta. —Se recostó en la silla y exhaló un prolongado suspiro—. Jiggs, viejo amigo, en realidad, ¿qué sentido tiene cargar conmigo de nuevo hasta la Superficie? Me puedes dejar aquí perfectamente.

Jiggs miró por el sector principal del refugio antinuclear, un lugar construido en las profundidades de la tierra que Will y el doctor Burrows habían sido los primeros en descubrir, y en el que ya estuviera el propio Drake cuando había ido a rescatar a Will y a Elliott.

—Hace mucho tiempo —empezó a decir Jiggs—, le prometí a tu padre que cuidaría de ti. Y pretendo mantener esa promesa.

Hizo un ademán hacia la cocina donde había estado preparando las comidas de ambos con latas de hacía cincuenta años.

—Y, de todas formas, no te puedo abandonar aquí. La dieta a base de carne enlatada que llevamos en este lugar es suficiente para acabar con todas nuestras fuerzas.

—Pero ¿para qué llevarme de vuelta? ¿Qué más da que muera en la Superficie que aquí abajo?

Jiggs no estaba dispuesto a dejarse influir.

—A pesar de todas las dificultades y con esos jodidos animales mordiéndonos los talones, te llevaré hasta allí. —Hizo una pausa para respirar—. Así que deja que te aclare una cosa: no hay ninguna puñetera posibilidad de que te vaya a abandonar. Emprenderemos la remontada de ese río juntos.

Después de que Jiggs hubiera logrado resucitar a Drake en el destrozado Short Sunderland y lo estabilizara lo suficiente para moverlo de nuevo, se había puesto en marcha hacia Jean la Fumadora. Sólo había contado para guiarse con las debilísimas señales de las radiobalizas que Will y Drake habían dejado en las ocasiones anteriores, pero eso, junto con su extraordinario sentido de la orientación, fue suficiente. Consumiendo casi hasta la última gota de combustible de sus cohetes propulsores, había conseguido subir a Drake hasta Jean la Fumadora y hacerle pasar a través de la inclinada sima. Una vez allí, la extrema debilidad de Drake sólo le había permitido recorrer distancias cortas por sus propias fuerzas. No obstante, la poca gravedad permitió que Jiggs pudiera llevarle tanto a él como los equipos de ambos a la espalda.

Entonces habían despertado el interés indeseado de los relámpagos y las arañas-mono, los cuales eran tremendamente sensibles cuando se trataba de detectar a una presa herida. La sangre de Drake actuaba como un imán para aquellas criaturas, y había tenido que sacar fuerzas de flaqueza y ayudar a Jiggs a repelerlos una y otra vez.

Y justamente cuando pensaban que habían ascendido lo suficiente por la sima para escapar de todos los depredadores locales, Jiggs había estado en un tris de pisar el primero de los artefactos antipersona que habían dejado los Limitadores a su paso. Y si lo localizó, fue gracias a que una araña de tamaño común había tejido su red en el mismísimo cable trampa tendido a lo ancho del camino. La presencia del artefacto en la sima era una mala noticia, porque significaba que habían enviado una patrulla al refugio antinuclear y que sin ninguna duda se habrían plantado más artefactos a lo largo del camino. Así que el avance había sido insoportablemente lento, ya que Jiggs se vio obligado a inspeccionar el pasadizo centímetro a centímetro en busca de más cables trampa, y en cuanto llegaron al refugio también allí había tenido que realizar un barrido completo.

—Ya me oíste, ¿verdad? —le preguntó a Drake, que parecía haberse sumido en un estado de ensimismamiento—. Vamos a remontar ese río juntos. ¿Estamos?

—Sí, estamos, lo que tú digas —respondió Drake, levantando lánguidamente los ojos hacia Jiggs, porque hasta un pequeño acto como aquél le suponía un esfuerzo—. Al menos podré informar a Parry de que, por lo que sabemos, nuestra misión ha sido un éxito. Y averiguar cómo le ha ido con la otra mujer styx.

Jiggs asintió cuando Drake volvió ligeramente la cabeza hacia el pasillo de entrada donde tenía que hallarse la sala de comunicaciones. Tanto Will como Chester habían utilizado anteriormente el antiguo teléfono que había allí para ponerse en contacto con la Superficie.

—Ni hablar —dijo Jiggs de inmediato—. Si de verdad estás pensando en utilizar el teléfono que hay allí para llamar, ya puedes irte olvidando. Aunque no hubieran cortado la línea, los styx estarán controlando cualquier comunicación con él; con que sólo levantes el auricular, descubrirán que estamos aquí abajo. —Entonces suavizó el tono de voz—. Drake, en serio, ni te acerques al aparato. No estás utilizando el sentido común, ¿vale?

—No, puede que no, pero ya no me puedo permitir el lujo del tiempo —le respondió su amigo mientras se ponía en pie—. La idea de la muerte es más que suficiente para volverle a uno impaciente.

—¿Por qué no aprovechas para cerrar un rato los ojos, mientras termino de reparar la embarcación? —le sugirió Jiggs.

—No, quiero echarte una mano —respondió Drake, sujetándose el brazo bueno con una sonrisa—. Aunque sólo sea una. —Dirigió la vista hacia las literas—. Todavía no estoy para el desguace. Al menos mientras me siga quedando un poco de vida.

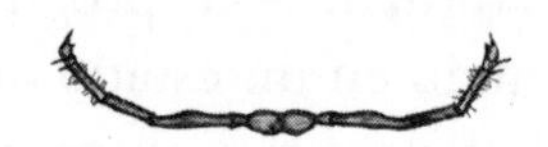

—Sin la menor duda va derechito hacia allí —comentó Elliott mientras trataba de localizar la pequeña figura de Tronco en su penoso y resuelto avance hacia la torre. No era lo único que se movía por el lugar, ya que moscas e insectos de aspecto extraño zumbaban furiosamente en el aire, y un ejército de pájaros ya se había aventurado a regresar después del estrépito. Era evidente que aquellas aves estaban haciendo su agosto, ya que acudían en bandadas al terreno recién removido para atiborrarse de las larvas y gusanos que habían quedado al descubierto.

Elliott, Will y Jürgen no habían perdido tiempo en salir tras el nativo, aunque no resultaba nada fácil moverse deprisa sobre aquel terreno. No sólo era muy accidentado, sino que el sol secaba los terrones de tierra, que se deshacían y movían como si fueran arena bajo sus pies.

Protegiéndose con la mano, Jürgen entrecerró los ojos tratando de ver las otras pirámides a través del aire que el sol convertía en calina.

—Es increíble, y pensar que hace sólo unos instantes todo era una densa selva —dijo.

Pero los pensamientos de Will estaban en otra parte mientras intentaba encontrar la lógica de lo que acababan de presenciar.

—Así que las pirámides debieron de haber sido revestidas con las piedras de los grabados en algún momento «después» de que se construyeran las estructuras básicas —razonó en voz alta, volviéndose hacia el neogermano.

—Pero las piedras talladas más antiguas tenían por lo menos tres mil años de antigüedad —respondió Jürgen.

—Correcto... —dijo Will con aire meditabundo—. Pero la teoría de mi padre era que la Ciudad Perdida de la Atlántida ha estado en este mundo desde el principio, y todavía podría estar en lo cierto. ¿Podría ser que los atlantes hubieran edificado encima de las estructuras originales?

—Es una posibilidad —admitió Jürgen con un ligero encogimiento de hombros.

—Por lo tanto, los nativos, los descendientes de los atlantes, continuaron con la tradición de grabar su cultura y su historia sobre las pirámides —prosiguió Will.

Elliott siguió avanzando, como si el debate que los otros estaban manteniendo le importara un pimiento. Will había seguido hablando, aunque su voz se fue apagando cuando él y Jürgen la alcanzaron. La chica se había detenido donde una zanja de más de cuatro metros de profundidad les cortaba el camino.

—Increíble. Uno de los árboles gigantes debe de haber sido arrancado de aquí —observó Jürgen, mientras contemplaban el fondo de la depresión cubierto por un revoltijo de raíces, algunas enormes.

—Los dos os creéis muy listos, aunque en realidad sois increíblemente idiotas —les dijo Elliott con acritud.

—¿Qué? —preguntó Will.

—Bueno, ¿y ahora a quién le importa un bledo los atlantes? —les espetó la chica—. ¿Por qué no os preguntáis qué pudo arrancar un maldito árbol gigante en un abrir y cerrar de ojos y lanzarlo por los aires junto con el resto de la selva, tan lejos que ni siquiera podemos verlo?

A Will le sorprendió el exabrupto de su amiga, aunque no hizo ningún comentario mientras descendía al interior del agujero, donde empezó a patear las raíces y la tierra.

—¿Alguna clase de viga de tracción? —respondió Jürgen, ya que Will permaneció callado.

—¿Viga de tracción? —repitió Elliott—. ¿Y dónde ibas a encontrar una (sea lo que sea eso) por aquí? ¿Es que se la dejaron olvidada quienes fueran los que construyeran las pirámides originales? ¿Y quiénes fueron los que las construyeron, entonces? —preguntó.

Nadie contestó, pero Will siguió rascando la tierra con la puntera.

—Aquí abajo hay algo compacto —dijo al cabo de un instante.

Jürgen también se deslizó al interior de la depresión, y juntos se dedicaron a destapar una serie completa de gruesos conductos o cañerías que discurrían por la zanja de lado a lado. Las raíces crecían entre medias, y Will se agachó y empezó a tirar de un puñado de las más pequeñas.

—Mirad esto —dijo, sacudiendo la arena de una de las cañerías—. Están hechas del mismo material que la pirámide. Y también parecen igual de nuevas.

—A pesar de que deben llevar enterradas aquí varios miles de años —dijo el neogermano. Entonces levantó una mano para indicar el sentido en el que discurrían las cañerías—. Y parece que empiezan en la pirámide... —giró la cara hacia el otro lado— y llegan hasta la torre. —Guardó silencio durante un segundo—. ¿Sería posible que las otras pirámides también estuvieran conectadas?

En lugar de saltar dentro, Elliott más bien estaba eludiendo la zanja. Will advirtió que parecía bastante asustada cuando habló.

—¿Así que ninguno sabe explicarme lo que ocurrió allí cuando toqué aquel panel? No fue electricidad, ni una explosión, entonces, ¿qué fue? ¿Y ninguno de los dos sentís... la energía?

—¿Qué? —Will tragó saliva y levantó la vista para mirarla—. ¿Qué energía?

—En esas cañerías, en la pirámide, rodeándonos por todas partes —prosiguió ella.

Will y Jürgen se miraron.

—¿Elliott? —gritó el muchacho, pero ella se había marchado y se dirigía deprisa hacia la torre.

6

—Se encuentran ustedes en un verdadero atolladero —estaba diciendo el presidente de Estados Unidos—. Nuestras bases en Inglaterra están en el máximo nivel de alerta y estamos ya muy adelantados en la retirada del personal y recursos militares, en especial los aviones de combate. No podemos permitir que esos tales styx les echen sus zarpas encima.

Pronunció *stikes* en lugar de styx, lo que provocó que Chester arqueara de golpe las cejas durante un segundo, pero ya había mosqueado a la mujer de la Seguridad Nacional cuando trató de corregirla. Y al fin y a la postre, aquél era el presidente, así que podía pronunciarlo como le diera la gana.

—Hemos puesto en marcha la monitorización integral y las revisiones con el Purgador en todas las llegadas de nuestros aeropuertos y puertos marítimos y con cualquiera que cruce nuestras fronteras —siguió diciendo el presidente—. Después de la atrocidad contra el Capitolio, estábamos alertas a los terroristas suicidas, pero ahora también buscamos a los pasajeros sometidos a la Luz Oscura. Bob me dice que estamos en deuda con usted por suministrarnos los diagramas del Purgador. Además, y lo que es más importante, comandante, le puso sobre aviso muy pronto sobre la actividad de los *stikes*, así que teníamos un plan alternativo listo para su ejecución cuando todo esto estalló el año pasado. Por ese motivo, Estados Unidos tiene una tremenda deuda de gratitud con usted.

En ese momento el presidente estaba mirando con atención a Parry, que respondió con una breve inclinación de cabeza. Entonces el mandatario entrelazó los dedos y se recostó en su silla.

—Bueno, comandante, ¿qué podemos hacer por ustedes?

—Bien, como usted ha dicho, aquí estamos metidos en un verdadero atolladero —empezó diciendo Parry—. El Reino Unido ha sido realmente aislado por el resto de sus socios de la OTAN. Ninguno quiere acercarse por miedo a que se propague la podredumbre. Dejándonos de rodeos, señor, acudo a usted para pedirle una intervención militar. No veo de qué forma podemos arreglar las cosas aquí sin una fuerza terrestre convencional que tome el control y erradique a los styx.

El presidente bajó la mirada como si lo que estaba a punto de decir fuera difícil, pero aun así Parry siguió adelante.

—Señor presidente, señor, a nuestros dos países siempre les ha unido su especial relación, y ésta es una hora aciaga para nosotros, puede que la más aciaga de nuestra historia. Necesitamos su ayuda para recuperarnos. Y en cuanto a cómo llegamos a esta crisis, bueno..., quiero que oiga directamente de mi amigo Chester, aquí presente, los detalles sobre cómo se produjo esta situación... y cómo él y Will Burrows se encontraron con la ciudad subterránea, y cómo, mientras huían de los styx, descubrieron su plan para propagar el virus Dominion.

A Chester le pareció increíble que de pronto le hubieran metido en la conversación. Miró a Parry con desesperación. No podía hablar con el presidente de todo aquello; él no era lo bastante importante.

—Y gracias a la información que obtuvimos de Chester y Will —continuó Parry—, pudimos adelantarnos a la Fase. Creo que ya no habría ninguna Inglaterra que salvar si estos dos muchachos no hubieran actuado sobre el terreno y realizado la misión de reconocimiento para nosotros.

—Ah, sí, Chester —dijo el presidente, moviendo la mirada hacia el chico. Antes de volver a hablar, el dignatario apretó los labios en una expresión de condolencia. El muchacho se lo había visto hacer después de algunas inundaciones, atentados con bomba y otros grandes desastres acaecidos en Estados Unidos—. Tengo entendido que recientemente has sufrido un terrible sacrificio en el cumplimiento del deber, la muerte de tu padre y tu madre. Lamento profundamente tu pérdida.

Como Chester no contestara de inmediato de tan cohibido que se sentía, el presidente pareció incómodo, como si le hubieran dado mal la información.

—Siento mucho... lo de tu padre y tu madre... Es así, ¿verdad? —preguntó, lanzando una rápida mirada a Bob.

Chester trató de decir «Sí», pero lo simultaneó con un sonido gutural, así que lo que realmente le salió fue algo de lo más extraño. Quiso abofetearse. «Ay, Dios mío. El presidente de Estados Unidos me acaba de dar el pésame por la muerte de mis padres y ¡yo le suelto un graznido!»

El mandatario hizo como si estuviera buscando la hoja correcta delante de él para disimular su incomodidad.

—Bueno, ya he leído el informe de Bob acerca de... de...

Llegados a ese punto, Bob le susurró al oído.

—Acerca de la Colonia —continuó el presidente—, y también de ese mundo germánico del centro de la Tierra, y tengo que admitir que toda la historia me ha resultado bastante difícil de digerir. Por lo que he entendido un grupo de insurgentes clandestinos (verdaderamente clandestinos) han salido del subsuelo y están utilizando sus armas biológicas y tecnología de andar por casa para poner a su país de rodillas, pero el resto de lo ocurrido ahí abajo... se me antoja más el argumento de una mala película de ciencia ficción. Así que me gustaría oír tu versión de las cosas, Chester, porque tú estuviste allí. Has pasado por todo eso. —Levantó el informe de Bob—. Convénceme de que esto es real.

El chico boqueó sintiendo que el camarote se bamboleaba, aunque la circunstancia no tuvo nada que ver con el mar hostil del exterior.

Eso sí que era ponerle a uno en un brete.

¡El presidente de Estados Unidos le estaba pidiendo que diera su versión de los acontecimientos!

¿Cómo iba él, Chester Rawls, antiguo vecino de Highfield, donde asistía al instituto hasta que tuvo que salir por pies, empezar siquiera a contarle al líder del mundo libre lo que había sucedido?

—Chester —como no hablaba, Parry le animó—, sé que esto no te resulta fácil, chaval, pero se te acabó el tiempo.

—Pero... pero ¿por dónde empiezo? —graznó Chester, que por fin encontró la voz.

—Por el principio —le sugirió el presidente—. Tenemos todo el tiempo que necesitemos.

Parry le puso la mano en el hombro al muchacho.

—Desde la desaparición del doctor Burrows, cuando tú y Will os encontrasteis en el túnel que discurría por debajo de su casa.

—De acuerdo —dijo Chester. Respiró hondo y empezó a contar su historia.

En cada ocasión que Chester desfalleció, Parry estuvo presto al quite y le ayudó. Cuando el chico empezó a hablar de los momentos previos a la muerte de sus padres en el Complejo, le resultó tan doloroso que Parry tomó el relevo y terminó el relato por él.

—Y no es necesario que le diga cuál es la situación a día de hoy, señor —dijo Parry cuando terminó.

—Gracias a los dos. Menuda historia —dijo el presidente, y se recostó en su silla—. ¿Puedes decirme una cosa, Chester? Has estado en el ajo de todo esto más tiempo que nadie... Esos *stikes* (ya sé que son distintos a nosotros)... pero ¿qué es lo que los mueve? ¿Cuál es su objetivo último? ¿Acabar con toda vida humana?

—Bueno... —empezó a decir Chester.

—Supongo que lo que realmente te estoy preguntando es si podemos negociar con ellos —añadió el presidente.

—Mmm... ¿negociar? —dijo el chico, sorprendido por la pregunta, aunque la consideró—. No creo que quieran matar a «todas» las personas; sólo quieren debilitarnos lo suficiente para que no supongamos una amenaza y puedan hacerse con el control de la Superficie. Es como si creyeran que les pertenece. Supongo que usted podría intentar negociar con ellos (están abiertos a los acuerdos), aunque es imposible que pueda confiar en ellos. No nos consideran sus iguales. Llevan siglos fastidiándonos con epidemias y sabotajes.

El presidente se estaba frotando la barbilla.

—¿Así que el acto de agresión actual no tiene nada que ver con el dinero ni con el afán de tener su propio país?

—¿Su propio país? —Chester no pudo reprimir una sonrisa—. Podría ofrecerles tal cosa, pero debería saber... —estaba mirando fijamente al presidente—, debería saber que, aunque aceptaran eso como una oferta, algún día irán a por ustedes, a por Norteamérica. Nada se interpone en su camino cuando quieren algo, y lo quieren todo.

—Muy bien, ha quedado bastante claro. —El presidente cogió uno de los informes de Bob y leyó unas cuantas líneas antes de volver a levantar la vista—. Comandante, dejémonos de rodeos, ¿de acuerdo? Sus vecinos europeos se niegan a tener nada que ver con ustedes, pero ustedes le piden a mi país que adquiera un enorme compromiso militar para salvarles. Y eso después de todo el apoyo financiero que nos hemos visto obligados a darle a Europa debido a que su sistema bancario estaba amenazando con arrastrar al nuestro a una depresión de órdago.

—Señor, yo… —empezó a decir Parry.

El presidente levantó la mano.

—Un segundo, comandante, para tratar esto tengo que incluir a otra parte en la conferencia. Bob, por favor, conéctalos ya.

La pantalla más a la izquierda de Chester se ennegreció durante un segundo, y cuando volvió a conectarse, se hizo visible una mesa ovalada en torno a la cual se sentaban unas doce personas, muchas con uniforme.

—Hola, Dave —saludó el presidente, mirando también a la pantalla más a su izquierda—. Ya estáis visibles. ¿Lo habéis pillado todo? —Obama se volvió de nuevo a la cámara antes de que recibiera una respuesta de las personas que llenaban la nueva estancia—. Comandante, quiero que su primer ministro oiga nuestra conversación. No tenemos tiempo para andarnos con chismes que desvirtúen lo que aquí hablemos.

Parry ni si inmutó ante el giro de los acontecimientos.

—Buenas noches, señor —dijo al hombre situado en el centro de la imagen, que mostraba una expresión de contrariedad, antes de examinar los demás rostros situados a ambos lados de aquél—. Veo que tiene al Gabinete de Guerra con usted.

Chester se quedó boquiabierto por segunda vez; mientras había relatado a trancas y barrancas su historia, el primer ministro británico había estado escuchando, y muy probablemente también observándole. Se preguntó quién más iba a aparecer en las pantallas acto seguido.

El primer ministro entornó los ojos con toda la arrogancia de un director de escuela malhumorado.

—Comandante, no entiendo por qué me ha puenteado y hablado directamente con el presidente. ¿Por qué no utilizó los canales habituales y acudió primero a mi despacho?

Parry se mostró descarado.

—¿Los canales habituales, dice? ¿En una época como ésta? Por dos razones: la primera, que no sabía en quién podía confiar. No sabía a quiénes habían pescado los styx. Según creo, usted mismo ha sido sometido a la Luz...

—Todos recibimos sesiones del Purgador hace mucho tiempo —le cortó el primer ministro, haciendo un gesto de indiferencia con la cabeza—. Hace ya algunas semanas que se ha certificado el buen estado de salud del gabinete y de todo el personal del número diez.

La respuesta pareció suscitar el escepticismo de Parry.

—Confío en que no fuera sólo una sesión de Purgador, ¿no? Usted y sus colegas del gobierno deberían ser examinados a intervalos regulares a lo largo del día.

—No necesito que me dé consejos acerca de mis medidas de seguridad —le soltó el primer ministro, levantando la voz para dejarle claro que no le gustaba que le cuestionaran—. ¿Y su segunda razón, comandante?

—Que no podemos arreglar esto solos. Necesitamos la intervención exterior de un país que no haya sido contaminado por los styx. —Parry se calló de pronto, y su frente se arrugó con un intenso ceño—. ¿Puedo preguntarle dónde se encuentran ahora? Esa habitación me resulta familiar.

—Ya que parece que le interesa, le diré que convoqué a todos aquí, en el sanctasanctórum de Westminster. Desautoricé a los cuerpos de seguridad, porque no estaba dispuesto a abandonar Londres y dejar que los amigos styx pensaran que habíamos huido.

Sin previo aviso, Parry se había levantado de su asiento y estaba gritando.

—¡Es usted un completo idiota! ¿Es que no leyó el comunicado que le envíe hace meses?

—Comandante, por favor —le rogó el presidente de Estados Unidos, tratando de restaurar el orden.

—Sí, eso, tranquilícese, amiguito —dijo el primer ministro, a quien evidentemente le divertía la angustia de Parry.

—No, escúcheme usted, esto es de vital importancia. ¡Salgan de ahí ahora mismo! —Era tal la vehemencia con la que Parry estaba hablando que hasta se le escapaban salivajos—. En lugar de hacer caso de mi advertencia, ha reunido a todos en el Parlamento, donde son presas fáciles. Se ha metido directamente en las garras de los styx. Chester y mi hijo se enteraron de que la Ciudad Eterna, la inmensa caverna que hay bajo Westminster, tiene un punto débil en el techo que los Limitadores podrían decidir aprovechar en cualquier momento. ¡Podrían hacerlo saltar por los aires!

—Es cierto —apostilló Chester, cuya voz fue ahogada por el primer ministro, que no se molestó en ocultar su desdén.

—Ah, por supuesto, ¡como si pudieran hacer semejante cosa! —vociferó—. No hemos visto ninguna prueba fiable de que esa mítica ciudad perdida de la que habla exista realmente. Me temo que quizás el exceso de alcohol antes de irse a la cama le haya hecho hacerse pipí demasiado a menudo soñando con todo este asunto. —Mientras remedaba el acento escocés de Parry, el primer ministro no ocultó su regocijo por el chascarrillo que acababa de soltar; como el asno rebuznador que era, echó la cabeza hacia atrás y soltó una carcajada incontenible, a la que se unieron todos los circundantes que le acompañaban a la mesa.

De pronto, la imagen del primer ministro y su Gabinete de Guerra se tambaleó y luego se congeló.

Lo que Chester y Parry se quedaron mirando en la pantalla no parecía estar demasiado bien, como si todos, el primer ministro incluido, estuvieran súbitamente mucho más pegados a la cámara porque hubieran sido lanzados por encima de la mesa.

Y, en ese instante captado, ninguno parecía seguir riéndose; sin embargo, el desfase entre la imagen y el sonido supuso que la escandalosa carcajada colectiva siguiera resonando en el camarote unos segundos más.

Luego sobrevino un silencio escalofriante.

El presidente de Estados Unidos tragó saliva y carraspeó cuando la imagen congelada se perdió en una tormenta de interferencias.

—Bob, ¿podemos averiguar qué le ha ocurrido a la transmisión?

Parry estaba de nuevo en su silla, apretándose las manos con fuerza.

—Oh, no —susurró.

Chester nunca le había visto tan pálido.

—¿No creerás que…? —le preguntó el muchacho.

—Espero sinceramente que no, la verdad.

—¿No hay señal? ¿Ninguna? —le estaba diciendo el presidente a Bob, que en ese momento atendía dos teléfonos al mismo tiempo—. Bueno, ¿podemos echarle un ojo al Parlamento? ¿Tenemos algún avión no tripulado sobre la zona?

—¿Un avión no tripulado? ¿Allí? —preguntó Parry, pero su pregunta fue ignorada mientras Bob consultaba con el presidente, que estaba perdiendo rápidamente la paciencia.

—Bien, si «tenemos» cobertura vía satélite, consigue que salga en la pantalla inmediatamente —ordenó, pegando un puñetazo en la mesa.

La pantalla de la izquierda revivió con una vista aérea de Londres. El Támesis centelleante por las primeras luces del alba discurría por el centro de la imagen.

—Sí, amplíala a un cuarto cuadrante y mejora la definición digitalmente, ¿de acuerdo? —dijo Bob, que ya sólo estaba utilizando un teléfono para transmitir las órdenes.

A Chester le pareció increíble de lo que era capaz el satélite espía, que iba ampliando la imagen con sucesivos saltos hasta que los tejados de los edificios de ambas orillas se hicieron visibles uno a uno. Y cuando se mejoró la definición para condiciones de baja intensidad lumínica como Bob había pedido, el Támesis pareció una serpiente plateada.

—La Torre de Londres —dijo Parry cuando la reconoció en la pantalla.

—Tened un poco de paciencia..., vamos a seguir el curso del río —les informó Bob, y la imagen avanzó rápidamente por el Támesis y dejó atrás los diferentes puentes.

Entonces, cuando la cámara del satélite mostró lo que estaban esperando ver, la imagen se estabilizó.

—Ay, Dios, no —dijo el presidente.

—¿Qué sucede? —preguntó Chester en un murmullo, confundido por la imagen.

Parry se llevó la mano a la sien. Estaba temblando.

—Es un enorme agujero en el suelo.

Chester vio a qué se refería. Cuando miró, los edificios todavía se iban desmoronando y cayendo dentro de los bordes de una fisura que no paraba de crecer, como si lo hicieran a cámara lenta. Ya no había ningún Parlamento, ni Big Ben ni puente de Westminster, y cuando el Támesis se coló formando un remolino por la oquedad negra como el carbón, quedaron a la vista varios tramos del lecho del río.

—Efectivamente lo hicieron —dijo Chester sin aliento—. Volaron el techo de la Ciudad Eterna. Tal como Drake imaginó que podrían hacer.

Mientras todos intentaban asimilar lo que estaban viendo se hizo el silencio.

—¡Maldita sea! —El presidente tenía la cabeza entre las manos, ocultando la cara—. ¿Cómo le voy a contar esto a la esposa y los hijos del primer ministro? Se encuentran en Camp David. ¿Qué les voy a decir? —preguntó, sin dirigirse a nadie en particular. Entonces levantó súbitamente la vista y miró a Parry—. ¿Qué hay de su punto fuerte, comandante..., del topo que tiene en las filas de los *stikes*? ¿Por qué no recibió ninguna alerta acerca de eso?

—Señor —terció Bob—, esa información no se puede difundir.

Chester lanzó una mirada a Parry, que hizo una mueca. Parecía extremadamente incómodo.

—Ahora no estamos para semejantes sutilezas —le espetó el presidente a Bob. Entonces sacudió la cabeza—. Volveremos a ponernos en contacto con ustedes, caballeros —dijo.

Lo último que vio Chester fue la imagen del presidente haciendo un rápido gesto de degüello pasándose la mano por el cuello mientras se volvía hacia Bob, y entonces las pantallas se apagaron sin más.

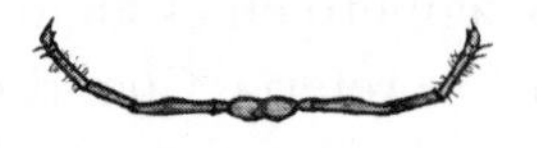

—Pobrecita, parece que te han dejado para el arrastre. Son un montón, ¿verdad? —dijo la señora Burrows, acariciándole la cabeza a *Colly*. Estirada a su lado mientras los gatitos mamaban con avidez, la gata estaba agotada, aunque aun así se esforzó en ronronear ruidosamente.

Cuando alguien entró en la habitación, *Colly* levantó la vista y su ronroneo se hizo más sutil.

—Va todo bien, chiquilla —informó la señora Burrows, intentando tranquilizarla. Al igual que todos los Cazadores, la gata era tremendamente protectora con sus crías y bufaba y gruñía a cualquiera que se acercara, aunque la señora Burrows había resultado ser la excepción a la regla.

—Me alegraré mucho cuando recupere mi cocina —refunfuñó el Primer Agente, pasando sobre los juguetes que los gatitos habían dejado esparcidos por el suelo. Era una vieja tradición de los colonos ayudar cuando una Cazadora tenía una nueva camada, ya que era toda una tarea cuidar y limpiar después a las vivarachas crías. Habían sido numerosos los regalos de comida y mantas viejas dejados junto a la puerta de entrada, pero otro de los regalos favoritos eran los muñecos de trapo que la gente hacía para que jugaran los gatitos. Con sus bigotes de hilo de algodón y unas cuentas brillantes por ojos, por lo general se parecían a las distintas variedades de ratas que se esperaba que los gatos cazaran de adultos.

El Primer Agente se sentó, y entonces soltó un gruñido por el esfuerzo al inclinarse para recoger un juguete que le llamó la atención. No era una rata, sino un hombrecillo vestido de negro y la cara blanca que sostenía en la mano un diminuto libro de tela con la letra C bordada encima.

—Ajá, un styx, ¡y hasta está sujetando el *Libro de las Catástrofes*! Los hay con sentido del humor —dijo, riéndose entre dientes—. Si hubieran pillado a alguien haciendo

.o, se habría ganado a pulso el Destierro o incluso la .uerte en la horca.

La señora Burrows se volvió hacia el Primer Agente.

—Ah, eso es un styx, ¿verdad? Pensé que aspiraba a parecerse a ti, cariño —dijo la mujer, levantando una ceja.

El Primer Agente se rió por lo bajinis, pero dejó de hacerlo cuando le asaltó la duda de si lo había dicho o no de broma. Aunque la señora Burrows tenía la vista considerablemente disminuida, la mayor parte de las veces su sentido increíblemente desarrollado del olfato le compensaba con creces cuando circulaba por la Colonia, ayudando al Primer Agente a controlar las cosas. Pero cada vez más a menudo, el hombre se acordaba de que la mujer apenas podía ver algo.

—No, estoy bastante seguro de que pretende ser un Cuello Blanco —dijo. Sacudió el muñeco de un lado a otro, sujetándolo por una de las mordisqueadas piernas. De pronto, uno de los gatitos, que había reparado en lo que estaba haciendo, se abalanzó hacia el juguete—. ¡Hala! —exclamó el Primer Agente cuando el gatito le arrancó el juguete de la mano y se metió como una bala debajo de la mesa con su trofeo—. ¡Casi pierdo un par de dedos del golpe!

Colly ya no ronroneaba, sino que emitía un gruñido sordo mientras miraba fijamente al Primer Agente con sus ojos amarillos.

—Y dile a esa condenada Cazadora que no soy ninguna amenaza para sus crías, ¿te importa? —dijo el Primer Agente—. Al fin y a la postre, en otro tiempo fue «mi» Cazadora.

La señora Burrows se echó reír.

—No lo hace en serio. Y volverá a ser tu Cazadora en cuanto sus niveles hormonales vuelvan a la normalidad.

El gatito salió de debajo de la mesa y se levantó de un

salto, de manera que sus dos patas delanteras quedaron apoyadas en el muslo del Primer Agente. Debía de tener menos de dos meses de vida, pero ya era más grande que cualquier gato doméstico de la Superficie.

La cría de Cazador sacudió la cabeza y dejó caer el muñeco de trapo styx en el regazo del Primer Agente.

—Bueno, ¿te puedes creer esto? Me parece que he hecho un amigo. Quiere jugar.

—Ah, ése —dijo la señora Burrows con un soplido— es el más grande y codicioso de todos. Igual que *Bartleby*.

—También es el vivo retrato de su viejo. Así que quizá deberíamos llamarle así: *Bartleby*, en memoria de su padre —sugirió el Primer Agente mientras mandaba volando el muñeco de trapo al otro extremo de la cocina para que el minino fuera a buscarlo. *Colly* volvió a gruñir, esta vez aún con más fuerza—. Aunque no creo que su madre quiera dejarlo ir.

Se hizo un silencio abrumador en la habitación hasta que la señora Burrows habló.

—Hablando de dejarlo ir, cuanto más pienso en ello... Nunca debería haber dejado ir a Will a esa misión. ¿Qué clase de madre soy? —No le concedió tiempo al Primer Agente para que contestara porque enseguida añadió—: Lleva ya tanto tiempo fuera que tengo el terrible pálpito de que debe de haberle ocurrido algo.

El Primer Agente hizo un gesto con la cabeza, pero luego hizo un ademán hacia el techo.

—Pero ahí arriba todo se está desmoronando. Puede que haya regresado y esté escondido en alguna parte..., en algún lugar seguro. Después de todo, Drake y los demás estaban con él. Habrán velado por él, y tal vez ninguno pueda recibir nuestros mensajes a causa del bloqueo.

Bajo la dirección de la señora Burrows y el Primer Agente, la Colonia se había aislado de la Superficie debido a

.remenda envergadura de los problemas allí arriba, y .‹istía el miedo permanente a que los styx pudieran volver a centrar finalmente su atención en la Colonia y restablecer su régimen. Ya había habido bloqueos en el pasado, pero habían sido impuestos por los styx, siendo el más reciente cuando Will se había fugado con Cal después de no conseguir sacar a Chester del Búnker. Pero aquel nuevo bloqueo no era para castigar a la gente de la Colonia, sino para protegerla. Y la buena noticia era que, aparte de prescindir de los envíos de fruta fresca, volvía a ser casi autosuficiente en lo tocante al propio sustento. Los campos replantados de *Boletus edulis* estaban empezando a dar sus cosechas, y el programa de crianza de ganado también estaba en marcha.

—Mira... cualquier día aparecerá por aquí, y pronto. Todo saldrá bien —dijo el Primer Agente tratando de tranquilizar a la señora Burrows. Cuando el minino reapareció con el juguete y volvió a ponerle las patas en la pierna de un salto, el hombre le frotó la piel de la ancha cabeza. El gatito soltó un maullido agradecido. En un abrir y cerrar de ojos, *Colly* estaba levantada y tenía el lomo arqueado.

—Me parece que deberías dejar tranquilo al gatito *Bartleby* antes de que *Colly* te ataque —le aconsejó la señora Burrows.

—Faltaría más —dijo el Primer Agente con un suspiro, levantándose lentamente de la silla con las dos manos abiertas en el aire, como si se estuviera rindiendo—. Lejos de mi intención el crear problemas. Sólo es mi casa y mi coci...

—Pasa algo grave —prorrumpió la señora Burrows, que giró de pronto la cabeza para mirar la pared desnuda—. ¡Acaba de suceder algo!

—¿Qué...?, ¿en la pared? —preguntó el Primer Agente.

La señora Burrows miró hacia arriba y puso los ojos en blanco.

—Agua..., tanta que no te lo creerías... Y corre hacia nosotros.

—¿De dónde?, ¿a qué distancia? —le apremió el Primer Agente.

La señora Burrows se estremeció.

—En la otra punta de la Colonia, en esa dirección. —Señaló la pared.

El Primer Agente ya se había ido corriendo hacia la puerta.

—¡Debe de estar acercándose por el Laberinto! —gritó—. Debe haber habido un derrumbe en alguna parte. —Se detuvo en la entrada, y el gatito *Bartleby* le miró con curiosidad—. ¡Dios mío! ¡Si es en el Laberinto, entonces puede que la brecha esté en la Ciudad Eterna! ¿Recuerdas lo que Eddie le dijo a Drake acerca de una grieta en el techo? ¿Es posible que se trate de eso?

En cuanto se hallaron en la calle, la señora Burrows y el Primer Agente pararon a la primera persona con la que se toparon para que diera la alarma. Con los setenta bien cumplidos y sin que diera la menor señal de que fuera a dejar de hacer la tarea que llevaba realizando desde hacía medio siglo, Ruby Withers transportaba su escalera de mano para proceder a quitarle el polvo a las relucientes esferas que coronaban las farolas. El Primer Agente le dijo apresuradamente que fuera a la iglesia más próxima y tocara la campana para dar la alarma.

Ruby captó la idea enseguida. Todos los colonos vivían con tres temores fundamentales: el Descubrimiento (cuando los habitantes de la Superficie descubrieran la ciudad y la invadieran), un gran incendio y, por último, ser pillados por una inundación.

Al cabo de unos minutos, la solitaria campana que reaba en la iglesia más cercana provocó que tañera una gunda en una zona vecina, y luego otra, hasta que los tañidos y el griterío se extendieron por todos los rincones de la Colonia.

Al principio reinó la confusión entre los habitantes porque no había ningún peligro aparente, e incluso el Primer Agente se permitió albergar la esperanza de que la señora Burrows se hubiera equivocado y todo fuera una falsa alarma. Pero cuando llegaron al borde de la Caverna Meridional, el agua ya manaba a borbotones por el sendero que discurría por el centro del empinado túnel y llevaba al Barrio.

—Ya ha empezado —dijo la señora Burrows.

El Primer Agente ascendió pesadamente todo lo deprisa que pudo por la pronunciada escarpa del túnel y se introdujo en el primer pasadizo que se desviaba de él. Justamente al final de éste había una pesada puerta de hierro, una de las muchas que conducían al Laberinto desde la Colonia. Había sido soldada herméticamente, y aunque por su base corría un hilo de agua, no había ninguna señal de que algo fuera mal.

Al menos hasta que el Primer Agente limpió el cristal de la ventanilla de inspección de la puerta y trató de dirigir el haz de su linterna por ella.

—Ay, no —se lamentó.

La señora Burrows no necesitó que le dijera que había visto crecer rápidamente el nivel del agua al otro lado de la puerta. Sus superpoderes le indicaban que todos los portales de acceso al Laberinto estaban soportando cada vez más presión, a medida que miles de litros de agua afluían a raudales por sus túneles.

A cada segundo que transcurría aparecían más colonos. Hasta los nuevos Gobernadores se estaban repartiendo el trabajo; el Primer Agente vio a Cuchilla utilizar su nada despreciable corpulencia en tirar de una carreta cargada de bloques de piedra, mientras Chillidos y Gappy Mulligan la empujaban por detrás.

Aunque muchos de los artesanos especializados —canteros, ingenieros y demás especialistas encargados del mantenimiento de las cavernas y servicios públicos de la Colonia— les habían sido escamoteados por los styx para su programa de reproducción, los que habían quedado no tardaron en movilizarse. Y las carretas con piedras y equipamiento sacadas de los patios de los edificios de la Colonia no paraban de llegar.

Conscientes de que una brecha a gran escala causaría que su ciudad subterránea fuera inundada por miles de litros de agua, lo que muy probablemente la hiciera inhabitable, los colonos trabajaban sin descanso para reforzar y apuntalar los portales de entrada al Laberinto levantando muros de contención de lado a lado. Y en aquellos portales que se consideraban lo bastante fuertes para soportar el peso del agua, los colonos calafateaban a martillazos las juntas alrededor de las puertas metálicas en un intento de cortar de raíz cualquier filtración.

La señora Burrows estaba cerca para proporcionar cuanta información pudiera, aunque cada vez le resultaba más difícil porque el enorme volumen de agua llenó completamente la red del Laberinto, y eso impedía que sus capacidades olfativas penetraran allí.

Y ésa fue la mejor parte de las veinticuatro horas antes de que los colonos se tomaran un descanso de sus esfuerzos. Cansados, empapados y cubiertos de polvo, se reunieron todos en la vía principal, donde el agua seguía afluyendo, aunque no parecía estar yendo a peor.

—Tanta cantidad de agua no puede provenir de otra parte que no sea el Támesis, ¿verdad? —le preguntó la señora Burrows al Primer Agente.

—Me temo que es así —respondió él—. Han volado la ›veda de la Ciudad Eterna. Justamente como Drake vaticinó que harían algún día.

La señora Burrows sacudió la cabeza.

—Pero si han llegado tan lejos, ¿qué más van a hacer los styx? Tenemos que averiguar qué está sucediendo en la Superficie —dijo ella—. Podrían necesitar nuestra ayuda.

—No sé... —dijo el Primer Agente, que plantó su voluminosa bota encima de las pequeñas corrientes de agua y se dedicó a observar cómo buscaban un nuevo curso en la tierra mojada—. Ya tenemos bastantes problemas aquí. Lo último que queremos es abrir un portal y permitir que los Cuellos Blancos se abatan sobre nosotros una vez más.

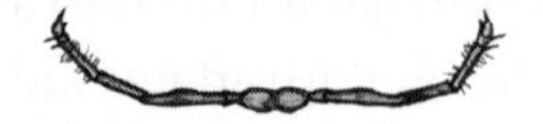

Caminaban en silencio, Will lanzando ocasionales miradas a Elliott sin saber muy bien qué pasaba, porque su amiga no parecía ser ella misma. Aunque estaba acostumbrado a su franqueza, su comportamiento con Jürgen no era típico de ella, y el chico ignoraba el motivo.

Sólo cuando estuvieron más cerca de la torre la pudieron apreciar en toda su magnitud porque se clavaba en el brillante cielo. El exterior era totalmente liso y gris, y sólo se distinguía del suelo por una desigual mancha. La estructura discoidal a modo de saliente de la parte superior era difícil de mirar a causa de la intensidad del sol, pero en cuanto estuvieron lo bastante cerca, al menos les proporcionó algo de sombra.

Y allí estaba Tronco, parado como un centinela al pie de la torre donde el terreno estaba sembrado de montones de piedras destrozadas y grandes cantos rodados. Will le restó importancia atribuyéndolo al hecho de que, al prorrumpir del suelo, la torre había sacado los estratos de las profundidades hasta la corteza terrestre.

Tronco observó atentamente a Elliott mientras se dirigían hacia él. Ya no parecía tener ningún recelo a mirarla a los ojos; de hecho, desde que se produjera el inexplicable suceso en la pirámide, el minúsculo hombrecillo con gafas de sol y sombrero ridículo había dejado de ser el miembro estrafalario aunque inofensivo del grupo, para transformarse en otro bastante inquietante, al punto de que tanto Will como Jürgen empezaban a desconfiar de él.

Pero quedó patente que Elliott no compartía ninguna de tales reservas cuando se dirigió directamente hasta el nativo. Éste se apartó para mostrar que detrás de él había otro de los símbolos con los tres rayos divergentes.

Will no vio que hubiera ningún otro rasgo sobre la curva exterior de la torres, sólo los tres rayos hendidos en la pared totalmente lisa y sin marcas.

—Se parece al panel que tocaste en la pirámide —observó.

Y, como si existiera alguna especie de tácito entendimiento entre Tronco y la chica, el nativo clavó los ojos en las tres hendiduras cuando Elliott estiró una mano hacia ellas.

—¡No, no lo hagas! ¡De ninguna manera! —gritó Will inmediatamente, abalanzándose para sujetarla y apartarla del símbolo—. ¡No voy a permitir que lo hagas!

Elliott reaccionó con calma.

—No pasa nada, Will. No entraña ningún peligro para ninguno. De verdad.

El muchacho la soltó y dejó caer los brazos a los costados sin fuerzas.

—Piensa en la última vez que lo hiciste.

Ella negó con la cabeza.

—Eso no va a volver a ocurrir.

Will elevó el tono de voz en la misma medida que aumentó su frustración.

—Ah, claro, eso es algo que «sabes» con total certeza, ¿no es así? ¿Y en qué te basas? Estamos en medio de algo que no comprendemos, y quién sabe en qué va a acabar todo esto si pegas la mano ahí. Esta vez podrías resultar herida de gravedad. —Miró a Tronco con cara de pocos amigos—. Pregúntale qué es esta torre y para qué está aquí, ¿te importa?

Elliott le habló al nativo en styx, y éste contestó con una expresión inescrutable. Ella le volvió a hacer otra pregunta, y una vez más él le respondió en el chirriante idioma de los styx.

—No sabe más de lo que sabemos nosotros —le dijo Elliott a Will.

—Pues no da esa impresión —le retrucó su amigo.

La chica suspiró con exasperación.

—Mira, he intentado sonsacarle. Lo único que dice es que esto estaba predestinado. Utiliza una palabra que no reconozco, aunque creo que debe de significar destino o sino o algo por el estilo. Puede que sea styx antiguo. —Se inclinó para coger su fusil, que estaba en el suelo junto a sus pies, y se incorporó de nuevo.

—¿Es que no lo sientes, Will? —dijo ella—. Está a nuestro alrededor.

Él negó con la cabeza.

—No paras de decir eso. ¿Sentir qué exactamente?

—Aquí hay algo, y es..., bueno, mucho más grande que nosotros —respondió su amiga.

Will y Jürgen se miraron. Una desperdigada bandada de buitres picoteaba sobre el suelo roturado, y tres de los más grandes y desagradables de aspecto se peleaban por un suculento bocado. Soltaban penetrantes y estridentes graznidos mientras reñían, pero en cierto modo aquello se adecuaba al momento.

—No, no percibo nada diferente. —Will levantó la vista hacia lo alto de la torre con evidente recelo—. Mira, deseo averiguar de qué va todo esto como el primero, pero hemos de tener cuidado. No tenemos ni la más remota idea de para qué está aquí esta torre, así que tenemos que ir paso a paso.

—Lo siento, Will. Nadie me dice lo que tengo que hacer —declaró Elliott inexpresivamente. El chico había dejado claras sus reservas, y aparte de sujetarla físicamente, no había nada más que él pudiera hacer. Así que mantuvo la boca cerrada cuando ella le lanzó una última mirada y se dirigió hacia el símbolo. Por si acaso volvía a ser lanzada hacia atrás, Will procuró estar bien situado para agarrarla.

Elliott estiró lentamente la mano y colocó los dedos en las tres hendiduras.

Cuando una abertura circular de unos tres metros y medio de diámetro apareció en la torre a la izquierda del símbolo, retrocedió. No hubo ningún ruido, salvo el provocado por el desprendimiento de algunas piedras que se esparcieron por el suelo en el interior de la nueva abertura.

Will permaneció donde estaba, pero Jürgen se acercó inmediatamente a Elliott y empezó a examinar la entrada.

—El revestimiento exterior tiene varios centímetros de grosor. No logro ver el marco de la puerta o panel. ¿Y cómo... adónde se ha replegado?

—Pasó lo mismo con la trampilla de la pirámide —comentó Will. Lo dijo en un tono que hizo que Elliott le lanzara una rápida mirada. A pesar de todo lo que estaba sucediendo, se sentía profundamente decepcionado con su amiga. No le había hecho ni caso.

Jürgen, ajeno a todo esto, seguía con sus investigaciones, dando golpecitos en varios sitios alrededor de la abertura, aunque sus nudillos apenas hacían ningún ruido.

—No sabría decirte qué material es éste... No parece ni piedra ni metal.

—¿Ves?, no corríamos ningún peligro, ¿vale? ¿Qué te dije? —le reprochó Elliott a Will, esforzándose en sonreírle mientras se dirigía recoger su fusil del suelo.

Él no correspondió a la sonrisa, y en su lugar fingió que miraba atentamente el interior de la abertura. Entonces agitó la mano hacia allí.

—¿Y ahora qué? ¿Entramos? ¿Y si se vuelve a cerrar y nos quedamos atrapados dentro?

Elliott le miró con cara de póquer.

—¡Uf, ya llevas demasiados días en plan gatito cagón! ¿Qué ha sido del gran explorador? ¡Te estás haciendo mayor!

—No me estoy haciendo mayor —respondió Will; e inmediatamente pasó hecho una furia junto a Jürgen, que le miró un poco sorprendido cuando entró en la torre sin pensárselo dos veces.

7

Chester y Parry habían vuelto a ser depositados en la costa por los marines en una de sus lanchas neumáticas de alta velocidad. Después de todo lo que había sucedido y de la emoción de estar en un submarino, se hacía raro estar de nuevo en la playa azotada por el viento.

—Bueno, ¿crees que podemos excluirlos? A los norteamericanos, digo —preguntó Chester cuando empezaron a andar hacia el acantilado.

—Eso parece —contestó Parry con expresión seria—. No me sorprende que el presidente se deshiciera de nosotros como si fuéramos una patata caliente; aunque fuera a enviar a sus tropas, ya no queda nadie para gobernar este país.

Durante lo que se les antojaron horas, ambos habían continuado en el camarote del submarino, esperando a saber si la conferencia se reanudaría. Pero a pesar de sus muchos intentos de hablar con la Casa Blanca, el hombre del traje azul que los acompañaba no logró que le confirmaran si les concederían otra audiencia con el presidente. Al final, el capitán del submarino había entrado en la cabina y les había comunicado que tenía órdenes de sumergirse, por lo que Chester y Parry serían escoltados de vuelta a la costa.

—Todos los problemas, todas las matanzas, parecen algo tan lejano —reflexionó Chester mientras el sol ascendía lentamente sobre el lejano horizonte del mar, y los acantilados empezaban a brillar tenuemente con la luz rosácea del nuevo día.

Aunque sus pensamientos no paraban de volver a lo que había presenciado en Londres, algo de los últimos momentos de la conferencia le estaba fastidiando.

—Parry, el presidente mencionó algo acerca de un topo en las filas de los styx…, ¿es eso cierto? ¿Has conseguido introducir a alguien allí? —se atrevió finalmente a preguntar en el momento que alcanzaban el sendero que discurría por lo alto del acantilado.

Parry murmuró:

—No, no era nada —aunque a Chester no se le escapó que desviaba la mirada y también que aceleraba el paso cuando giraron tierra adentro hacia la casa de campo, abriéndose paso a través de las matas de tojos.

El hombre no volvió a hablar hasta que estuvieron en el último tramo.

—Gracias por acompañarme, Chester —dijo—. Era mucho pedir después de la tragedia de tus padres. Siento haberte involucrado una vez más.

—No pasa nada —le tranquilizó el chico—. Creo que me ha ido bien salir. Me había quedado como atascado en la depre. —Sonrió cariñosamente a Parry, contento de que su presencia fuera valorada—. Aunque no estoy seguro de haberte ayudado demasiado.

—Sí lo hiciste, enormemente —respondió Parry—. El presidente debe de haber acabado abrumado por los miles de informes que ha leído sobre lo que ha estado sucediendo en nuestro país. Pero tú le diste a nuestra difícil situación un toque humano, y me di cuenta de que eso le abría los ojos y empezaba a inclinar la balanza a nuestro favor. Puede que ésa fuera la razón de que los styx actuaran cuando lo hicieron.

—Sí, ¿cómo supieron que tenían que volar el techo de

la caverna en ese preciso instante? —preguntó Chester, cuando cayó en la cuenta.

—Los styx tenían a alguien dentro, lo que les debió de resultar bastante fácil, puesto que mi recomendación de realizar revisiones periódicas con el Purgador había sido ignorada —dijo Parry—. Así que alguien del equipo del primer ministro les puso sobre aviso.

Chester asintió con la cabeza.

—Ya hemos llegado —dijo Parry cuando salieron de los tojos y la casa apareció a la vista. El chico no vio ninguna luz dentro, pero aquello era normal: el Viejo Wilkie era un tiquismiquis en lo tocante a mantener a oscuras las ventanas de noche.

Y cuando Parry abrió la puerta principal, el anciano estaba en su puesto habitual en la silla del pasillo, con la escopeta en el regazo y completamente despierto. Entraron en el salón, donde las brasas resplandecían todavía en el hogar. Stephanie también se había quedado levantada, envuelta en una manta para mantenerse caliente.

—¡Por fin habéis vuelto! ¡Lleváis siglos fuera! —exclamó alegremente, antes de arrugar el entrecejo—. Y a propósito, ¿adónde habéis ido?

—No te creerás lo que… —empezó a decir Chester, pero se contuvo—. ¿Pasa algo si se lo digo? —preguntó a Parry.

Éste asintió con la cabeza.

—Adelante, debe saberlo. Y yo informaré al Viejo Wilkie en la cocina. —Miró su reloj—. Espero que todos hayáis hecho el equipaje, porque no disponemos de mucho tiempo antes de que nos evacuen. —Él y el anciano cruzaron la puerta situada al otro lado del hogar y entraron en la cocina.

Cuando se quedaron solos, Stephanie dijo:

—Vamos, quiero saberlo todo. —Le tocó el brazo a

Chester, y entonces retiró la mano—. ¡Estás hecho una sopa! ¿Tanto llueve ahí fuera?

—Ah, eso es del viaje de vuelta desde el submarino —respondió el chico—. Donde estuvimos hablando con el presidente de Estados Unidos y el primer ministro... Bueno, con el primer ministro poco tiempo, hasta que algo terrible suce...

—¿Estás de broma? —Stephanie le estaba mirando mientras en sus labios flotaba una sonrisa. El muchacho reparó entonces en que se había tomado la molestia de peinarse y también de ponerse un poco de maquillaje, y en lo guapísima que estaba—. ¿Sabes?, no me importa que me estés tomando el pelo —dijo ella—. Vuelves a comportarte como el Chester de siempre. Lo echaba de menos. Y te echaba de menos a ti.

Antes de que él tuviera tiempo para responder, le había cogido del brazo y le estaba conduciendo hasta el sofá. Stephanie había conseguido sintonizar una emisora de radio extranjera, y sentados allí, con la música de fondo, le escuchó mientras él le contaba todo sobre la salida con Parry. Ella no dio crédito a sus oídos cuando le explicó lo que había ocurrido en Westminster y la enorme grieta del suelo que se había tragado los edificios.

Cuando la radio perdió la señal y la música cesó, Chester se dio cuenta de su ronquera.

—Con todo lo que le conté de mi vida al presidente, ¡no creo que jamás haya hablado tanto! —Se echó a reír—. La verdad, me vendría bien algo de beber.

Empezó a dirigirse a la puerta de la cocina, que estaba un poco entreabierta. Aunque Parry estaba hablando en voz baja, la casa estaba tan silenciosa que Chester no tuvo mucha dificultad en oír lo que estaba diciendo. Como parecía muy serio, el muchacho se contuvo de entrar directamente, pensando que primero debía anunciarse.

Se oyó entonces el grave murmullo de la voz del Viejo Wilkie, al que Parry retrucó inmediatamente:

—No, ¿cómo se lo vamos a decir? Y menos después del catastrófico desenlace en el Complejo.

—¿Qué sucede, Chester? ¿Por qué te has quedado ahí? —le susurró Stephanie desde el sofá.

El chico no le respondió porque algo le estaba perturbando.

Se acercó lentamente un poco más a la puerta para poder oír también la parte de conversación del Viejo Wilkie.

—Me alegra que no me lo contaras antes; me habría puesto en una situación muy incómoda con el muchacho. —Se hizo un silencio antes de que el Viejo Wilkie continuara—. Comprendo que la jugada de la infiltración ha sido crucial, pero Danforth es demasiado impredecible tanto para su bien como para el nuestro —dijo.

«¿Danforth?», se preguntó Chester y sacudió la cabeza cuando las palabras del presidente acudieron de nuevo a él: «El topo que tiene en las filas de los *stikes*».

Comprender aquello fue como recibir un balazo. Ni en un millón de años habría sospechado lo que había estado tramando Danforth. Durante una milésima de segundo dudó si derrumbarse y echarse a llorar o ponerse a gritar con toda la ira que surgió en su interior.

Ganó la ira. Cegado por una neblina roja abrió la puerta con semejante fuerza que casi la saca de sus goznes. Detrás de él, Stephanie soltó un aullido. Sentados con sendos vasos en las manos y una botella de *whisky* entre ambos encima de la mesa, Parry y el Viejo Wilkie se quedaron boquiabiertos por la repentina irrupción del chico.

—¡Así que mis padres murieron por culpa del estúpido plan de Danforth! —vociferó Chester con una furia que le hizo temblar la voz—. ¿Es eso cierto, Parry?

Por una vez, el comandante se encontró completamente perdido; tartamudeó algo mientras se levantaba.

—Chester —empezó a decir—, sé que parece…

—¡No! ¡Se acabaron las mentiras! —le gritó el chico—. Sabías lo que Danforth andaba tramando, sabías exactamente lo que estaba haciendo —protestó—. Pero no te molestaste en decírmelo, ¿verdad? ¡Total, sólo eran mis padres!

Parry dio un paso hacia él, pero el muchacho agarró la escopeta del Viejo Wilkie de encima de la mesa. Montó el arma con un chasquido y le quitó el seguro. No llegó tan lejos como para apuntar con ella a ninguno de los dos hombres, aunque la estaba sosteniendo como si fuera en serio.

El comandante le habló en un tono conciliatorio.

—Sé lo que parece esto, pero tienes que tranquilizarte, muchacho, así que escucha lo que…

—¿Qué? ¿Que escuche más mentiras sobre ese traidor? —le interrumpió Chester—. Si Danforth estaba de nuestro lado, ¿por qué se cargó los sistemas del Complejo y nos dejó casi sin aire? Si ni siquiera pudimos pedir auxilio porque jodió el equipo.

Parry sacudió la cabeza.

—Danforth fue más que concienzudo, quería que resultara convincente, y no quería que anduviéramos por el Complejo por si los styx descubrían su localización. —Volvió a sacudir la cabeza—. Mira, Chester, la verdad es que no creyó que Jeff intentaría na…

—¡Ni te atrevas siquiera a pronunciar el nombre de mi padre! ¡No eres digno de eso! —aulló el chico—. Y no viniste aquí porque te preocupara cómo estábamos, ¿verdad Parry? —Seguía vociferando—. Ah, no, viniste porque te convenía para tu encuentro con los norteamericanos. Ni yo ni ninguno de nosotros te importamos un bledo.

—Chester —dijo Stephanie cuando el muchacho volvió

a entrar en el salón. Que la chica estuviera detrás de él le hacía sentir vulnerable, consciente de que ella era muy capaz de desarmarle si quería.

—No, mantente lejos de mí también —le dijo, moviéndose de lado de espaldas al hogar mientras se dirigía a la otra puerta.

Parry y el Viejo Wilkie le estaban siguiendo ya cuando entró en el pasillo, donde se detuvo un instante.

—No me puedo quedar aquí —dijo—. Me voy.

—Por favor, Chester, no te precipites —le imploró Parry.

—Pero ¿adónde vas a ir? —le preguntó Stephanie con una vocecilla asustada.

A Chester le seguía cegando la furia cuando abrió la puerta principal de un tirón y la cruzó hecho un basilisco.

—No te puedes marchar así. Primero hablemos, y luego puedes decidir lo que quieres hacer —sugirió Parry, recuperada en parte la firmeza de su voz cuando él y los demás se unieron al muchacho en el exterior.

—¿Por qué no esperas un segundo y escuchas lo que Parry quiere decirte? —le suplicó Stephanie. Se había parado fuera, con lágrimas en los ojos y la manta todavía sobre los hombros.

Chester se había alejado a grandes zancadas, pero entonces se paró en seco y giró en redondo.

—¡No! ¡Y os lo advierto, que ninguno intente detenerme!

—No sabes lo que estás haciendo, Chester. Estás fuera de ti —dijo Parry, que avanzó varios pasos hacia el chico y extendió la mano.

—¡Atrás! —exclamó Chester, levantando la escopeta.

El Viejo Wilkie se estaba acercando lentamente por un lado.

Parry dio otro paso.

—No supe nada de eso con antelación, pero déjame que te explique lo que Danforth trataba de conseguir y la importancia que tenía para nosotros desde el punto de vista general.

Ante la simple mención del nombre de Danforth, Chester se puso a gritar:

—¡Todo eso me importa un comino! Y no quiero oír nunca más el nombre de ese apestoso traidor.

—Danforth ha conseguido lo imposible y se ha infiltrado con éxito entre los styx. Se ha puesto una soga al cuello; ha estado arriesgando su propia vida porque ha estado trabajando para nosotros. Lo que está haciendo es vital para nuestro espionaje —argumentó Parry.

—Sí, claro, pues no ha sido un gran poli en todo esto, ¿no te parece? No te avisó de que nuestro primer ministro iba a ser tragado por un agujero, ¿o sí? —le contradijo Chester.

—No siempre puede conseguir que los mensajes... —empezó a explicarle Parry, pero se interrumpió cuando Chester comenzó a gritar al darse cuenta repentinamente de lo mucho que se le había acercado el Viejo Wilkie.

—¡No, no sigas! Tratáis de acercaros a mí desde diferentes direcciones, ¿no es eso? —les reprochó a ambos hombres. Levantó la escopeta hacia el cielo y efectuó un disparo por encima de la cabeza del anciano. La detonación resonó por todas partes.

El Viejo Wilkie tenía levantadas las manos para mostrar que no iba armado.

—No intentaba nada.

—Como que te voy a creer. ¡No te muevas ni un centímetro! ¡Ninguno! —les amenazó.

—Ojalá no hubieras hecho eso —refunfuñó Parry.

—¿Por qué?, ¿porque tus muchachos del ejército acudirán corriendo? —replicó Chester.

—No, porque el sonido del disparo se propagará varios kilómetros a la redonda. Y los Armagi podrían captarlo.

—Ah, sí, claro. Por aquí no hay nada. Sólo intentas meterme el miedo en el cuerpo —le espetó, desdeñoso—. Bueno, no puede traerme más sin cuidado. Los Argami me importan...

Durante un instante el Viejo Wilkie estaba todavía con las manos en alto, y al siguiente salió despedido por los aires. Cayó entre Chester y Parry boca abajo y se quedó inmóvil.

—¡Abuelo! —gritó Stephanie.

El viejo gimió. Tenía la ropa de la espalda desgarrada y ello dejaba a la vista la carne lacerada.

—¡Carajo! —masculló Chester.

Donde había estado parado el Viejo Wilkie había algo casi transparente que desviaba la luz del sol que lo atravesaba. De la altura de un hombre, cuando aterrizó sobre la hierba cubierta de escarcha apenas hizo ruido.

El Armagi había acuchillado al anciano con los bordes de sus alas de murciélago, y en ese momento las estaba recogiendo detrás de su espalda. Bien podrían haber sido de cristal por la manera en que atraían la luz.

Uno de los móviles vía satélite de Parry empezó a vibrar. Chester supuso que sería el equipo del SAS que esperaba en las proximidades con el helicóptero, y que habría oído el disparo. Pero sin duda el comandante no iba a contestar. En su lugar, sin apenas mover los labios, le murmuró a Chester.

—Chaval, eres el único que tiene un arma aquí

Pero Chester, paralizado por la impresión, no supo reaccionar.

Salvo por sus negros ojos, era difícil distinguir los rasgos de la cabeza picuda del Armagi, porque los órganos internos, cada uno de diferente grado de transparencia, eran visibles a través de su cráneo. Por sus venas o arterias parecía correr un fluido y algo de una tonalidad verde oscura latía en la parte superior de su cráneo. Pero la criatura había vuelto la cabeza hacia Parry al hablar éste, y empezó a dirigirse hacia él.

—Chester... ¡Chester! —gritó Stephanie.

El chico reaccionó por fin. Levantó el arma hacia el Armagi y apretó el gatillo. Pero al haber girado apresuradamente la escopeta, se precipitó en el disparo y descargó el segundo cañón antes de que estuviera alineado con su blanco.

El disparo no alcanzó al Armagi en el tórax, como había sido su intención, sino que le desmochó lo que venía a ser el hombro. Una infinidad de trozos relucientes se esparcieron por el aire como hielo arrastrado por el viento.

A pesar de la fuerza del impacto, la criatura permaneció erguida, una garra clavada en el suelo y la otra en el aire. Entonces se giró hacia Chester.

—¡Ay, Dios mío! —exclamó el chico—. Estoy acabado. —Lanzó una mirada hacia Stephanie—. ¡Huye! —gritó—. Le entretendré.

En esta ocasión no había ninguna duda de que el Armagi iba a por él.

Chester le arrojó la escopeta, pero la criatura repelió el arma con un diestro movimiento de su extremidad sana. Tal vez estuviera herida, pero no por eso era una amenaza menor.

El muchacho no se molestó en huir.

Cerró los ojos, se postró de rodillas y esperó.

En ese fugaz instante pensó en sus padres.

—Mamá, papá, pronto me reuniré con vosotros —dijo en un susurro, mientras procuraba controlar su miedo. Aunque no lo consiguió, y a pleno pulmón gritó—: ¡Ayudadme!

Se oyó como un silbido.

Chester abrió los ojos.

Parry seguía allí, rodeando a Stephanie con el brazo.

El Armagi se había replegado contra el suelo y le sobresalía algo de la nuca.

El chico se dio la vuelta para mirar detrás de él.

—¡Martha! ¡No me lo puedo creer!

La mujer había salido de entre las matas de tojo con el pelo rojo tan desaliñado como siempre y la voluminosa ropa igual de sucia.

—Hola, amorcito mío —dijo acercándose a él, y le acarició la mejilla.

Chester era incapaz de articular palabra.

—¿Dónde...? ¿Cómo demo...? ¿Cómo...?

—Mi niño maravilloso, sólo tenías que pedir socorro —dijo ella mirándole con veneración mientras le apartaba el flequillo de la frente—. Sabías que siempre acudiría, ¿a que sí?

El muchacho paseó la mirada desde la ballesta que Martha sostenía en la mano al inmóvil Armagi.

—¿Le has matado?

Chester reaccionó con retraso cuando vio lo que había allí en ese momento.

Estirado y boca abajo, en lugar de la criatura lo que había era un styx desnudo.

—No, no está muerto... sólo aturdido —respondió Martha—. Tienen un lugar detrás de la cabeza en el que si puedes clavarle una flecha en la columna consigues dejarlos fuera de combate de un único disparo. Habilidad y suerte —añadió, a todas luces sumamente complacida consigo misma.

Sin poder dar crédito a sus ojos todavía, Chester se aventuró a acercarse un paso y examinar al styx desde arriba.

—Pero, pero... ha cambiado... —balbució—. ¿Cómo lo ha hecho?

Martha también se acercó al postrado styx y paseó la mirada en él.

—Es la única manera de que alguna vez consiga tener a un hombre desnudo a mis pies —dijo con tristeza. Entonces cogió del brazo a Chester y empezó a apartarle—. Ten cuidado, no te acerques tanto.

—Pero tiene que estar muerto, ¿no? —preguntó el chico—. Sin duda lo parece.

Martha negó con la cabeza.

—Muerto, no. La única manera de estar seguros de que estas cosas están muertas es quemarlas hasta que no quede nada, incluidas las uñas de los pies.

—Sí, se regeneran —dijo Parry, dando un paso adelante.

Como si el chico hubiera olvidado por completo dónde estaba, en ese momento levantó la vista hacia el comandante y tardó un segundo en centrarse en él.

—¡No, no te muevas! ¡Mantente alejado de mí! —gruñó Chester.

—Muchacho, tienes que enten... —empezó a decir Parry, pero no terminó nunca porque Stephanie volvió a gritar, señalando hacia los árboles de un bosquecillo próximo.

Un segundo Argami descendió sobre el suelo a unos seis metros de distancia. Parecía estar buscando a la otra criatura.

—¿Y tu ballesta? —le preguntó Chester a Martha, acordándose de que acababa de dispararla.

—No hay nada que hacer —contestó la mujer—. No la puedo volver a cargar en tan poco tiempo. Sólo me quedó una mano sana después de que me atrapara el relámpago.

El Armagi estaba avanzando hacia ella y Chester, aunque parecía sumamente tranquilo.

—Martha, ¿qué hacemos? —preguntó el chico fuera de

sí. Había creído que ya no corrían peligro, pero no podía haber estado más equivocado.

—Puede que haya perdido una mano con el relámpago, pero... —Martha se calló para silbar.

Chester pensó que le pasaba algo a su vista. Unos objetos blancos convergieron sobre el Armagi cayendo en picado desde todos los lados, moviéndose con la misma rapidez que la criatura. Puede que fueran ligeramente más pequeños que el Armagi, pero éste no tuvo ni la más remota posibilidad; como si estuviera atrapado en medio de un tornado, su cuerpo fue despedazado y los trozos acabaron desperdigados por donde había estado parado.

—... eso no significa que no lo atrapara y domesticara —terminó de decir Martha.

—¿Domesticarlo? —preguntó Chester, sin acabar realmente de entender lo que le estaba diciendo.

—Sí, domestiqué al relámpago —dijo la mujer con orgullo.

Cuando el tornado se detuvo, lo que quedó a la vista de Chester no fue un único relámpago, sino toda una horda de ellos. Estaban revoloteando en el aire sobre los restos del Armagi, y sus brillantes escamas blancas reflejaban la luz.

—Ángeles —dijo Chester con una carcajada, y recordó lo que el doctor Burrows había dicho sobre ellos—. Pero hay muchos, ¡no sólo uno!

—Sí, siete. —Martha silbó y agitó su mano buena. En menos tiempo de lo que se tarda en parpadear, los relámpagos se habían precipitado por el aire y los rodearon a ambos, y allí se quedaron, revoloteando en círculo con un suave zumbido de sus alas y las auras brillando tenuemente. Y aunque tenían un no sé qué bastante repelente, no carecían de cierta belleza.

—Son asombrosos —comentó Chester entre risas.

—Son mis protectores. Y ahora también son los tuyos. —Martha le hizo una cariñosa caricia en la cabeza—. Con ellos estaremos a salvo donde quiera que vayamos.

—Pero no lo entiendo. ¿Cómo supiste dónde estaba? —preguntó el muchacho.

Martha señaló a los relámpagos con la mano.

—En cuanto les muestras un mínimo rastro, lo pueden seguir como sabuesos, incluso a cientos de kilómetros. Así es como te puedo encontrar siempre, estés donde estés.

—Esto, Chester —dijo Parry. Seguía protegiendo a Stephanie, a la que rodeaba con un brazo, mientras ambos miraban embobados el espectáculo de Martha y sus relámpagos—. No estarás pensando seriamente en marcharte con esa mujer, ¿verdad? ¿Y menos después de lo que te hizo pasar? —preguntó.

El chico recogió la escopeta, regresó junto a Martha y le cogió del brazo de forma inequívoca.

—Sí, lo estoy pensando. Cuando estábamos en Norfolk, sólo cuidaba de mí, ahora lo entiendo. Se preocupaba por mí de verdad, lo cual es mucho más de lo que tú has hecho jamás. Mira lo que le hiciste a mi madre y mi padre.

La cara mugrienta de Martha surcada de vasos capilares era la imagen misma de la felicidad mientras escuchaba a Chester.

—Sí, sólo cuidaba de ti. Sabía que habías sido expuesto a la Luz Oscura y que intentabas hacer señales a los styx. Eso lo sabía.

—Así que esto es una despedida —anunció Chester a Parry.

—Quizá querréis ocuparos de vuestro amigo —sugirió Martha, cuando el Viejo Wilkie gruñó, empezando a despertarse. Stephanie se acercó inmediatamente a él, aunque Parry permaneció donde estaba, sacudiendo la cabeza con incredulidad.

—Chester, al menos llévate esto, por si necesitaras ponerte en contacto. —Sacó un teléfono vía satélite del bolsillo y se lo ofreció.

El chico no dijo ni palabra, pero Parry se lo tiró y él lo atrapó.

—La batería está cargada —dijo el comandante—. Conéctalo y escucha los mensajes de tanto en tanto, ¿de acuerdo? ¿Me prometes que lo harás?

Tras meterse el teléfono en el bolsillo, Chester siguió sin responder cuando, cogido del brazo con Marta, ambos se dieron la vuelta en dirección al mar y empezaron a alejarse; los siete relámpagos los acompañaban girando a su alrededor como un carrusel.

8

Mientras la pequeña lancha ascendía rápidamente por el canal subterráneo deslizándose sobre la superficie del río, la principal preocupación de Jiggs era que el casco resistiera el viaje. La embarcación había necesitado algunas reparaciones importantes para arreglar los daños que los Limitadores habían causado en ella y en cualquier otra cosa que siguiera flotando, antes de hundir todas las naves así dañadas en el puerto. Y Jiggs apenas había dispuesto de los materiales ideales para reparar la lancha —fibra de vidrio vieja y resina caducada—, aunque al final lo había conseguido.

Y también estaba muy preocupado por Drake, que estaba acurrucado en el suelo de la barca. Aunque con no pocas quejas, finalmente había consentido en envolverse en un poncho que encontraron en los almacenes de la intendencia; el rocío del río era terriblemente frío, y el propio Jiggs había perdido buena parte de la sensibilidad en la cara y las manos.

Seguía preocupado por su amigo, anhelando encontrar la manera de detenerse para ocuparse de él, cuando notó que la embarcación aminoraba la marcha. Estaba desacelerando como si hubiera encontrado alguna resistencia en el río.

Y la había encontrado. Utilizando el monocular ruso, Jiggs alcanzó a ver un cable de acero tendido a todo lo ancho del canal fluvial. Estaba colocado inteligentemente a la altura suficiente para evitar cualquier resto flotante, pero también para engancharse a cualquier embarcación que pasara.

Cuando el cable llegó al límite de su resistencia y se partió, el sonoro golpe seco bien podría haber sido un efecto sonoro de una película de dibujos animados. Y podría haber sido divertido, si las consecuencias no hubieran resultado tan funestas.

Jiggs gritó: «¡Peligro inminente!» a pleno pulmón cuando los extremos sueltos del cable salieron despedidos, azotando el aire a ambos lados del canal. Cubierto por el poncho, Drake no pareció oír la advertencia.

Con unos automatismos perfeccionados en incontables despliegues en zonas donde los artefactos antipersona eran un desafío cotidiano, Jiggs reaccionó en una milésima de segundo. Acelerando el motor al máximo dirigió la embarcación hacia el centro del canal, lo más lejos que pudo de ambos lados.

Estaba rezando para que la intención de los zapadores styx hubiera sido la de atrapar a cualquiera que viajara en sentido contrario al suyo —hacia abajo, en dirección al refugio de las profundidades—, y no en el ascendente. Aquello cambiaría la situación enormemente en relación con el sitio donde estarían sembrados los explosivos. Y cambiaría completamente la situación en cuanto a las posibilidades de que él y Drake salieran con vida de aquélla.

Cuando los explosivos explotaron, Jiggs estaba agachado e intentaba protegerse la cabeza. El oleaje arrojó la lancha río arriba, y por detrás el túnel se llenó de un humo denso y una cascada de piedras voladoras.

Jiggs supo entonces que el cable trampa había sido colocado para las embarcaciones que se dirigieran en sentido contrario. «Gracias, Díos mío», gritó. Todavía andaba dando las gracias cuando las réplicas del estallido resonaron de un lado a otro del túnel. Más tarde, cuando tomó una curva del canal, los únicos sonidos volvían a ser el ruido del fueraborda y el borboteo del agua.

Drake se movió y asomó la cabeza por debajo del poncho como una tortuga.

—¿Quieres algo? —preguntó—. Me has dado un empujón.

—No, yo no, y todo va bien. Descansa un poco —respondió su amigo, procurando no soltar una carcajada.

Transcurridas otras diez horas, interrumpieron el viaje para detenerse en uno de los apeaderos que había a lo largo del camino. Allí Jiggs repostó gasolina de uno de los herrumbrosos tanques de almacenamiento del muelle, mientras Drake se tomaba un respiro del constante y gélido rocío que la velocidad de la embarcación levantaba del río.

Reanudaron el viaje y, muchas horas más tarde, atracaron en el largo puerto que se extendía junto al aeródromo abandonado. Jiggs amarró la lancha y ayudó a Drake a bajar al muelle. Después de cambiarse de ropa y beber algo caliente, salió a investigar.

—He limpiado el sitio de bombas trampa —le dijo a su amigo cuando regresó—. De aquí a la salida he encontrado tres disparadores.

Drake asintió con la cabeza.

—Me sorprende que dejaran el río sin protección. Yo habría plantado una allí con toda seguridad.

Jiggs se limitó a asentir con la cabeza mientras una leve sonrisa bailoteaba en sus labios.

—Sí, yo también —admitió—. Qué extraño, ¿no? —Entonces ayudó a levantarse a Drake y se pusieron en marcha.

El interior de la torre le recordó a Will una catedral moderna que había visitado en una ocasión con su padre. Tal vez fuera la manera en que sus pisadas reverberaban en aquel espacio tan grande, o quizá se debiera a que las paredes y el techo lisos del interior, todo hecho del mismo material gris que la pirámide al descubierto, daban la impresión de solemnidad y majestuosidad.

Y de poder.

Will estaba empezando a creer que Elliott tenía algo de razón en lo que había estado diciendo; quizá lo estuviera percibiendo él también en ese momento.

Y para completar tal impresión, justo enfrente de la entrada se levantaban dos grandes columnas. Cuando avanzó hacia ellas por el suelo polvoriento, tuvo la sensación de estar acercándose a un altar. Recorrió con la mirada las peculiares letras picudas grabadas a lo ancho en las dos a unos seis metros de altura.

—¿Alguien entiende lo que está escrito ahí? —inquirió.

—No, no lo reconozco —respondió Jürgen—. Esas letras no comparten ningún rasgo con las escrituras ni jeroglíficos que he estado estudiando.

—¿Y tú? —le preguntó Will a Elliott con frialdad. Todavía no la había perdonado del todo por cómo había ignorado su consejo antes de que entraran en la torre.

Cuando ella negó con la cabeza, el muchacho señaló los cilindros gemelos.

—No hay rastro de puertas, pero no supondréis que esas cosas son ascensores, ¿verdad?

Se rió entre dientes porque aquel edificio, que acababa de brotar de la tierra, tenía que tener muchos miles de años de antigüedad, así que la pregunta se le antojaba bastante extraña.

—Eso tendría sentido tomando en cuenta la altura de la estructura —sugirió Jürgen, quien ya se estaba dirigiendo hacia donde se encontraba el nativo: una especie de escalera circular situada a la izquierda de las columnas.

—¿Por qué no le preguntas a Tronco qué es este lugar? —propuso Will a Elliott—. Pregúntale en qué nos estamos metiendo

La chica empezó a hablar inmediatamente con el nativo en styx. Tras un breve diálogo, ella se volvió hacia Will.

—Dice que no lo sabe, y le creo. Sigue utilizando aquella misma palabra… *destino* —dijo.

—Bueno, pues hay una manera de averiguarlo —resolvió Will—. ¡Vamos!

Con Tronco a la cabeza, empezaron a subir a toda prisa por la escalera circular.

—Es exactamente igual que la del interior de la pirámide —observó Elliott.

—Sí, y las dimensiones son bastante extrañas. Casi como si no estuviera pensada para personas —señaló Jürgen; a todos les pareció que los escalones eran incómodos de subir. Para subirlos, el truco consistía en hacerlo de dos en dos, aunque eso implicaba dar unas zancadas desmesuradamente largas. Al cabo de un rato, la marcha se hizo automática y sólo trastabillaban cada vez que perdían el ritmo.

A medida que Tronco seguía guiándolos hacia arriba, los escalones parecían rodear las columnas centrales hasta el infinito. Finalmente llegaron a un rellano donde había otra abertura circular. Cuando la traspusieron, todos estaban sin aliento, pero ardían de curiosidad.

—Supongo que ahora estamos en la estructura saliente de la parte superior —dijo Jürgen, respirando entrecortadamente.

—Sí, pero aquí no hay nada. Así que ¿para qué es todo esto? —preguntó Will.

Nadie supo darle una respuesta. Dieron una vuelta completa al espacio, acabando donde habían empezando. Estaba completamente vacío, y tan sólo en el curvado muro exterior sobresalían a intervalos regulares cuatro sillares a modo de ménsula que rodeaban el hueco central.

Jürgen golpeó la pared exterior con afán explorador.

—Está frío —dijo.

Elliott se había acercado a uno de los sillares colocados sobre el suelo y pareció que iba a tocarlo, pero entonces se detuvo. Estaba bastante colorada, aunque Will no estaba seguro de si se debía simplemente a que se estaba recuperando del rápido ascenso de las escaleras o de si había otra cosa que la estuviera molestando.

—¿Va todo bien? —le preguntó.

—Por supuesto. Sí —masculló ella, dirigiéndose ya hacia Tronco, que estaba en la entrada.

Will se encogió de hombros y empezó a hacer lo mismo, cuando se detuvo súbitamente.

—Esperad —dijo.

—¿Qué pasa? —preguntó Jürgen.

Will se había estado examinando las manos, y entonces empezó a escudriñar el techo que tenían encima.

—Aquí no hay ventanas ni luces —dijo—. Entonces, ¿cómo es que no estamos en completa oscuridad?

Jürgen también levantó una mano y se puso a moverla para examinarla desde diferentes ángulos.

—Tienes toda la razón —dijo, y pareció aún más desconcertado cuando bajó la mano hacia el suelo. De repente se puso de rodillas para frotar el polvo en una zona del suelo.

—¿Qué estás haciendo? —le preguntó Will.

Jürgen se volvió a levantar.

—La luz parece provenir de todas las direcciones, no se aprecia ninguna sombra. —Levantó la mano estirada con la palma en paralelo al suelo—. Observa que la cara inferior de mi mano está iluminada, aunque el suelo está cubierto de polvo y que de todas formas es evidente que no hay ninguna fuente de iluminación ahí abajo. Ni en ninguna parte, si a eso vamos. Tienes razón, Will, esto es algo extraordinario.

Pero Jürgen no había terminado.

—Y a menos que esto sea alguna especie de proeza de la ingeniería que canalice la luz de fuera al interior, debe haber una fuente de energía que haga esto.

—Sí, y creo que la conocemos. También nos abrió la puerta abajo, e hizo añicos la vieja pirámide y subió toda esta torre desde el suelo —enumeró Will.

Jürgen asintió con la cabeza un tanto tímidamente cuando el muchacho reparó en lo impaciente que estaba Tronco.

—Intentemos subir al siguiente piso y veamos qué encontramos allí —sugirió, sin dejar de observar al nativo con suma atención. La verdad es que ya no se fiaba ni un pelo de él.

—Bien, ya no podemos ir a ningún sitio más. Debemos de estar en lo más alto de la torre —comentó Jürgen cuando llegaron al final de las escaleras y salieron a una gran zona circular, en esta ocasión sin que ninguna columna doble obstruyera la parte central.

Por el contrario, justo en el centro había un estrado circular de unos seis metros de ancho, sobre el cual se levantaba una alta ménsula a modo de sillar central, rodeada de unos sillares más pequeños.

De nuevo, las paredes, el suelo y el techo estaban hechos del mismo material que el resto de la torre, y la misma luz uniforme iluminaba todo el espacio.

—Quienquiera que construyera todo esto, le gustaban las cosas sencillas —comentó Will.

Jürgen estaba rodeando el muro cuando el chico se subió al estrado central para inspeccionar los diferentes sillares, a los que les pasó las manos por encima.

—Y todo esto parece piedra, igual que en el piso de abajo, e igual que en todas partes.

Elliott y Tronco se habían dirigido directamente a la ménsula más alta del centro del estrado. Los dos la estaban mirando fijamente, la mirada clavada en la parte superior. Y ambos parecían agitados.

Will exhaló profundamente.

—Sé que pasa algo. Si no me dices de qué se trata, te juro que no te volveré a hablar —amenazó a Elliott.

—Aquí ha desaparecido algo —dijo ella.

—¿A qué te refieres? —preguntó Will, todavía más desconcertado por la manera de comportarse de su amiga—. ¿Qué es lo que ha desaparecido? ¿Y cómo puedes saberlo?

—Ignoro cómo lo sé —dijo Elliott, jadeando—. Es como cuando en un sueño ocurre algo terrible (lo peor que te puedas imaginar), y te despiertas con esa terrible sensación de espanto, aunque no puedes recordar a qué se debe exactamente. —Cuando su mirada se cruzó con la de Will, éste observó que a su amiga le resbalaba una lágrima por la mejilla, dejando su huella en la piel sucia—. Ojalá pudiera decírtelo con exactitud, pero hay algo que no está bien. Algo que debería estar aquí no está.

—¿Y qué más puedes percibir? —la desafió Will, que procuró mantener la calma al hablar.

Elliott avanzó hasta una de las ménsulas pequeñas.

—Bueno, también sé que si hago esto… —extendió los

dedos y apretó la palma sobre la parte superior de la ménsula.

Súbitamente, la pared circular que rodeaba el espacio cobró vida con unas imágenes brillantes. Jürgen se asustó tanto que retrocedió un paso a toda prisa, perdió el equilibrio y acabó apoyado sobre una rodilla.

Diferentes imágenes de la superficie terrestre —aparentemente vistas desde el espacio— cubrieron cada centímetro de la pared externa.

—¿Cómo…? —dijo Will con un grito ahogado. A través de unos etéreos fragmentos de nubes, estaba mirando imágenes múltiples de continentes y océanos. Las diferentes vistas se movían, rodeando las paredes y superponiéndose a medida que avanzaban.

—Y sé que si hago esto —continuó Elliott, arrastrando un único dedo a lo ancho de la ménsula, cuya superficie resplandecía en ese momento con unas líneas azules y unos símbolos extraños—, entonces puedo acercarlo.

Jürgen mascullaba algo mientras permanecía en el suelo, observando boquiabierto las diferentes escenas.

—Y también sé que si hago esto… —prosiguió la chica, y entonces deslizó un dedo sobre la ménsula, y una imagen giró alrededor de las paredes y se detuvo donde todos pudieron verla, justamente delante de Jürgen—, entonces es aquí donde tengo que estar.

Los ojos de Will se movieron como flechas de la imagen a Elliott y viceversa.

—Yo también —dijo en voz muy baja—. Porque eso es Inglaterra.

La muchacha apartó la mano de la ménsula y las imágenes desaparecieron de golpe, y todo volvió al estado en que se encontraba antes.

Salvo Tronco, que estaba de rodillas y parloteando para sí con las manos entrelazadas como si estuviera rezando.

Elliott se volvió hacia su amigo al tiempo que sus hombros se agitaban y empezaba a sollozar.

—Will, estoy asustada —consiguió decir. Extendió los brazos hacia él y trató de dar un paso en su dirección, pero casi se cayó—. ¿Qué está pasando? Por favor, ¿me puedes sujetar? —le suplicó—. Por favor.

9

Mientras caminaba por el sendero del acantilado con Martha, Chester creyó oír el ruido de los rotores de un helicóptero por encima del viento.

—¡Por fin, carajo! —dijo entre dientes, porque aquello probablemente significara que Parry se marchaba.

Ahora que había recuperado a Chester, una gran sonrisa se extendía permanentemente por el sucio rostro de Martha.

—Tenemos un sitio precioso al que ir, cariñito —dijo—. Allí estaremos a gusto y calientes.

—Fantástico —contestó el chico con una alegría forzada. Seguía estando tan furioso que apenas podía pensar en otra cosa.

—Y estoy segura de que también te hace falta algo bueno para comer —añadió Martha.

—Esto… —empezó a decir Chester con cierta indecisión—. A ese respecto, sólo una aclaración.

La mujer le miró.

—¿Sí, mi amor?

—Acerca de mi comida, a partir de ahora quiero saber «con exactitud» lo que contiene. ¿Habría algún problema?

—Claro que no, mi dulce niño —dijo Martha—, y en cuanto a esa época, yo…

—No, por favor, no me cuentes nada. No quiero oírlo. No quiero oír nada —repitió Chester con las manos contra las orejas.

—Ja, ja, está bien —dijo Martha riéndose a carcajadas—. Lo único que diré es: «Si no queda más remedio» —añadió mientras seguían su camino—. Si no queda más remedio, amorcito.

Feliz por haber confesado aquello, Chester se empezó a preguntar si no estarían un poco desprotegidos yendo por un camino a todas luces muy transitado, especialmente porque se movían a plena luz del día.

Martha adivinó lo que estaba pensando y le frotó el hombro con afecto con lo que le quedaba de su mano dañada.

—Estaremos a salvo vayamos donde vayamos, cariño, no te preocupes. —Apartó de Chester la punta de sus dedos e hizo un movimiento circular con la mano hacia el cielo—. Mis pequeños protectores mágicos de ahí arriba siempre están al tanto de lo que me pasa. Nunca duermen, al menos durante mucho tiempo. Me avisarán si hay alguien cerca.

—Así que atrapaste al primer relámpago en Norfolk, ¿no? —preguntó Chester sintiendo curiosidad por lo que había ocurrido.

—Sí, después de una larga y dura pelea, yo la engañé a ella para que se metiera en el agua. Y allí la atrapé, aunque no la maté.

—¿A ella? —repitió Chester.

—Sí, la alimenté y la hice prisionera, y para mi sorpresa, tuvo a sus retoños.

Chester arrugó el entrecejo.

—¿Retoños? ¿A qué te refieres?

—Ya sabes, bebés —respondió Martha—. De ahí que pudiera doblegarla. Estaba preñada, y eso la hacía ser lenta. Las crías nacieron en unas pequeñas bolsas y luego se transformaron en relámpagos diminutos, como hadas pequeñitas. Más pequeñas todavía que los pájaros mineros que introdujiste en la Colonia.

—¿Y no arremetieron contra ti ni te atacaron ni nada parecido? —preguntó él.

—No, debido a su madre. La tenía amarrada, y yo mantenía bien alimentadas a las crías con roedores que cazaba mientras me curaba la mano y las costillas. —Martha se frotó su más que rotundo pecho para recalcar cuántos dolores había tenido—. Y cuando llegó el momento de seguir adelante, no tuve entrañas para matarlos. Así que liberé a la madre, pero se quedó conmigo, y como puedes apreciar, sigue conmigo y se dedica a cuidarme.

—Es un verdadero ángel de la guarda —dijo Chester riéndose.

La mujer asintió con la cabeza.

—Creo que hubo un tiempo en que vivieron aquí arriba, en la Superficie, porque se acostumbraron a la gravedad en cuestión de semanas. Puedes ver lo rápidos que son ahora.

—Sí, puede que el doctor Burrows tuviera razón —dijo Chester—. Que antes «vivieran» aquí arriba, y que quizá sean la razón de que tengamos esos cuentos sobre criaturas míticas. Y hasta la idea de los ángeles.

Al oír hablar del doctor Burrows, Martha dejó de sonreír.

—Pero, mi corazón, has pasado por una época terrible, ¿no es así? Te dije que no confiaras en los Seres de la Superficie. Jamás serán tus amigos. Ese hombre de antes mató a tu familia, ¿verdad? ¿Qué le llevó a hacer semejante cosa?

Chester no se sintió preparado para entrar en detalles en ese momento.

—¿Parry? No fue exactamente él, aunque estaba metido

en el ajo. Mira, Martha, te lo contaré todo más tarde, pero mi madre y mi padre se vieron involucrados en al...

Se agachó cuando dos relámpagos cruzaron por delante de él en sentidos opuestos.

—Dios mío, sí que son rápidos —comentó. Sólo había visto un fugaz destello blanco cruzándose con otro del mismo color antes de que ambos desaparecieran.

—¡Chiiist! —exclamó Martha—. Y cárgame esto, ¿te importa? —preguntó sin levantar la voz mientras le pasaba la ballesta.

Chester le cogió el arma. La mujer se había visto separada de su ballesta de apariencia arcaica en Norfolk y la había sustituido por otra fabricada sin duda en la Superficie, cuyos materiales más ligeros la hacían más apta para ser utilizada con una sola mano. Y además le había hecho algunas modificaciones, que incluían unas cuantas tiras de arpillera embarrada enrolladas alrededor y algunos torpes toques de pintura de camuflaje.

—Pues claro —respondió afirmativamente el muchacho. Cargó el gatillo del arma y escogió una flecha del carcaj que colgaba del hombro de la mujer. Cuando la acomodó en la ballesta, se dio cuenta de que el asta estaba manchada de sangre y que en la punta estaban pegados unos diminutos trozos de carne.

Martha estaba oteando el camino por detrás de ellos.

—¿Qué pasa? —preguntó Chester en un susurro.

—Mira cómo vuelan bajo y hacia los lados —dijo ella. El chico apenas pudo distinguir las borrosas rayas mientras los relámpagos pasaban volando por encima de los árboles a la izquierda del camino y a sotavento del acantilado por el otro lado. Era como si estuvieran acechando a una presa—. ¿Ves?, mis hadas me avisan de que se acerca alguien —continuó Martha—. Metámonos aquí y esperémosles.

Se metieron entre los árboles, y ella levantó la ballesta. Al poco tiempo, Chester divisó una cabeza que avanzaba moviéndose arriba y abajo mientras alguien subía una pequeña cuesta del camino. Se volvió hacia Martha.

—Parece que sólo es una persona. ¿La atacarán los relámpagos?

—No harán nada sin mi aprobación —susurró ella—. Conoces a esa persona, ¿verdad? ¿No estaba contigo? —preguntó, señalando con la barbilla.

Cuando Chester volvió a mirar, el corazón le dio un brinco.

Donde el sendero ascendía desde una leve depresión, apareció a la vista una solitaria figura que avanzaba decididamente a grandes zancadas.

—¡Es Steph! —exclamó Chester—. Pero ¿qué narices hace viniendo hasta aquí?

Martha se puso enseguida en plan suspicaz.

—Podría ser que te estuvieran tendiendo alguna trampa. Pero si es así, entonces está sola. Lo sé por la manera en que la siguen mis hadas.

Stephanie era totalmente ajena a los letales animales que daban vueltas no muy por encima de ella y por debajo del borde del acantilado a sólo unos pocos metros.

Casi había llegado a donde Martha y Chester estaban escondidos, cuando la mujer salió del escondite con la ballesta levantada a la altura de la chica.

—¿Qué es lo que quieres? —gritó Martha con voz fría y amenazadora.

Stephanie se llevó un susto de muerte.

—Ah, hola, ¿está Chester contigo? —preguntó con voz trémula—. Ah, sí lo estás —dijo Stephanie cuando el chico salió de entre los árboles. Con el abrigado chaquetón, el sombrero de lana y la mochila a la espalda, parecía que estuviera de excursión con el colegio.

—¿Qué haces aquí? —preguntó Chester en tono imperioso—. ¿Por qué no te fuiste con ese bastardo mentiroso y tu abuelo?

Stephanie se mordió el labio con nerviosismo.

—Porque se han ido, ¿no? Me pareció oír un helicóptero —dijo el muchacho.

Stephanie asintió con la cabeza.

—Entonces, ¿qué estás haciendo aquí? —repitió él.

—Bueno… —respondió la chica—. No podía dejar que te fueras pensando que sabía lo de Danforth y lo que le ocurrió a tu madre y a tu padre, porque no lo sabía. Te juro que no sabía absolutamente nada de eso. Nadie me lo dijo.

—Muy bien, pero no estás respondiendo a mi pregunta —la apremió—. ¿Qué estás haciendo aquí?

La voz de Stephanie apenas era audible por encima del sonido del viento y de las olas que rompían al pie del acantilado.

—Bueno, he venido porque estaba muy preocupada por ti… y porque te marchaste antes de que pudiera hablar contigo. Así que mientras Parry estaba socorriendo al abuelo (que no estaba tan malherido), me escabullí. Cogí todas las cosas tuyas que pude, porque pensé que te gustaría tenerlas. —Se giró ligeramente para que él pudiera ver la Bergen llena a reventar en su espalda, tras lo cual bajó la vista al suelo con nerviosismo—. Y bueno… esto… me preguntaba si te podría acompañar, Chester. Si podríamos estar juntos.

A él le quedó claro que se sentía avergonzada y que habría dicho más cosas si Martha no estuviera allí. Y no tenía ni idea de qué responder. La indignación se había apoderado de él hasta tal punto que había estado insensible a todo lo demás. La verdad era que desde que el primer Armagi había hecho su aparición, a una parte de él le había traído realmente sin cuidado si vivir o morir.

Pero ahora no se trataba de él. Durante las semanas pasadas en la casa de campo, Stephanie no le había mostrado más que amabilidad y afecto, y él la había despreciado. La chica le gustaba muchísimo, y en ese mismo instante estaba muy asustado por ella; Martha era increíblemente posesiva, y eso la convertía en impredecible. Y, de eso no le cabía ninguna duda, en asesina.

Al seguirle, la chica se había metido en la boca del lobo de todas todas.

—Aquí no hay sitio para ti —gruñó Martha. Chester la vio tensar el brazo para afianzar su puntería y alinear el arma para disparar al pecho de Stephanie—. No necesitamos que nadie nos acompañe para retrasarnos —añadió la mujer echando un vistazo a las alturas, sin duda considerando si debía ordenar a sus relámpagos que destrozaran a Stephanie como alternativa a dispararle una flecha.

—Espera un momento —se apresuró a decir Chester, y se acercó a Martha. No fue casualidad que le pusiera una mano en su orondo hombro y se lo masajeara, mientras le susurraba al oído.

Mientras escuchaba, ella se rascó la barbilla con el muñón del dedo.

—¿Es eso verdad? —dijo finalmente, mientras se volvía hacia él.

—Del todo —respondió Chester.

Martha le estaba mirando penetrantemente a los ojos.

—¿Y eso es todo? —preguntó.

—Por supuesto —le confirmó Chester poniendo su sonrisa más dulce y adorable. Martha bajó la ballesta y le lanzó un silbido a los relámpagos—. Ven aquí, chiquilla, y únete a nosotros —le dijo a Stephanie con una amplia sonrisa que dejó a la vista todos sus dientes negros.

Chester soltó por lo bajinis un enorme suspiro de alivio.

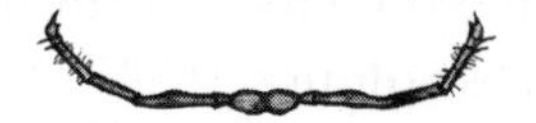

—¿Te apetece un trago de esto? —preguntó Jürgen, ofreciendo a Will la petaca que había sacado de la mochila.

El chico la cogió y olisqueó el cuello del recipiente, y entonces arrugó la nariz con asco.

—Ay, no, no me apetece —replicó, devolviéndosela rápidamente—. De todas formas, ¿qué es?

—Aguardiente —respondió Jürgen, que estaba a punto de ofrecérselo a Elliott, pero entonces se lo pensó mejor.

Habían decidido regresar a la base de la torre, en gran medida debido al estado de Elliott. Will nunca la había visto tan desesperada, y se había visto obligado a ayudarla a bajar toda la escalera circular. Como ambos estaban sentados juntos en una de las piedras rotas, ella tenía la cabeza sobre su hombro. Había dejado de llorar, aunque su amigo seguía oyéndola tener aquellos ocasionales ahogos involuntarios, como si las lágrimas no anduvieran lejos.

Jürgen le echó un vistazo al nativo, que estaba acuclillado en el suelo a unos tres metros de ellos, se recostó de nuevo contra la torre y le dio otro trago aún mayor a su petaca. Bebió ruidosamente y luego exhaló el aire haciendo exactamente el mismo ruido.

—Esta cosa es un alegre hechicero para tranquilizar los nervios —comentó el neogermano al cabo de un momento.

—¿Un alegre hechicero? —repitió Will, preguntándose por qué de pronto el lenguaje del neogermano se había vuelto tan extraño.

Jürgen sonrió.

—Perdón, probablemente sea algo que saqué de los libros ingleses que teníamos en la biblioteca de la ciudad. Sin saber cómo, las historias de Jeeves y Wooster encontraron la manera de introducirse en un helicóptero cuando llegaron los primeros colonos.

La radio de Jürgen crepitó inesperadamente, y el hombre se incorporó para rebuscar en un bolsillo y sacarla. Cuando se puso a hablar con su hermano en alemán, agitó efusivamente la petaca en el aire.

Aunque el chico no entendía de qué estaban hablando, por parte de Jürgen la conversación se hizo bastante lacónica al cabo de poco rato.

Will aprovechó la oportunidad para hablar con Elliott.

—¿Estás mejor ya? —le peguntó en voz baja.

Ella asintió con la cabeza, aunque su rostro todavía no demostraba que realmente estuviera mejor.

—Todo esto ha sido demasiado para ti... para todos, vamos. Has recibido un gran impacto emocional, eso es todo —dijo, en un intento de darle una explicación racional.

Ella volvió a asentir, y al mismo tiempo tuvo un escalofrío a pesar del calor.

—No tienes por qué volver a entrar de nuevo —dijo Will—. No, tal vez sea lo mejor. Podemos marcharnos de este lugar, tú y yo, y no volver aquí nunca más.

Jürgen terminó de hablar por la radio. Parecía furioso.

—¿Qué sucede? ¿Werner y Karl van a reunirse con nosotros? —le preguntó Will.

—Sí, pero mi hermano dice que tengo que estar equivocado sobre lo que hemos encontrado. Ha llegado incluso a acusarme de beber demasiado cuando le describí lo que hemos visto. Mi propio hermano no me cree. —Jürgen había estado a punto de darle otro trago a la petaca, pero en vez de eso súbitamente apartó la cabeza con una sacudida, como si algo le hubiera picado—. Pero ¿de qué estamos hablando aquí, Will? —Se hizo un silencio de varios segundos antes de que continuara—: Si aceptamos que la nueva pirámide sin revestimiento y la torre están conectadas, y todos los indicios apuntan a eso…

—Y los antepasados de Tronco construyeron encima de las pirámides hace muchos miles de años… —añadió Will.

—Entonces acabamos de presenciar una demostración de tecnología que podría adelantar la fecha de aparición del *Homo sapiens* como especie en…, bueno, ¿quién sabe cuánto tiempo? Y el gran interrogante es cómo llegó aquí. Y puede que la respuesta correcta sea que no es terrestre.

—¿Que no es terrestre? —repitió Will con el ceño puesto—. Pero los antepasados de mi padre debieron haber estado por aquí en aquella época, porque vieron esas vistas del planeta.

—¿Cómo deduces eso? —se apresuró a cuestionarle el neogermano.

—Fueron capaces de dibujar sus mapas dentro de la pirámide a partir de esas vistas. Por eso son tan precisos —respondió Will—. De donde se desprende que la tecnología estaba ya en uso.

—Es posible —admitió Jürgen, al que se le ocurrió algo cuando levantaba la petaca—. Pero a propósito de esas vistas… Están tomadas desde el espacio exterior, pero ¿con qué están captadas? —preguntó con una voz extrañamente inexpresiva—. ¿Y de cuándo son? Esto es, ¿de qué época?

Will no había tenido ninguna oportunidad de examinar las escenas mientras éstas habían estado moviéndose en las paredes, pero dado el tamaño y aspecto de Londres en las imágenes, no se le había ocurrido que fueran otra cosa que actuales. Estaba a punto de comentarlo, cuando Elliott se movió.

—De ahora —dijo ella, y su voz resultó apenas audible a causa de que seguía teniendo la cara apretada contra Will.

—¿Así que son actuales? ¿Quieres decir que son imágenes en vivo? ¿Cómo lo sabes? —le preguntó Will gentilmente.

—Lo sé, y punto.

Jürgen había estado mirando fijamente hacia los campos de tierra que se estaban agrisando poco a poco bajo el inclemente calor del sol, pero en ese momento giró la cabeza hacia Will.

—Es evidente que la tecnología, toda la tecnología que hemos visto hasta el momento, parece tener alguna especie de empatía con tu amiga. A excepción de Elliott, ninguno tenemos control alguno sobre ella. Y la razón de ello tiene que ser que lleva la sangre de los invasores.

—Te refieres a los styx —dijo Will, que le dio un achuchón a Elliott con el brazo para consolarla. Habría preferido que ella no estuviera oyendo nada de aquello. Pero también le parecía que sería irracional pedirle al ya ligeramente ebrio neogermano que cerrara el pico, porque podría tomárselo a mal.

Y, además, también la cabeza de Will era un avispero mientras consideraba todas las posibilidades.

—Sí, los styx. —Jürgen avanzó un único paso, como para afianzarse—. Así que, Will, ¿significa eso que los styx, o sus predecesores, estuvieron...? —Pareció fallarle la voz. El neogermano se aclaró la garganta—. ¿Estamos hablando de...?

Will miró al hombre a los ojos, esperando la siguiente palabra.

—¿Hablando de...? —dijo Jürgen en un medio susurro.

Allí, en el sombreado lado de sotavento de la torre, acompañados únicamente del canto de los pájaros y los ocasionales fragmentos de las oraciones mascullados por Tronco, ni Will ni Jürgen se sintieron preparados para decir la palabra.

Era demasiado estrafalario, demasiado grotesco, ¿y cómo se relacionaba con la evolución de los humanos?

¿Y con la historia del mundo?

Las conclusiones eran demasiado grandes para pensar en ellas.

Will le dio otro achuchón a Elliott.

—¿Extraterrestres? —dijo.

10

Chester y Martha avanzaban a paso vivo entre dos campos por un sendero vallado, con Stephanie pegada a ellos como una lapa.

—Ya casi estamos en casa, cariño mío —dijo en un arrullo Martha cuando él divisó la pequeña granja más adelante.

Entonces, al mirar por casualidad por encima de la valla hacia uno de los lados, algo llamó la atención del chico e hizo que se detuviera en seco.

—¡Dios mío! ¿Quién demonios hizo eso? —exclamó con un grito ahogado, retrocediendo ante la visión de los cadáveres putrefactos de ovejas que se esparcían por todo el lugar. Los cuerpos brutalmente despedazados habían sido eviscerados, y sus órganos habían sido diseminados por el suelo—. ¿Los Armagi?

—No, fueron mis relámpagos —respondió Martha sin ocultar su orgullo. No había aminorado la marcha y seguía su camino hacia la granja—. Tienen que comer, igual que nosotros.

—No exactamente igual que nosotros —susurró Chester. Se quedó donde estaba y continuó mirando, mientras más adelante en el camino Martha soltó un par de silbidos graves y agitó la mano. Cualquiera habría pensado que estaba dándole órdenes a unos perros pastores y no a aquellas extrañas y fabulosas criaturas de las profundidades de la Tierra.

Como si fueran hilachas de humo o niebla atrapadas en un viento muy fuerte, los relámpagos pasaron a tal velocidad por encima de la cabeza de Chester que le resultó imposible verlos con claridad. Martha silbó una vez más e hizo un rápido movimiento con los dedos en dirección al campo.

—Ah, aquí están —dijo el chico para sí cuando varios relámpagos aparecieron sobre el campo como si se acabaran de materializar de la nada.

Estaban revoloteando a varios metros de altura, y por una vez permanecieron en un lugar a la suficiente distancia para que pudiera distinguir los cuerpos largos y las alas blancas mientras batían el aire.

—¿Qué están haciendo? —se preguntó entre dientes, y entonces reparó en un pequeño hato de ovejas que estaba pastando justamente debajo de los relámpagos. Los rumiantes miraban de forma inexpresiva en dirección a Martha, probablemente preguntándose qué estaba haciendo aquella loca que emitía ruidos absurdos y agitaba los brazos de aquí para allá.

No tenían ni idea de lo que estaba a punto de caerles encima. Acatando un silbido de la mujer, los relámpagos simplemente se lanzaron en picado hacia el suelo. Chester alcanzó a ver a las «hadas» de Martha más próximas a él, distinguiendo las bocas completamente abiertas y las hileras de despiadadas púas serradas que dejaban a la vista. Con las alas marfileñas desplegadas, cada relámpago aterrizó sobre el animal que había escogido y lo inmovilizó contra el suelo, de manera que resultaba casi imposible distinguir a alguno por encima del pasto cubierto de escarcha. Y también era imposible ver lo que les estaban haciendo a las pobres ovejas que tenían debajo, algo por lo que Chester se sintió sumamente agradecido.

—Es nauseabundo —masculló volviendo a mirar las

ovejas mutiladas del campo que tenía más cerca, cuando Stephanie se paró a su lado.

—Sí, repugnante —convino ella mientras se apoyó en un poste de la valla—. Pero estoy muy contenta de haber conseguido darte alcance, Chester —dijo sonriendo—. La verdad es que pensé que no te volvería a ver nunca más.

Del lugar donde el relámpago más cercano se estaba alimentando de una oveja, les llegaba el sonido del chupeteo que hacía al arrancar la carne. Cuando batió las alas una vez y se volvió a posar para seguir atiborrándose, desechó algo que relucía por la sangre que fue a parar sobre la hierba helada. Chester hizo una mueca cuando vio que se trataba del corazón de la oveja. Y que seguía latiendo.

Ante su falta de reacción, dedujo que Stephanie no había reparado sin duda en la víscera.

—Y gracias por lidiar con Martha antes. No sabía que fuera así —dijo ella.

Chester había estado totalmente absorto en el macabro espectáculo del campo, pero en ese momento lanzó una mirada a Martha para ver si les estaba mirando y al mismo tiempo se apresuró a apartarse de la chica echándose hacia un lado.

—Pero ¿qué… qué es lo que le dijiste? —le preguntó ella.

—¡Ahora no! —respondió Chester con un susurro ronco, evitando intencionadamente mirarla—. Mantente alejada de mí cuando ella esté cerca. Es muy celosa y te matará.

—Ah —dijo Stephanie, y él echó a andar inmediatamente hacia Martha en dirección a la granja. Stephanie se quedó donde estaba durante unos segundos, aparentemente un poco desconcertada, y luego también siguió avanzando por el sendero.

La casa era una construcción elemental de ladrillo rojo, pero después de la noche que Chester había pasado en el submarino y la revelación sobre Danforth, dio gracias por estar al resguardo del frío y en algún lugar donde pudiera sentarse en silencio durante un rato. Sin molestarse en quitarse el abrigo, se dejó caer en el sofá del salón sujetando todavía la escopeta vacía y se dedicó a observar a Martha, que estaba encendiendo la chimenea. La mujer montó un considerable alboroto hasta que consiguió caldear la pieza con un fuego crepitante. Stephanie, acatando la advertencia de Chester, escogió cuidadosamente algún sitio donde sentarse en la otra punta de la habitación, donde se puso a hojear una vieja revista que había encontrado.

—¿Así que no había nadie en este lugar cuando llegaste? —preguntó Chester.

—Estaba cerrado a cal y canto —contestó Martha, dirigiéndose a la entrada—. ¿Tienes hambre?

—Puedes jurarlo. ¿Qué tenemos en el menú? —preguntó el chico.

—Oveja —respondió Martha—. Es lo único que abunda en los alrededores.

—¿De verdad quieres decir que «sólo» hay oveja? —dijo Chester, incorporándose en el sofá.

—Sí, sólo oveja. Nada más. Te lo prometo —dijo Martha dedicándole una sonrisa aviesa.

—Pu... es, bueeee... no —dijo el muchacho en medio de un bostezo mientras Martha salía a toda prisa hacia la cocina.

En cuanto se hubo ido, Stepahnie carraspeó para llamar la atención de Chester. Cuando éste se giró para mirarla, la expresión ceñuda de la chica le dijo: «¿De qué iba todo eso?», pero él se limitó a negar con la cabeza.

Desde el final del pasillo les llegaba el ruido de Martha trasteando en la cocina.

—Está ocupada allí dentro..., no nos puede oír —susurró Stephanie.

—No te fíes —le respondió él, también en un susurro—. No vale la pena arriesgarse.

Con un encogimiento de hombros Stephanie volvió a hojear su revista y Chester dormitó en el sofá hasta que Martha reapareció finalmente con unos cuencos de comida humeantes, que comieron sentados a la mesa en completo silencio.

Bueno, casi en completo silencio. A Chester le sorprendió el acusado contraste entre la forma de comer de sus dos compañeras de mesa. Martha, con los modales típicos de la mayoría de los colonos cuando se trataba de comer, murmuraba de vez en cuando para sus adentros mientras sorbía el contenido de su cuchara y masticaba con la boca abierta. El ruido era espantoso, y daba la sensación de estar poniendo todo de su parte para resultar lo más repugnante posible.

Y luego estaba Stephanie, arrebatadoramente atractiva en el otro extremo de la mesa, con unos modales impecables mientras manejaba delicadamente el tenedor.

Lo único que ambas mujeres tenían en común era el color rojizo del pelo, aparte de que podrían haber pertenecido perfectamente a especies diferentes.

«Dios mío, me estoy empezando a parecer a Will», pensó Chester. Y a partir de ahí empezó a pensar en su amigo, deseando que tanto él como Elliott hubieran sobrevivido a su misión y estuvieran a salvo en algún lugar. Se acordó entonces de los momentos que habían pasado juntos; de ninguna manera habían sido fáciles, pero habían sabido compartir la carga y los padecimientos. Un vacío doloroso en su interior le recordó lo mucho que echaba de menos su compañía.

—¿Todo bien, cielo mío? —indagó Martha, al darse

cuenta de que él había dejado de comer. Chester podía ver las hebras de carne de cordero que asomaban en las oquedades de la dentadura de la mujer.

Asintió con la cabeza y volvió a centrarse en su cuenco, y aprovechando que Martha tenía la cabeza agachada y se llevaba un bocado a la boca, intercambió una sonrisa clandestina con Stephanie.

Pero a pesar de la presencia de la chica, se sentía solo.

Suspiró cuando terminó su cuenco de estofado, que realmente había resultado bastante apetitoso. Cuando Martha también terminó, Stephanie se ofreció a recoger la mesa. Pero la anfitriona nunca lo habría permitido; apiló cuidadosamente los cuencos uno encima de otro, se dirigió a la puerta de entrada y simplemente los arrojó fuera, donde aterrizaron estruendosamente sobre el patio adoquinado.

—Ya está —dijo frotándose las manos.

—El guiso estaba fantástico. Gracias —comentó Chester, ligeramente sorprendido por lo que acababa de hacer la mujer, aunque en absoluto dispuesto a hacer comentario alguno sobre su estilo harto peculiar como ama de casa.

—Sí, gracias —dijo Stephanie.

Martha, que no había mirado ni una sola vez en dirección a la chica, ni durante ni después de la comida, estaba observando embobada a Chester con su habitual sonrisa de oreja a oreja en la cara.

—Debería ir a buscar un poco más de leña para poder seguir avivando el fuego —propuso la mujer—. Quiero que te encuentres cómodo y a gusto aquí dentro.

El chico le hizo un gesto de agradecimiento con la cabeza, y cuando Martha salió, se acercó a la ventana desde donde podía verla y se apoyó en el alféizar. Aunque ella estaba a unos nueve metros de distancia, sabía que él estaba allí y no dejaba de mirarle y de saludarle con aquel extraño gesto de la mano.

Chester fingió rascarse la nariz para enmascarar que estaba hablando.

—Quédate en ese otro lado de la habitación —le advirtió a Stephanie—. Ni te imaginas lo cerca que estuvo Martha de matarte. ¿En qué estabas pensando cuando me seguiste? No se necesita mucho para hacerla estallar. Y se puede volver loca perdida.

—No lo entiendo… Entonces, ¿por qué has venido con ella? —preguntó Stephanie.

—Porque me traía sin cuidado. Y me trae sin cuidado, y de todas formas, es mejor que estar cerca de Parry y sus apestosas mentiras.

—En su momento, él no supo lo que Danforth andaba planeando —le rebatió ella.

—Pero sí después, y fue demasiado cobarde para decírmelo. Eso es lo que duele —dijo Chester. Aunque estaba lleno de ira, consiguió mostrarle una sonrisa radiante a Martha cuando ella le volvió a saludar con la mano—. Ahora, es mejor que dejemos de hablar. Podría sospechar.

—Antes cuéntame qué le dijiste —preguntó perentoriamente Stephanie.

Chester suspiró.

—Tuve que pensar rápidamente en algo. No me resultó fácil decirlo, pero le dije que ahora que mi madre estaba muerta, ella era mi madre. Y también le dije que la única razón de que tú y yo fuéramos amigos se debía a que me recordabas mucho a mi hermana. —Tomó aire—. ¿Sabías que cuando era niño un idiota que había robado un coche la atropelló y la mató?

—No lo sabía —reconoció Stephanie en voz baja—. ¿Y es verdad eso? ¿De verdad te recuerdo a tu hermana?

—No —respondió él—. No te pareces en nada. Ella era

tímida, bajita y un poco regordeta. Pero tenía que darle a Martha una buena razón, o habría supuesto que eras mi novia, y eso habría significado tu fin.

—¿Así que soy tu novia? —Stephanie lo preguntó al cabo de un rato, buscando los ojos de Chester con la mirada.

El chico intentó reprimir una leve sonrisa, entre otras razones porque Martha se dirigía de vuelta a la casa con un brazado de leña.

—Supongo que sí. Si ambos vivimos lo suficiente para que eso signifique algo.

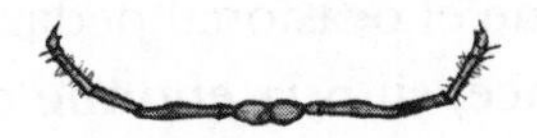

Werner estaba lo bastante lejos del Kübelwagen para que Karl no le pudiera oír mascullar y maldecir después de terminar la conversación por radio con su hermano.

Por si no fuera suficiente que hubieran sobrevivido a una granizada de piedras y que media jungla pareciera haberse desplomado alrededor de ellos, encontraba lo que su hermano tenía que decirle muy difícil de creer. No sé qué acerca de una nueva torre en la que había contemplado unas vistas de la tierra tomadas desde el espacio exterior. ¿Había perdido completamente la chaveta o había estado bebiendo? «¡Por Dios bendito!», soltó, dándole una patada a una piedra tirada en el camino, lo que lamentó acto seguido al descubrir que era más pesada de lo que había previsto.

Después de recorrer cojeando la distancia que lo separaba del vehículo, recogió a Karl y partieron a pie. El camino, ahora lleno de escombros, era intransitable para las pequeñas ruedas del Kübelwagen. En consecuencia, sus alternativas eran ir a buscar el semioruga adonde Jürgen lo había dejado y abrirse camino por la fuerza para regresar a la ciudad, o hacer todo el camino andando para reunirse con su hermano.

Por lo demás, Werner iba alternando la preocupación por su hermano con su curiosidad por lo que el antropólogo generalmente sensato había estado barbotando por la radio. Pero las pruebas de que había sucedido algo trascendental le rodeaban por doquier, y quería llegar al fondo del asunto por sí mismo.

Sin embargo, el viaje resultó ser un reto considerablemente mayor de lo que había imaginado; en cuanto él y Karl hubieron dejado el sendero principal y se internaron en la selva, ya no fue el ocasional pedazo de sillería el que dificultaba su avance, sino la enorme cantidad de follaje machacado que estaba diseminado por todas partes.

Toda aquella vegetación arrancada y triturada seguía depositándose, porque cada cierto tiempo ramas enteras o raíces que habían quedado colgadas en lo alto de los gigantescos árboles caían al suelo. Así que no sólo tenían que trepar por los restos depositados entre los árboles indemnes de la selva, sino que también se veían obligados a estar atentos a cualquier cosa que pudiera caerles desde arriba.

A medida que siguieron avanzando por la selva, la cantidad de vegetación desplazada fue en aumento, hasta que terminaron por intentar circunnavegar los pequeños montículos que formaba. Entonces, por fin, los árboles se fueron haciendo más escasos, y salieron a una descomunal extensión de tierra pelada.

El niño miró inquisitivamente a su tío.

—Lo sé, es increíble —dijo el hombre—. Mira eso.

Y eso hicieron durante un rato, mirar la nueva forma de la pirámide y luego la increíble visión de la torre a lo lejos.

—Puede que, a fin de cuentas, mi hermano no haya

perdido la razón —dijo Werner entre dientes, y empezaron a atravesar los campos de tierra calcinada por el sol de aquel nuevo paisaje.

Jürgen se había apostado junto a la base de la torre atento a su llegada y, cuando los divisó a lo lejos, salió corriendo a recibirlos.

Elliott, todavía ligeramente alterada, se había instalado en la cámara de la entrada de la torre acompañada de su nueva sombra, Tronco. En cuanto entró de nuevo en la torre, experimentó un cambio radical y dio la sensación de sentirse bastante más tranquila. También siguió la sugerencia de Will de que se tumbara con la cabeza apoyada en la cazadora enrollada, y no tardó en abandonarse al sueño.

Jürgen regresó finalmente con su hermano y su hijo. Al ver que Elliott estaba profundamente dormida, le indicó por gestos a Will que tenía la intención de llevar arriba a los otros dos, y los tres se alejaron de puntillas.

El chico se encontró sin nada que hacer. No queriendo alejarse demasiado de Elliott por si se despertaba, mató el tiempo examinando exhaustivamente las paredes de la cámara de entrada, dedicándose a golpearlas con los nudillos para ver si podía encontrar algo. Después volvió su atención a las dos grandes columnas con la intención de conjeturar qué eran y también comprobar si podía producir alguna clase de cambio tocando sus superficies, tal como Elliott parecía ser capaz de hacer. Casi había terminado de explorar hasta el último centímetro a su alcance de las columnas, cuando una voz detrás de él le hizo pegar un respingo.

—Eh, déjame a mí —dijo Elliott. Se restregó los ojos, y no parecía estar totalmente despierta cuando avanzó un paso y rozó con la mano la columna que Will tenía delante de la mano.

No había habido nada que demostrara que la zona concreta que había seleccionado fuera en absoluto diferente al resto de la superficie gris mate, pero bajo la punta de los dedos de Elliott un motivo tridente se iluminó con un azul reluciente. A la derecha del símbolo una puerta se deslizó silenciosamente dentro del cilindro y dejó a la vista una cámara inundada de una luz lechosa.

Will enmudeció. Bien podría haber estado ejecutando un nuevo y extraño baile cuando, cambiando el peso del cuerpo de un pie a otro, tensó los brazos por la frustración y al mismo tiempo intentó encogerse de hombros.

—No lo entiendo —manifestó por fin, girando en redondo hacia Elliott—. ¿Por qué sólo tú puedes hacer que esta cosa funcione?

—No lo sé —admitió ella, masajeándose el hombro para relajar los músculos después de la siesta en el suelo duro. Ya parecía más relajada; el descanso le había ayudado a superar la impresión por lo sucedido en lo alto de la torre. Pero ahora era Will el que se estaba poniendo cada vez más nervioso.

—Pero ¿qué es lo que te hace diferente del resto de nosotros? ¿Es porque eres medio styx? —sugirió él, y la sospecha le hizo entrecerrar los ojos—. ¿O me ocultas algo? ¿Por qué Tronco y sus colegas no manifestaron ninguna muestra de cariño por las gemelas Rebecca, Vane o, ya puestos, por ninguno de los demás styx cuando aparecieron en este mundo?

—¿Es posible que mi sangre le cambiara? —dijo Elliott con el entrecejo fruncido—. O quizá se deba a que Tronco y todos los demás nativos mantenían las distancias. Me contó que pensaban que los styx eran como los neogermanos, nada más que otro montón de gente que entraron en su tierra a la fuerza. —Guardó silencio un instante, y su ceño se intensificó cuando tocó la columna dos veces, haciendo que la puerta se cerrara y se abriera de nuevo—. ¿Y cómo sé estas cosas?, bueno, ya te lo dije, es como algo que recuerdas de un sueño. Parece muy real, pero al mismo tiempo sabes que no puede serlo porque en realidad no sucedió.

—Gracias, eso lo aclara todo tanto —dijo Will levantando una ceja y sonriendo abiertamente— como el barro.

—Sé que parece una locura. —Elliott se miró los pies mientras se frotaba la frente—. Y me siento como si hubiera más aquí dentro, aunque ahora mismo no te puedo decir exactamente qué es.

—¿Hubiera? Pero ¿tienes que tener alguna idea de qué se trata? —replicó él.

Elliott se echó a reír por lo raro que era todo.

—No sabré lo que sé hasta que tenga que saberlo.

—¿Te importa volver a explicarme eso? —Will se rió entre dientes, aunque al mismo tiempo la confusión le hizo sacudir la cabeza. Se volvió hacia la columna donde la puerta continuaba abierta—. Aunque quizá debiéramos averiguar qué están haciendo Jürgen y su hermano allí arriba. Esto es, si se me permite subir en el ascensor y no tengo que pegarme una caminata hasta arriba como el resto de nosotros, los despreciables humanos.

Ella le dio un puñetazo cariñoso en el pecho riéndose.

—Vamos, despreciable humano —dijo.

Como era de esperar, Tronco no iba a ser excluido del paseo, y también se coló en el ascensor.

Elliott tocó un panel liso deslizando la mano hacia arriba, y la puerta se cerró inmediatamente.

Will miraba con atención todo lo que le rodeaba mientras mascullaba:

—Seguro como en casa.

—¿Qué dices? —preguntó Elliott.

—No, nada, sólo me acordaba de lo mucho que Chester detestaba los ascensores —explicó Will—. Después de aquél tan poco fiable de la Colonia.

—Espero que se encuentre bien, dondequiera que esté —comentó Elliott.

—Yo también, pero, vamos... Tronco y yo estamos esperando, ¿por qué no has pulsado el botón de subida? —preguntó él.

—Ya lo he hecho.

La puerta se volvió a abrir y ante ellos estaban Jürgen y Werner, sumidos en lo que parecía un acalorado cruce de palabras, mientras Karl escuchaba a hurtadillas con los ojos muy abiertos a causa del susto que llevaba. Los dos hermanos neogermanos se callaron de inmediato, y su expresión resultó bastante cómica cuando vieron a Elliott salir del ascensor flanqueada por Will y el nativo.

—Ah, hola —dijo Werner.

—Elliott —terció Jürgen antes de que su hermano pudiera decir una palabra más—, supongo que es pedirte mucho, pero ¿te importaría demostrar a estos dos —dijo, indicando a Werner y a Karl— que no estaba alucinando ahí arriba? ¿Te importaría mostrarles lo que puedes hacer en la planta superior?

A Will le indignó la petición.

—¡Oiga, que mi amiga no es ningún mono de feria, sabe! —explotó, y pasó a repetir una frase que le había oído a su padre en una ocasión—: No me parece justo por su parte...

—No hay ningún problema —le interrumpió Elliott, que se aproximó al tramo de escaleras que conducía al nivel superior de la torre. En cuanto estuvo en el piso superior, se dirigió directamente a la pequeña ménsula y posó la mano en la superficie.

Todos observaron atónitos y en silencio cómo el muro circular se llenaba de nuevo con las imágenes múltiples de la tierra y el azul oscuro de los océanos, con las etéreas nubes de la atmósfera y los verdes parduscos de las masas terrestres.

Will volvía a estar fascinado.

—No lo entiendo. Estas vistas tienen que provenir de algo que esté flotando alrededor de la Tierra, como un satélite, o satélites, pero... ¿por qué a estas alturas no habían sido descubiertas? Sobre todo si tenemos en cuenta que deben de llevar allí desde la noche de los tiempos —razonó en voz alta mientras se volvía hacia los hermanos neogermanos. Sin embargo, éstos parecían estar demasiado atónitos para decir algo.

Karl le había cogido la mano a su padre mientras los dos miraban asombrados, y Werner se estaba riendo y sacudía la cabeza sin dejar de repetir: «¿Cómo es posible?» una y otra vez, absortos los tres en las imágenes del mundo exterior en el que en realidad no habían estado nunca.

Entonces Werner interrumpió su salmodia.

—Pero ¿de verdad están tomadas «ahora»?

Will estaba al lado de Elliott cuando ella tocó distintas partes de la ménsula, y las líneas y símbolos azules resplandecieron mientras las yemas de sus dedos bailaban encima.

—Por supuesto que sí —confirmó la chica.

—Entonces, ¿puedes enseñarme Alemania, por favor? —solicitó Werner.

Elliott había estado moviendo los dedos sobre la ménsula, pero entonces se inclinó hacia Will.

—Tendrás que ayudarme a encontrarla.

El chico se dio cuenta en ese momento de que naturalmente no estaba familiarizada con la topografía del mundo, porque ¿cómo lo iba a estar si se había pasado prácticamente toda la vida en la Colonia de las Profundidades?

—Allí —dijo Will señalando—. Cerca de esa parte donde se está poniendo el sol.

Toda Europa Central llenaba ahora las paredes, aunque hacia el oeste una sombra oscura estaba avanzando mientras empezaba a anochecer.

—Ahora, acércate a esa zona… —la guió señalando parte de la pared—, pero más a la izquierda.

—¡Mira, Jürgen, ahí está el Ruhr! —exclamó Werner con excitación—. Y allí Colonia… y Essen, donde crecieron nuestros padres. ¿No es increíble?

No era tan fácil ver el río ni los valles circundantes porque la noche estaba cayendo sobre la zona, aunque las luces del alumbrado público de los diferentes pueblos y ciudades a lo largo del río chispeaban.

—Muy bien, ¿podemos ir ahora al oeste, hacia Inglaterra? Me gustaría echarle otro vistazo —pidió Will, que volvió a indicar a Elliott hacia dónde tenía que mover el foco. El muro titiló, pero se estabilizó cuando apareció Francia, cuyas ciudades brillaban en el cielo nocturno.

—Ahora sube —indicó Will, y Elliott movió la vista a través del canal de la Mancha y allí se detuvo—. ¡Ahí está de nuevo! —exclamó él presa de la excitación, y entonces se hizo un silencio momentáneo—. Pero ¿por qué está tan oscuro?

No les había parecido que sucediera nada anormal la última vez que vieron Inglaterra, aunque es verdad que entonces la había visto a la luz del día. La imagen que los recibió en ese momento era alarmantemente distinta. No había ni rastro de la estela de iluminación que uno esperaría encontrar en Londres o de hecho en cualquiera de las ciudades importantes del sudeste.

—Eso no puede estar bien —observó Will, intentando encontrarle una explicación a la oscuridad—. Acércate un poco más, ¿te importa?

Elliott lo hizo, y así pudieron ver que había un reducido número de zonas de la capital que estaban iluminadas, aunque éstas eran pocas y alejadas entre sí. Y había otras que irradiaban un tipo de luz diferente, de un tono rojizo.

—No. ¿Son incendios? —preguntó Will con voz tenue—. ¿Qué está pasando ahí abajo? —Miró a Elliott—. A menos que haya algún enorme corte de energía eléctrica en todo el Reino Unido, va todo terriblemente mal.

—Bueno, quizá mi padre y Parry no detuvieran la Fase y... —empezó a decir Elliott.

—Y los styx ya le han hecho «eso» a Inglaterra —terminó por ella Will, incapaz de apartar la vista de la preocupante oscuridad que envolvía Londres.

Elliott apartó la mano de la ménsula y la imagen se extinguió inmediatamente.

—No sólo ellos —señaló la chica—. Puede que también tengan algo que ver los Armagi.

Lleno de aprensión, Will aplastó un puño contra la palma de su otra mano.

—Tengo que encontrar la manera de regresar —manifestó—. Si es que no es demasiado tarde ya.

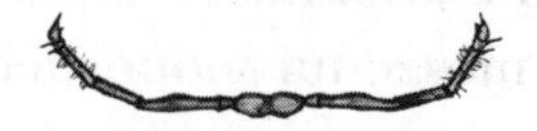

Drake y Jiggs avanzaron sigilosamente a plena luz del día por el aeródromo abandonado, hasta que encontraron el módulo donde solían situarse los encargados de la seguridad. La puerta no estaba cerrada con llave y no había nadie dentro, ni tampoco indicio de vehículo alguno.

Jiggs le dio al interruptor de la luz varias veces.

—No hay luz. Alguien se olvidó de pagar la factura —comentó.

Drake se había dirigido directamente al teléfono que había encima de una de las mesas.

—Esto también está muerto —dijo. Cuando volvió a dejar el receptor, reparó en un vaso de polietileno que contenía un té sin acabar—. En ese sitio solía haber guardia las veinticuatro horas, pero a esta bebida le están saliendo hongos. Se diría que aquí no ha estado nadie... —hizo una mueca cuando examinó los hongos de la taza— desde hace semanas. Me pregunto por qué. —Drake miró las franjas de luz que penetraban entre las lamas de las persianas, donde las motas de polvo bailaban lentamente—. De todas formas, lo prioritario es ponerse en contacto con mi padre o con Eddie. Determinemos cuál es la manera más rápida de hacerlo sin correr ningún peligro.

Dentro del mismo módulo realizaron una comprobación del equipo, para lo que extendieron cada uno de los utensilios sobre el suelo. El problema era que muchos de los artículos que Drake había llevado consigo o transportado en la Bergen habían resultado quemados seriamente por la explosión nuclear.

—Éste está absolutamente inservible. Tiene los circuitos achicharrados —dijo Drake, lanzándole su teléfono vía satélite a Jiggs, que también probó a hacerlo funcionar—. Bueno, tenemos algunas armas y munición, un par de cohetes propulsores vacíos, mi monocular, un rastreador y un par de balizas.

—Y mi radio de onda corta hecha polvo, que no nos llevará a ninguna parte —añadió Jiggs, poniéndola encima del montón. Cuando empezaron a guardar el equipo de nuevo, Drake se desplomó sobre la silla de una de las mesas.

—Tenemos que llegar a la casa más próxima con teléfono y dejar un mensaje en el servidor remoto —dijo—. Como no tenemos ni idea de adónde ha llegado Parry, es la única manera que se me ocurre de contactar con él y averiguar en qué punto se encuentra la operación aquí en la Superficie.

—Estoy de acuerdo, pero a menos que tengamos suerte

y encontremos un vehículo, vamos a tener que ir por la vía lenta, a pie —le retrucó Jiggs, balanceando la Bergen para ponérsela en los hombros.

—Pues que así sea —dijo Drake, que a duras penas consiguió levantarse.

Aunque todavía era invierno, el sol brillaba con intensidad en el cielo sin nubes cuando se metieron por una abertura de la reja perimetral del aeródromo y se dirigieron a la carretera más próxima cruzando un pastizal silvestre.

—Hace calor para esta época del año —comentó Jiggs, desabrochándose otro botón de la camisa.

Drake trataba de que el sol le diera en la cara.

—Esto es gloria bendita. Resulta gracioso la de cosas que uno no valora —dijo conmovedoramente, permitiéndose cerrar los ojos un instante—. He debido de estar bajo el sol de la mañana miles de veces en días exactamente iguales a éste, pero es la primera vez que lo «siento» de verdad.

Atravesaron un seto, bajaron con dificultad un talud cubierto de hierba y se encontraron en una carretera secundaria. Sus botas hacían un ruido sordo sobre el asfalto mientras caminaban todo lo deprisa que podía Drake, sin que ninguno de los dos comentara nada sobre las ramas y escombros esparcidos por todas partes. La carretera no debería haber estado en tan malas condiciones, salvo que hubiera habido vientos tormentosos, y ninguno vio alguna otra prueba de tal cosa.

Drake señaló una pequeña zona boscosa.

—Ahí es donde escondí el Range Rover cuando dejé a Will y al pobre viejo doctor. —Se rió para sí—. Eso no fue hace mucho, pero ahora se me antoja toda una vida.

—Espera —le interrumpió Jiggs, haciendo que ambos

se detuvieran—. ¿Ves ese vehículo de ahí delante? —Desabrochó la funda de su cartuchera, pero no sacó su arma corta.

—Entiendo —dijo Drake.

Avanzaron lentamente hacia el coche tomándose su tiempo, porque el vehículo había sido abandonado atravesado en la carretera, lo que imposibilitaba la circulación.

—Alguien se detuvo a toda prisa —observó Drake, dirigiendo a Jiggs hacia las marcas del derrapaje—. ¿Qué ha pasado aquí?

Pero Jiggs ya estaba junto a la puerta del conductor mirándola atentamente.

—Qué extraño es esto. —El panel de la puerta estaba hundido hacia dentro, como si hubiera recibido un impacto lateral de cierta consideración; la ventanilla se había roto y los trozos de cristal estaban esparcidos por la carretera—. La llave sigue en el contacto, y hay sangre seca en el asiento —dijo cuando metió la cabeza en el coche.

—También aquí, por donde alguien fue arrastrado —corroboró Drake mientras se alejaba del coche siguiendo las manchas oscuras de sangre—. Pero no hay rastro de ningún cuerpo, tan sólo algunas pertenencias personales. —Recogió un billetero y un móvil de la cuneta de desagüe en el lateral de la carretera.

—No lo entiendo —dijo Jiggs, tratando de reconstruir lo que había sucedido—. Algo chocó contra el coche, algo duro, ¿y el conductor fue sacado de un tirón por la ventanilla? —preguntó, al tiempo que se agachaba para examinar los trozos de tela desgarrados que se habían enganchado en los bordes rotos del cristal y toda la sangre en el exterior de la puerta.

Drake estaba comprobando si el móvil funcionaba.

—¡Normal! No da señal —dijo—, aunque podría deberse a que la batería está muy baja. —Acto seguido se puso a registrar el billetero que había encontrado—. El conductor era de aquí —empezó a decir, pero entonces dejó caer la cartera súbitamente y empezó a tambalearse.

Al advertir que pasaba algo, Jiggs le ayudó a acercarse al coche.

—Lo siento —se disculpó Drake—. Me fallaron las piernas de repente.

Jiggs miró con preocupación la pátina que el sudor reciente había dejado en su cara y su forma de temblar cuando se apoyó en el coche.

—Es mejor que entres, y que vayamos inmediatamente a buscar el pueblo más próximo —sugirió—. Tengo que llevarte a un hospital.

El coche arrancó sin problemas y se pusieron en marcha por la carretera. No llevaban conduciendo más de cinco minutos cuando llegaron a un pequeño puente curvo, donde tuvieron que detenerse con un chirriar de frenos porque la carretera estaba cortada por un grupo de unos veinte hombres. Algunos empuñaban escopetas y rifles de pequeño calibre, mientras que otros iban armados con zapapicos e incluso con horcas.

—¡Cielo santo! ¿Es que estamos a punto de ser masacrados por una partida de linchamiento? —preguntó Jiggs.

—Supongo que estamos en Norfolk —replicó Drake.

Un hombre corpulento con una chaqueta de *tweed* salió del grupo.

—Caballeros, ¿les importaría salir del coche? —les pidió—. Y por el bien de todos, ¡apaguen ese motor!

Drake empezó a toser con una tos tan áspera que daba angustia oírle. Jiggs se asomó por la ventanilla rota, pero no apagó el motor.

—¿Por qué? —preguntó—. ¿Y qué es lo que está sucediendo aquí?

—Apague el motor y salgan del coche, y luego se lo contaremos —dijo el hombre corpulento con impaciencia. Comoquiera que Drake continuara tosiendo, el hombre le echó un vistazo a la cabeza y a todas las vendas que le cubrían las quemaduras—. Su amigo… no parece encontrarse en muy buen estado.

—No lo está —respondió Jiggs, estudiando al corpulento cabecilla.

Calculó que debía tener unos sesenta y tantos años, mientras que varios de los demás parecían aún más viejos. También había en el grupo varios hombres jóvenes que a todas luces les gustaba ir armados; se percató de eso por la forma que tenían de sujetar las armas, y enseguida empezó a preocuparse por los dedos crispados sobre los gatillos.

—De acuerdo, voy a salir —aceptó Jiggs, que apagó el motor y abrió lentamente su puerta. Luego, con su fusil de asalto sujeto en alto en una mano, salió a la carretera. Se volvió hacia Drake, que parecía haberse recuperado del ataque de tos. Pero cuando éste salió de detrás de la puerta del coche y levantó por fin la cabeza, llevaba una pistola Beretta en cada mano. Intentando ignorar el dolor que sentía en el hombro herido, estaba apuntando al corpulento cabecilla con una pistola y movía la otra hacia el resto del grupo.

—¿Quiénes son todos ustedes? —exigió saber Drake—. Porque tengo la sensación de acabar de entrar en el plató de *El hombre de mimbre.* Y nunca me gustó cómo acaba esa película.

—Muy gracioso —le retrucó el corpulento cabecilla—. Sólo somos personas de la comarca que intentamos hacer todo lo que está en nuestras manos para seguir vivos. Así que sugiero que guardemos todos nuestras armas —dijo, en tono autoritario lanzando una mirada a los otros hombres que le rodeaban, que obedecieron inmediatamente—. Y usted debería hacer lo mismo —le espetó a Drake—. Y luego acompáñenme a algún lugar menos desprotegido que éste.

Jiggs llamó la atención de Drake y le hizo un gesto con la cabeza. Éste bajó las pistolas, y luego, con el corpulento cabecilla caminando entre los dos, salieron de la carretera y siguieron subiendo por un campo con una ligera pendiente.

—¿Son militares? Hemos tenido a mucha gente del ejército por aquí —dijo el hombre, moviendo rápidamente la mirada de uno a otro. Estaba jadeando a causa del ejercicio cuando llegaron arriba y se volvió hacia Drake—. ¿Y a usted qué le pasa? Respira con tanta dificultad como yo. ¿Asma?

—No, es el efecto de haber estado expuesto a la radiactividad —respondió Drake respirando entrecortadamente, y su pecho se convulsionó arriba y abajo cuando le asaltó otro ataque de tos. Tardó un momento en recuperarse, y entonces continuó—: Tiene que decirnos qué ha estado sucediendo últimamente. —Arrugó el entrecejo—. En fin, ¿a qué vienen todas esas armas? ¿Y por qué no funcionan las redes de móviles?

—¿De verdad no tiene ni idea? —preguntó con asombro el hombre.

—Suponga que no sabemos nada —replicó Drake.

El cabecilla tomó aire con un sonido sibilante antes de empezar a hablar.

—La televisión y los periódicos informaron de que se estaban produciendo ataques terroristas cuando todo empezó, y luego la cosa se convirtió en algo bastante peor. —Miró con curiosidad a Drake, como si de pronto sospechara de él—. ¿Así que no saben cómo se produjo el colapso de... todo? —preguntó, escogiendo con tiento las palabras adecuadas—. ¿Acaso ustedes dos han estado escondidos en un agujero? —inquirió.

—No anda desencaminado —contestó Drake, y entonces el hombre corpulento les hizo un gesto con la mano para que se acercaran a un bosquecillo.

—Si se han perdido toda la diversión mientras el país se iba al garete, entonces tal vez quieran ver esto —dijo, señalando por la pendiente abajo, adonde varios de los hombres más jóvenes habían permanecido junto al coche. Tenían el capó del vehículo levantado, mientras otro grupo desenrollaba el cable de un tambor—. Creemos que ellos son muy sensibles a las vibraciones que emiten los motores. Eso los atrae desde kilómetros de distancia.

—¿A quiénes se refiere? —se apresuró a preguntar Jiggs.

—A las bestias de cristal... Muy probablemente verán una dentro de un momentito.

—¿Bestias de cristal? —repitió Drake con un graznido.

—La verdad, no sabemos lo que son. Hay un grupo de ellas junto al viejo aeródromo de West Raynham... Si pasaron en coche cerca de allí, tuvieron una suerte loca de llegar tan lejos. Pero dado que han metido ese coche en nuestra zona, no tardarán mucho en dejarse caer por aquí, y no podemos tenerlas cerca o nos invadirán como a los demás pueblos.

—Pero ha hablado de bestias de cristal, ¿qué quiere decir con eso exactamente? —le acosó Jiggs.

—Es difícil describirlas —respondió el hombre—. Caen del cielo, y a veces vienen por el agua, aunque las que vienen por el agua parecen diferentes. Pero todas son igual de salvajes, y se han llevado a más gente de la nuestra que la que me gustaría recordar.

Drake y Jiggs se miraron a los ojos.

—¿Armagi? —sugirió Drake.

—¿Saben algo sobre esas bestias? —preguntó el hombre corpulento.

Drake negó con la cabeza.

—No mucho, aunque nos barruntábamos que esto podía suceder.

—Ahora es mejor que nos quitemos de la vista —dijo el hombre corpulento, y Drake y Jiggs siguieron su ejemplo cuando se tumbó sobre el suelo. Una vez allí, chasqueó los dedos, y otro hombre del grupo se acercó inmediatamente con un bolso que contenía unos telescopios bastante sofisticados colocados sobre unos pequeños trípodes y se los entregó. Cuando Drake levantó las cejas al ver el suyo, el cabecilla explicó—: Tenemos algunos mirones empedernidos en nuestro pueblo, ya sabe, observadores de pájaros, así que siempre nos permitimos el capricho de los mejores telescopios.

Cuando oyeron que el coche se ponía en marcha, el cabecilla explicó:

—Hemos dejado el motor en marcha poniéndole un peso encima al acelerador, nada que haga demasiado ruido, pero si esos seres están sobre la pista, eso los traerá aquí rápidamente, como los ratones acuden al queso. Las bestias de cristal siempre parecen viajar en parejas, y si no las detenemos aquí, siguen buscando hasta que encuentran a alguien.

Los hombres de la carretera se estaban alejando ya del coche rápidamente.

—Enfoque el telescopio sobre el coche, y eche un vistazo a su alrededor. No quiero que se pierda la entrada triunfal —ordenó el corpulento cabecilla riéndose entre dientes—. No es exactamente igual que observar a las aves en Blakeney Point.

A continuación, mientras esperaban, con voz seria y apagada empezó a narrarles a ambos lo que había estado sucediendo en la Superficie, que la policía y el ejército parecían haberse disuelto, que todos los servicios públicos —electricidad, gas, telecomunicaciones— habían dejado de funcionar de buenas a primeras.

—¿Saben?, ustedes dos me recuerdan a ciertos sujetos extraños que anduvieron por el pueblo hace algún tiempo —dijo el hombre de pronto—. Tampoco parecían saber dónde estaban. Y la razón de que me hayan venido a la cabeza es que ambos estaban cubiertos de barro, como si los acabaran de sacar del río Wensum, igual que ustedes.

Drake levantó una ceja.

—¿Y qué aspecto tenían esas personas?

—Entraron tranquilamente en mi tienda del pueblo una mañana temprano antes de abrir. En su momento, le dije a mi esposa que tenía la sensación de que iba a pasar algo pronto, y eso no fue mucho antes de que empezaran todos estos extraños sucesos y el país se fuera al garete.

—¿Podría describirlos? —preguntó Drake.

El corpulento cabecilla pensó durante un instante.

—Uno era un muchacho de aspecto montaraz, con el pelo largo y blanco como la nieve, y otro un viejo, también con el pelo muy largo, que parecía ser su pa…

—¿El viejo llevaba gafas? —le interrumpió Drake, y una gran sonrisa se extendió por su cara—. ¿Qué clase de tienda tiene usted?

El hombre corpulento puso cara de tristeza.

—Tenía. Me temo que me vi obligado a cerrarla ante la imposibilidad de recibir los suministros, pero era la tienda del pueblo, ya sabe, un supermercado con alimentos, periódicos y…

Drake había empezado a reírse entre dientes.

—Por consiguiente, vendía chocolate. ¿Por casualidad, el mayor de los dos no se atiborraría de chocolate como un niño? ¿Verdad que sí? Porque al doctor siempre le encantó el chocolate.

—¡Sí que lo hizo! —prorrumpió el hombre corpulento—. Compró varias tabletas, y le vi zampárselas en la acera.

—Will y el doctor Burrows —le comentó Drake a Jiggs,

que parecía confundido—, la primera vez que subieron desde el refugio antinuclear.

El hombre corpulento también parecía bastante desconcertado.

—Pero ¿cómo es que us…?

—Chist —les chistó alguien por detrás de ellos—. La primera bestia ha aterrizado.

Jiggs había estado concentrado en el coche mientras los otros dos hablaban, y había visto al Armagi sobrevolar los árboles y lanzarse a continuación en picado y bajar cerca del vehículo.

Drake avistó al segundo cuando surgió del curso del río debajo del puente.

—¡Dios mío, allí! ¡Ése es un Armagi! —susurró Drake horrorizado—. Adaptado a la vida en el agua.

—Y evidentemente el otro puede volar —añadió Jiggs.

—Se pueden transformar —dijo el hombre corpulento—. Pero observen eso.

Los dos Armagi se acercaron al coche, uno con las alas plegadas a la espalda, y el otro pareciendo cristal líquido cuando el agua que le cubría reflejó el intenso sol. Hubo un momento en que las dos criaturas se volvieron para mirarse una a la otra por encima del techo del vehículo, como si se estuvieran comunicando.

—¡Y buuumba! —murmuró el antiguo tendero.

El miembro del grupo escondido en el campo aplicó corriente a los cables que discurrían hasta el depósito del coche lleno de combustible. La explosión lanzó el vehículo por los aires y la bola de fuego hizo saltar en pedazos a los dos Armagi.

Lo más extraño de todo fue que durante apenas un fugaz instante tanto Drake como Jiggs alcanzaron a ver recortadas contra las llamas, no a las bestias transparentes, sino las siluetas inconfundibles de dos hombres.

El grueso cabecilla ya estaba de pie y les dijo que se levantaran.

—Vendremos más tarde para comprobar que nada haya escapado al fuego. Verán, incineramos hasta el último pedazo de esas bestias inmundas que podamos encontrar.

—¿Y por qué hacen eso? —preguntó Jiggs—. A mí me ha parecido que tienen que estar muertas.

—Puede que se lo parezca, pero son capaces de resucitar. Lo hemos visto.

Drake arrugó la frente mientras pensaba en algo.

—Si no podemos utilizar un vehículo con motor de combustión interna, ¿cómo vamos a llegar hasta Parry? Realmente no puedo hacer el camino andando, en mi estado no.

Jiggs también lo había pensado.

—¿Y si mantenemos bajo el régimen de revoluciones del motor? O si pudiéramos aislar el motor de alguna manera, insonorizarlo, quizás eso...

El hombre corpulento sonrió de oreja a oreja cuando terció en su conversación.

—Si me pueden convencer de que es lo bastante importante, tengo una idea mejor para ustedes. No es el último grito en la forma de viajar, pero les llevará adonde quieran ir.

11

En los dos días que llevaban en la granja, Chester, Martha y Stephanie ya habían establecido una rutina, aunque era bastante extraña. Martha y Stephanie rara vez se relacionaban entre ellas, mientras que Chester era presa de una inquietud e incomodidad increíbles que le hacían ir de aquí para allá por la casa como un oso con una resaca descomunal. Cuando no estaba en su habitación —el dormitorio principal, que Martha había insistido en que ocupara, mientras que Stephanie había sido relegada a lo que debió de haber sido una de las angostas habitaciones de los niños—, salía a dar largos paseos.

Stephanie le observaba siempre que se iba de la granja sin decirle nada a nadie y se alejaba por los campos. Y Martha solía salir corriendo detrás del chico en un intento de acompañarle fuera a donde fuese. Pero ella nunca iba lejos, porque como sus piernas eran cortas le resultaba difícil mantener el paso.

Y siempre que estaban en la misma habitación, Chester y Stephanie mantenían en todo momento las distancias. Incluso cuando Martha estaba lo bastante lejos para no oír, él nunca parecía estar de humor para hablar.

Pero Stephanie ya no soportaba el silencio ni un minuto más. Fue al comienzo del tercer día y acababan de terminar el desayuno, que no había resultado muy apetitoso porque una vez más se habían visto obligados a tomarse los cereales con agua, ya que era imposible obtener una gota de leche. Martha acababa de salir al patio para arrojar los cuencos sucios cuando Stephanie decidió hablar a Chester.

—Sigues tremendamente afectado, ¿no es así? —le dijo en voz baja.

—Bueno, sólo un poquito —respondió él. Con gesto amargo, cogió cuidadosamente un copo de maíz empapado que le había caído en la camisa y lo arrojó por ahí con un capirotazo.

—Lo lamento. No pretendo saber cómo te sientes. —Lo dijo sinceramene, porque la última noticia que el Viejo Wilkie había recibido era que los padres y hermanos de Stephanie habían conseguido huir al extranjero y estaban a salvo. Chester lo había perdido todo—. Ojalá pudiera hacer algo para ayudarte.

—No puedes hacer nada, pero de todas formas, gracias —replicó él, y movió la cabeza con una sacudida cuando oyeron el estrépito de la vajilla al hacerse añicos en los adoquines del patio—. ¿Sabes?, si Parry se hubiera sincerado conmigo sobre eso en cuanto lo averiguó, puede que ahora me sintiera de otra manera. Pero ya es imposible que le perdone.

—¿Y no has pensado que a lo mejor fuera a contártelo después de aquella reunión a la que asististe? —sugirió Stephanie.

—Bueno, pero no lo hizo, ¿no? —le espetó Chester—. Y si lo hubiera hecho, entonces habría sido sólo porque el presidente de Estados Unidos metió la pata —puntualizó con un furioso gruñido—. No, no puedo pasar por alto el hecho de que mi madre y mi padre muriesen porque ese asqueroso de Danforth pusiera en marcha un plan estúpido y delirante por su cuenta. Suponiendo que ése sea realmente el caso.

—Pero Parry dijo que no sabía que Danforth iba a hacerlo. ¿No le crees? —preguntó Stephanie.

—¿Quién sabe con esta gente? Estos tipos del ejército tienen tanta prisa por salvar vidas que de paso acaban matando a todo el mundo —dijo Chester—. Daños colaterales e imperativo militar práctico, muchacho —añadió, moviendo la cabeza con altivez y haciendo una parodia aceptable de Parry, acento escocés incluido—. Drake podía ser un poco así con demasiada frecuencia, pero con Will y Elliott la cosa era diferente; siempre jugábamos limpio los unos con los otros. Jamás nos habríamos engañado de esta manera. ¡Jamás!

—Yo tampoco te engañaría nunca, Chester —dijo Stephanie, pero él pareció no haberlo escuchado, ya que había empezado a alterarse.

—Vaya, ¿por qué el maldito Danforth no podía haberse limitado a «fingir» ante los styx que nos había hecho la jugarreta? No tenía que llegar hasta el final. —Se había levantado de un salto y caminaba frenéticamente de un lado a otro por la habitación—. ¡No estoy tan seguro de que realmente no disfrutara matando a mis padres! ¡Asqueroso hijo de puta! —soltó.

Chester era tan corpulento como un hombre adulto y su violencia lo hacía muy intimidatorio. Stephanie empezó a pensar que no había sido una idea tan buena tratar de hablar con él.

El chico se paró de pronto y dijo:

—Bastardo sanguinario y asesino —y soltando una palabrota le lanzó una patada a una de las sillas que rodeaban la mesa. Una sonrisa inquietante se extendió por su rostro cuando una pata del mueble se desprendió y repiqueteó sobre el suelo de baldosas. Y entonces sí que la tomó en serio con la silla, a la que pateó y golpeó una y otra vez hasta que en el sitio no quedaron más que astillas de madera.

Jadeando a causa del esfuerzo, gritó—: ¿Y qué puñetas sigo haciendo aquí, en esta maldita cloaca?

Martha había entrado en la casa y miraba la silla destrozada. Chester no la saludó cuando pasó junto a ella y la hizo a un lado dándole un empujón para salir al pasillo. Allí agarró un par de guantes y un sombrero de detrás de la puerta delantera y salió de la casa hecho una furia.

—¿A qué ha venido todo esto? —exigió saber Martha mirando a Stephanie con cara de pocos amigos—. Espero que no le hayas hecho enfadar.

—De verdad que no sé qué fue lo que le hizo estallar. Yo no dije ni una palabra. De pronto se puso a hablar de sus padres y de Danforth, y... —la muchacha no terminó porque Martha se acercó a toda prisa a la ventana.

—Pero ¿por qué no me habla a mí de eso? —se quejó.

Regresó bien entrada la noche después de muchas horas de ausencia, justo a la hora de cenar. Tenía una expresión perdida en el rostro, y ni Martha ni Stephanie se atrevieron a hablarle cuando ocupó su sitio a la mesa. Por el olor era fácil adivinar lo que iban a comer, que era lo que comían siempre: cordero estofado. Martha abrió la puerta con el codo cuando entró llevando el condumio, que dejó caer torpemente sobre la mesa con un ruido sordo delante de Chester.

Mientras la mujer ocupaba su sitio habitual, el chico se quedó mirando fijamente su comida.

—Esto..., Martha —dijo.

—¿Sí, cariño?

Utilizando las dos manos Chester levantó su cuenco de plástico, como invitándola a hacer algún comentario. En el exterior de la escudilla estaba escrita la palabra «PERRO» en letras tan grandes como inconfundibles, y aunque debió ser una vez de un color rojo bastante llamativo, ahora el plástico estaba tan gastado que el color se había apagado y los bordes del recipiente estaban carcomidos. En comparación, Stephanie no había salido demasiado mal parada con el tazón desportillado de melamina que le había tocado en suerte.

—Empieza a escasear la vajilla. En los armarios no queda mucho —dijo Martha a modo de explicación al tiempo que hundía la cuchara en su recipiente, que era un maltrecho plato de porcelana que probablemente también hubiera sido utilizado por las mascotas de los dueños.

Chester había vuelto a depositar cuidadosamente su escudilla de perro en la mesa.

—No lo soporto más —dijo con voz ronca.

—¿El qué?, ¿mi estofado? —preguntó la mujer.

—No, no, sentirme así —masculló él. Tenía la cabeza agachada, así que Stephanie no podía estar segura de si estaba llorando o no, aunque le pareció ver que una lágrima caía en la escudilla de su amigo.

—¡Ay, mi pobre y adorable niño! —Martha se acercó corriendo hasta él y le abrazó con fuerza—. ¿Qué es lo que pasa? ¿Qué puedo hacer para que te encuentres mejor?

Stephanie sabía lo profunda que había sido la depresión de Chester en las semanas pasadas en la casa de campo, pero aquella muestra de vulnerabilidad la asustó; estaba más perturbado y frágil de lo que ella había imaginado.

—Dime qué puedo hacer —le preguntó Martha, casi en tono de súplica. La mujer también tenía los ojos arrasados en lágrimas.

Chester inhaló por la nariz.

—Me dijiste que tus relámpagos pueden encontrar a quien quieras, ¿no?

—Sí, es verdad —contestó Martha—. Pueden hacerlo. Igual que siempre podrían conducirme hasta ti, fueras donde fueses. Si tienes algo que contenga un rastro del olor, mis hadas buscarán y buscarán a cientos y cientos de kilómetros incluso, y no se detendrán hasta conseguir su objetivo.

—El Purgador —masculló Chester. Apenas se oyó lo que dijo.

—¿Qué has dicho, cariño? —preguntó la mujer.

Los hombros de Chester se agitaron con un sollozo.

—Tengo uno de sus Purgadores en mi Bergen. Tendrá su olor.

—Sea lo que sea eso, estoy segura de que mis hadas pueden utilizarlo —corroboró Martha—. Las enviaré a buscar.

Stephanie tenía meridianamente claro que la mujer no comprendía el verdadero alcance de lo que le estaba pidiendo Chester, pero en ese preciso instante estaba dispuesta a acceder a lo que fuera con tal de aliviar el dolor del muchacho.

—Gracias —dijo él con voz ronca. Martha seguía abrazándole, y él le puso la mano en el antebrazo y le dio un apretón en correspondencia. Cuando levantó la cabeza, Stephanie vio sus ojos brillantes por las lágrimas. También se percató de la fuerza con que apretaba la mandíbula. Chester miró fijamente a Martha a los ojos.

—Necesito encontrarlo. ¿De verdad puedes ayudarme a encontrar..., a encontrar a Danforth? ¿Harás eso por mí?

—Sabes que lo haré —respondió Martha con las lágrimas cayéndole por la cara—. Sólo tienes que pedirlo —dijo, repitiendo estas palabras una y otra vez.

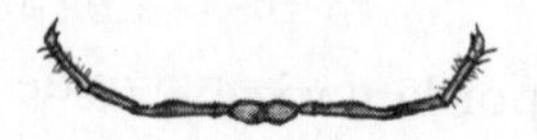

Durante las siguientes veinticuatro horas el contingente neogermano revoloteó en torno a Elliott, como si estuvieran esperando que volviera a realizar para ellos otro de sus milagros.

No fue así, y evidentemente se habían cansado de esperar cuando, de buenas a primeras, Werner proclamó que todos ellos deberían de regresar a la ciudad para abastecerse de provisiones y reunir algún equipo que necesitaban. Era cierto que la comida empezaba a escasear, aunque la prioridad de Jürgen era sin duda alguna la investigación: estaba empleándose a fondo, ya que planeaba una evaluación científica exhaustiva de la torre y la pirámide, así como una expedición a las otras dos pirámides para valorar los cambios acaecidos allí.

Will no tomó parte en las conversaciones, aunque escuchó con interés mientras Werner y Jürgen lanzaban ideas sobre las maneras en que podrían utilizar el equipo sísmico en la torre para detectar hasta las vibraciones más insignificantes, en el caso de que hubiera algo mecánico en funcionamiento. También le dieron vueltas a la posibilidad de utilizar una máquina portátil de rayos X en las paredes y a cómo podrían medir el nivel de cualquier actividad eléctrica en la torre.

El último asunto del orden del día de los hermanos fue el de filmar un testimonio de las «vistas del espacio», como las denominaban, la próxima vez que Elliott manipulara la ménsula. Fue entonces cuando Will captó el sentimiento de decepción que emanaba de los dos neogermanos a causa de que ella no revelara más cosas de los secretos de la torre, si es que en efecto había alguno. Una vez más, la chica se había vuelto más y más taciturna y poco comunicativa, y se pasaba la mayor parte del tiempo durmiendo, aunque los hermanos eran incapaces de intentar forzarla a hacer algo que no quería hacer.

Pero cuando Werner propuso que todos se preparasen para regresar a la ciudad, la reacción de Elliott fue negarse rotundamente. Empezó negando con la cabeza, diciendo que no iría, y cuando Werner intentó convencerla, empezó a gritar, manifestando que era absolutamente imposible que fuera a abandonar la torre. El nativo, que estaba sentado a su lado, fue adoptando una posición corporal cada vez más beligerante, como si estuviera dispuesto a enfrentarse a cualquiera que intentara intimidar a Elliott.

Werner no perdió la calma, aunque se negó a admitir un no por respuesta, diciendo que ni siquiera él estaba preparado para abandonar a Tronco.

—¿Y si lo que hemos descubierto aquí es un arma? —planteó—. Tenemos la responsabilidad, todos nosotros, de garantizar que no sea mal utilizada, en especial por el nativo, que puede que sepa más de lo que nos ha dicho.

Elliott se negaba a tomar parte en nada de eso, y se limitó a meterse dentro de su saco de dormir y a estirarlo hasta cubrirse la cabeza. Entonces Werner le pidió a Will que intentara razonar con ella, pero su amiga tampoco habló con él. Y cuando el muchacho levantó la voz a causa de la irritación porque ella seguía escondiéndose, el nativo se acercó y montó guardia junto a Elliott arrebujada en el saco de dormir.

—Tronco, ¿qué crees que estás haciendo? ¡No metas tu condenada nariz en esto! —le vociferó Will.

Como fuera que el nativo se negó categóricamente a moverse, el mal genio del chico se desató.

—¡Esto no tiene nada que ver contigo! —le gritó—. Vamos, evapórate, cerebro de corcho.

El nativo farfulló algo en respuesta con expresión antipática.

—No deberías insultar a Tronco. Entiende más de lo que crees —le dijo Elliott a Will, amortiguada su voz por el saco de dormir.

—Ah —replicó éste, sintiéndose bastante insignificante.

Como ella volvió a su mutismo y Will sabía que no iban a llegar a ninguna parte, le hizo una contraoferta a Werner. Le sugirió que él se quedaría para cuidar de Elliott y de paso vigilar a Tronco. Había suficiente comida para sacar del apuro a tres personas durante varios días, y le prometió que les mantendría al corriente regularmente por radio y les llamaría en cuanto sucediera algo fuera de lo normal.

Aparte de secuestrar a Elliott y obligarla a acompañarlos, Werner no tenía más alternativa que aceptar aquella sugerencia. En consecuencia, al cabo de una hora, él, Jürgen y Karl estaban preparados y echaron a andar en grupo por las llanuras peladas en dirección al vehículo semioruga.

Fueron unos días de soledad para Will después de que se hubieron ido, porque si Elliott no estaba dormida, rehuía cualquier contacto con él y se dedicaba a deambular sin rumbo por la torre. Pero ni una sola vez puso un pie fuera, como si no pudiera soportar abandonar aquel lugar, aunque alguna que otra vez Will la pilló merodeando por la entrada. En esos momentos, había parecido estar mirando fijamente los campos de tierra calcinada, como esperando a que apareciera alguien en el horizonte.

La constante reticencia de su amiga a no querer saber mucho de él hizo que Will se preguntara sobre lo que había cambiado tan radicalmente en su amistad. No se engañaba en cuanto a que la vida despreocupada que tanto había significado para él en las semanas posteriores a la explosión se había ido para siempre. Cuando la viga de tracción, como Jürgen la había bautizado, había pelado la vieja pirámide, también había eliminado cualquier rastro de la plataforma del árbol cercano que había sido el hogar de ambos. Para Will aquel campamento tenía un valor emblemático, porque sabía que no podrían recuperar de nuevo aquellos días felices, y menos aún con los neogermanos y el siempre vigilante nativo de público.

Dejó escapar un largo suspiro. Su vida estaba marcada por una fatalidad ineludible, como si una fuerza superior estuviera decidida a desbaratarla en cuanto encontraba algo que se pareciera a la felicidad y la satisfacción. «Pero ¿por qué tenía que ser así? ¿Por qué las cosas buenas no duraban nunca mucho tiempo?»

Y en ese momento, tumbado en su saco de dormir en la entrada de la cámara de la torre, miraba fijamente las paredes con pesimismo, y también las columnas gemelas que albergaban los ascensores. Una parte de él deseaba no haber regresado nunca a la pirámide ni haber encontrado la torre, mientras que otra se moría de curiosidad por saber quién la había construido y cuál era su verdadera finalidad. El interior tenía un algo sumamente contemporáneo e increíblemente moderno, aunque la construcción no tenía nada de eso, porque había permanecido oculta en ese mundo tal vez desde tiempo inmemorial.

Como para reforzar esta idea, el murmullo sordo y repetitivo del nativo, como una especie de ensalmo religioso transmitido a través de los siglos, llegó flotando por el aire hasta Will. Tronco había encendido un fuego justo en el exterior de la entrada, donde estaba cocinando algunas larvas que había estado buscando en los nuevos campos, y de vez en cuando el viento empujaba el humo dentro de la torre.

—Esto no tiene remedio. No puedo dormir —declaró Will, y echó una mirada hacia donde estaba acurrucada su amiga. Como fuera que Tronco andaba ocupado con su comida, el chico salió silenciosamente de su saco y fue a sentarse cerca de Elliott.

—No sé cuál es el problema, pero al menos me gustaría que me hablaras y me permitieras enterarme de lo que está pasando. —La voz de Will se convirtió en un graznido a causa de la emoción que le embargaba, y tuvo que tragar saliva varias veces para poder continuar—. ¿Sabes?, nunca me he sentido tan solo. No tengo a nadie más. Mi madre está a casi dos mil kilómetros, mi padre ha muerto, y todos los demás, Chester y... —No se le ocurrió nadie más a quien añadir a la lista, así que siguió adelante—. Bueno, no hay nadie. Nadie, excepto tú. Así que, por favor, dime qué es lo que pasa, porque...

Un gritó lejano resonó en la torre.

—¿Qué? —dijo Will, de pronto muy preocupado, porque la voz le había parecido la de Elliott. Se inclinó y empujó el saco de dormir; algo tintineó en su interior. Fuera lo que fuese que la chica hubiera metido dentro, era duro y no se parecía en nada a un cuerpo humano.

El nativo también había oído el grito; abandonó su comida y entró, dirigiéndose directamente a las escaleras.

—¡Maldita sea! —exclamó Will, mientras cogía su cazadora y su Sten. Estaba furioso consigo mismo porque debía de haberse quedado adormilado el tiempo suficiente para que Elliott les engañara a él y a Tronco. Aunque eran igual de responsables, pagó su enfado con el nativo.

—¡Tronco, eres un idiota! ¿Cómo permitiste que nos engañara? —le soltó autoritariamente.

Sabedor de que el ascensor no funcionaría para él, se lanzó escalera arriba con Tronco pisándole los talones.

—¡Elliott! —gritó cuando llegó al primer descansillo.

Ella no respondió, pero a través de la puerta en arco la vio de pie muy quieta. Estaba mirando fijamente un punto en concreto de la pared exterior, sin pestañear.

—¿Por qué gritaste? ¿Y por qué has subido aquí sola? —le preguntó cuando llegó a su lado. En cuanto pudo verle la cara, se alarmó por el cambio que había experimentado Elliott: la suya era una expresión de tormento y angustia, y debajo de los ojos tenía unas sombras oscuras como cardenales. Will bajó la voz cuando volvió a hablarle.

—Elliott, necesito saber qué te está pasando. Ambos acordamos que íbamos a permanecer juntos porque no sabíamos…

—Algo está mal —le interrumpió ella.

—¿Dónde?, ¿aquí? —Will se dirigió a la pared que ella seguía mirando y le echó un vistazo por encima. Allí no parecía haber nada diferente, así que regresó junto a ella—. ¿A qué te refieres? ¿Qué está mal? ¿Por qué has subido aquí a escondidas? —le preguntó con amabilidad, intentando cogerle la mano.

Elliott se apartó de él y se dirigió a la más próxima de las cuatro ménsulas que rodeaban el hueco central.

—Hace mucho tiempo —empezó a decir ella—, se llevaron algo de aquí.

—¿Te refieres al siguiente nivel? —preguntó Will, señalando la planta de arriba al acordarse de lo que ella le había dicho allí.

Elliott asintió lentamente.

—Nunca tenía que haber estado fuera mucho tiempo, pero ocurrió algo, y se perdió. Tengo que colocarlo de nuevo en su sitio. Está en el lugar equivocado. Todos estamos en el lugar equivocado.

Will se frotó la barbilla sin saber muy bien cuánto se atrevería a preguntarle en su estado actual. Ya no parecía ser ella misma, era como si estuviera atrapada en una terrible pesadilla y no pudiera despertarse. Pero tenía que averiguar de qué estaba hablando Elliott, qué era lo que la inquietaba de aquella manera.

—De acuerdo, hay algo que no está en el lugar que debe, pero ¿cómo lo vamos a arreglar?

Elliott apoyó la mano en el borde de la ménsula, y siguió hablando como si no hubiera oído la pregunta.

—Tengo que encontrarlo. —Miró a Will—. Y tengo que traerlo de vuelta.

Su amigo se encogió de hombros.

—Muy bien. Lo haremos juntos. ¿Dónde está? ¿En algún lugar cercano?

Sin ni siquiera mirar lo que estaba haciendo, Elliott extendió la mano y rozó la parte superior de la ménsula. De la pared que estaba detrás de Will salió una ráfaga de luz que se convirtió en un brillante cuadrado plateado.

El chico necesitó un par de segundos para recuperarse de la sorpresa.

—¿Qué es eso? No es otra vista aérea. ¿Qué es lo que has hecho?

—Esto me acercará adonde está el objeto. —Aunque Elliott había apartado la mano de la ménsula, el gran cuadrado plateado permaneció—. Voy a la Superficie a encontrarlo.

Cuando Will asimiló lo que acababa de decirle, meneó la cabeza.

—¿Quieres decir que hay una manera de llegar a la Superficie?

Elliott se limitó a mirarle sin expresión, así que Will empezó a dirigirse hacia el parpadeante cuadrado. Medía algo más de sesenta centímetros cuadrados, y aunque la superficie parecía estar cambiando permanentemente, los bordes no variaban en absoluto.

—No te acerques demasiado —le advirtió Elliott.

La figura parecía ligeramente reflectante; Will pudo verse a sí mismo y a Elliott en su interior.

—Espejo, espejito —masculló, embobado por el cuadrado. Se obligó a concentrarse en lo que debería estar haciendo—. Bueno, veamos, ¿esta cosa nos transporta mágicamente a algún sitio?

—Sí —respondió Elliott.

Will se quedó pensativo un instante.

—De acuerdo, pongámoslo a prueba, ¿vale? —sugirió con cierta aprensión. Rebuscó en su cazadora hasta que encontró algo con una masa adecuada—. Nunca me perdonaría por esto —dijo, sosteniendo en el aire la vieja brújula de latón del doctor Burrows.

Will se preparó y lanzó la brújula dentro del cuadrado de plata, y cuando estaba aproximadamente a unos treinta centímetros de la superficie del cuadrado, su trayectoria se vio totalmente alterada, como si algo la hubiera golpeado. La brújula fue atraída a tal velocidad al interior del cuadrado que en el tiempo que Will tardó en pestañear sencillamente se esfumó. Y no se oyó ningún sonido que sugiriese que hubiera golpeado contra alguna clase de superficie, tal como la pared que había detrás, o se hubiera caído al suelo.

—¡Dios mío! —susurró Will—. ¡Visto y no visto!

Se volvió hacia Elliott. Los ojos de su amiga estaban resplandecientes y la expresión de tormento casi había desaparecido.

—¿Significa eso que me acompañarás? Por favor, ¿lo harás? —suplicó la chica.

Will tomó aire.

—¿De verdad me estás diciendo que si nos metemos en ese cuadrado nos encontraremos inmediatamente en Londres? —preguntó Will—. ¿Es ahí adónde acaba de irse la brújula de mi padre como por arte de magia?

—Así es —le confirmó ella—. Y no es magia.

—¿Estás completamente segura de que será Londres? ¿Y no el espacio exterior o cualquier otro lugar?

—Será Londres… sin ninguna duda. Ahí es donde tengo que ir.

Will tomó aire mientras se devanaba la sesera pensando en todas las posibilidades.

—Así que si estás en lo cierto, y no nos evaporaremos o algo parecido, puedo acompañarte y ayudarte y también podré averiguar qué está sucediendo allí fuera, en la Superficie, ¿no es así? —Se echó a reír ante la inverosimilitud de todo aquello—. ¿Y saldremos los dos de este mundo?

Ella asintió con la cabeza.

Pero Will se había acordado de algo.

—No podemos ir. Y tú tampoco puedes ir por ningún motivo… a causa del virus. Viajaría con nosotros. ¡Y mataríamos a todo el mundo!

—Tengo que… —empezó a decir Elliott.

Will se mostró inflexible.

—No, no puedes. Recuerda lo que dijo Werner: el virus está por todas partes aquí abajo porque los pájaros lo están propagando. —En ese momento, su mirada se posó en el nativo. Will levantó el dedo en el aire, de forma muy parecida a como solía hacer su padre cuando tenía una idea genial—. Espera un momento…, tengo una idea.

—¿De verdad?

—¡Sí, soy el hombre! —proclamó Will, sacando pecho y pavoneándose de aquí para allá en una especie de danza de la victoria de tan satisfecho que se sentía consigo mismo.

La expresión era completamente desconocida para Elliott.

—¿Que eres el hombre? ¿Qué hombre?

—Sí, yo soy. ¡Yo soy el hombre! —repitió Will con una gran sonrisa en los labios—. Lo que tenemos que hacer es enviar a Tronco a la pirámide para que nos traiga el equipo de descontaminación que llevamos allí, ya sabes, cuando a Jürgen le preocupaba que nos topáramos con un montón de colegas de Tronco y les contagiáramos la enfermedad.

—Y lo instalamos delante de eso —dijo Elliott, señalando el cuadrado plateado cuando lo entendió.

—Eso es, y nos aseguramos de tomar todas las precauciones habidas y por haber antes de meternos en tu espejo. Y haces entender a Tronco que no tiene que moverse de aquí ni intentar seguirnos. —A Will le seguía pareciendo todo aquello un poco difícil de creer—. Y si este cuadrado es lo que realmente crees que es, puedo estar en casa como en lo que tardo en chasquear los dedos. Y puedo estar allí para ayudar a Chester y Parry y…

—Estoy convencida de que podemos ayudarles de verdad, si no es demasiado tarde —dijo Elliott—. Porque lo que tengo que hacer está relacionado con mi sangre, con la sangre de mi padre. No sé cómo, pero sé que esto está relacionado con los styx. —Hizo una pausa antes de añadir—: Y con la Fase.

Will se limitó a asentir con la cabeza.

12

—¿Ésta? —preguntó la señora Burrows cuando llegó a la puerta de la desgastada escalera de piedra.

El Primer Agente frunció el ceño cuando se detuvo a su lado y consideró la pregunta.

—Me parece recordar que estaba bloqueada. Probemos más arriba —sugirió.

Después de otro corto tramo de la claustrofóbica caja de la escalera venía otro rellano donde había una puerta idéntica enmarcada en metal y con la vieja madera carcomida. Pero cuando el Primer Agente giró el picaporte e intentó abrirla, no pasó nada.

—Hazte a un lado, por favor —dijo a la señora Burrows con engreimiento, y empezó a hacer ejercicios para calentar los brazos mientras se tomaba un momento para prepararse. Luego retrocedió y, como un rinoceronte desbocado, se lanzó contra la puerta con todas sus fuerzas.

Se oyó un ruido como de algo que se astillara y la puerta en efecto se abrió, pero sólo para dar un topetazo contra un sólido muro de ladrillo. La argamasa descuidadamente aplicada entre las juntas de los ladillos se asemejaba a la pasta dentífrica, lo que sugería que el muró había sido levantando desde el otro lado.

—¡Baaah! —exclamó con frustración el Primer Agente—.

Por favor, quédate un poco más atrás —le dijo a la señora Burrows.

—Deja de hacerte el policía importante conmigo, ¿vale? —masculló la mujer un poco airadamente.

Él no le prestó atención, retrocedió de nuevo hasta donde pudo en el diminuto rellano y luego lanzó su mole nada desdeñable contra la pared. Lo hizo una segunda vez. Y una tercera.

—¿Estás perdiendo tu toque, querido? —le preguntó la señora Burrows con una sonrisa en los labios.

Pero entonces, al cuarto intento, la pared cedió de repente. Una vez que el Primer Agente hubo arrancado los ladrillos para agrandar la abertura, descubrió una nueva placa de yeso, la cual atravesó como si fuera una hoja de papel.

—Estos materiales de construcción modernos son una porquería —rezongó cuando finalmente él y la señora Burrows entraron en una habitación.

—¿Dónde estamos? ¿Qué es lo que ves? —preguntó ella.

El Primer Agente describió lo que había, y que evidentemente la estancia estaba en plena restauración general. Todas las superficies estaban cubiertas por placas nuevas de yeso, y por los cables que discurrían por todas partes en las paredes y que colgaban del techo, a todas luces estaban renovando la instalación eléctrica.

—Así que alguien está haciendo algunas mejoras —comentó la señora Burrows, dirigiéndose directamente a la ventana.

Todavía había luz fuera, aunque estaba lloviendo tan copiosamente y el cielo estaba tan encapotado que todo parecía apagado y gris. Ella olfateó el aire y añadió:

—Este lugar me resulta familiar.

—Gladstone Street —anunció el Primer Agente, echándole una mano.

Ella asintió con la cabeza y volvió a olfatear.

—Otro día lluvioso en Highfield. —Cuando se paró en la ventana, su mano tocó algo clavado al nuevo marco—. ¿Qué es esto? —preguntó.

El Primer Agente arrancó la vieja y manoseada fotografía que alguno de los obreros debía de haber encontrado y clavado allí.

—Es un daguerrotipo de una dama muy vieja con unas gafas gruesas y algunos gatos.

—En este siglo las llaman fotografías —dijo la señora Burrows, que se apresuró a añadir—: Y esa anciana dama... ¿tiene el pelo blanco e hirsuto... con unos peculiares rizos?

El Primer Agente se acercó la foto para mirar.

—Sí, así es —confirmó.

La señora Burrows asintió con la cabeza.

—Ah, ya sé por qué este lugar me resulta tan familiar. Seguro que ésa es la señora Tantrumi. Vivía en uno de los asilos de ancianos de por aquí, y es muy posible que fuera en éste, porque sin duda los styx tenían una manera rápida de llegar hasta ella si la necesitaban.

—¿La señora Tantrumi? —preguntó el Primer Agente.

—Sí, era una agente styx. Y la vieja bruja es la causante de que me atraparan en Highfield Common y me hicieran pasar por tanta Luz Oscura —replicó la señora Burrows con amargura. Entonces se le ocurrió algo—. Y, ¿sabes una cosa?, la esfera luminiscente que llevó a mi marido Roger a descubrir la Colonia se encontró bajo esta casa. ¡Aquí es donde empezó todo! —Miró al Primer Agente con cariño—. Tú y yo jamás nos habríamos conocido si no hubiera sido por eso.

Él asintió con la cabeza, deseoso de concentrarse en la faena que tenía entre manos.

—Bueno, ¿y ahora? ¿Salimos afuera e investigamos...?

—No —contestó bruscamente la señora Burrows, volviendo a girar la cabeza hacia la ventana de golpe—. ¡Por Dios, no! ¡Rápido, regresemos por esa puerta!

—¿Por qué?, ¿qué pasa? —inquirió el Primer Agente, algo más que un poco confundido ante lo que sin duda ella había percibido con su supersentido.

—No queda nadie vivo en Highfield, pero ahí fuera hay cosas que jamás he olido antes. —La señora Burrows estaba empujando al Primer Agente de nuevo hacia la puerta—. Y si una sola cosa de ésas entra en la Colonia, estamos todos acabados.

—¿Crees que lo hemos hecho bien? —preguntó Elliott a gritos desde el interior del túnel de descontaminación. Ella y Will habían permanecido horas en lo alto de la torre encajando las secciones de aluminio y dándoles diferentes configuraciones, hasta que finalmente consiguieron deslizar en su sitio el doble revestimiento exterior de caucho verde en la parte superior.

—No sé, creo que sí, ahora más o menos se parece a la que estaba allí. Habría sido más fácil si viniera con unas instrucciones —comentó Will cuando ella se le unió para contemplar a cierta distancia la larga estructura con forma de tienda—. Muy bien —dijo, dirigiéndose adonde estaban las cajas—. Ahora la equiparemos con estas cosas.

Empezaron a instalar la ducha y el panel de luces ultravioletas. Tenían una idea general de cómo hacerlo porque habían visto el aspecto de la cámara de descontaminación del hospital neogermano, así que lo único que podían hacer era tratar de reproducirla en su versión portátil.

—Hace años monté algo parecido en un túnel —dijo Will, mientras conectaba una batería de plomo y ácido sulfúrico parecida a la de un coche para alimentar el pequeño panel de luces ultravioletas.

La tarea de Elliott era igual de enrevesada, porque estaba tratando de resolver cómo instalar la ducha utilizando los muchos metros de tubería y una bomba manual.

Por fin consideraron que estaban preparados para un ensayo.

—Dale al interruptor —gritó Will desde el interior de la tienda, y cuando Elliott hizo lo que le había pedido, la luz del panel ultravioleta le envolvió—. Esto está bien... ¡Apágala! —Luego se adentró en la tienda hasta que se encontró en el primer habitáculo—. Muy bien, ahora probemos la bomba.

Elliott empezó a accionar la bomba manual empleándose a fondo. Estaba contemplando hipnotizada el líquido germicida azul distribuyéndose por los conductos cuando cayó en la cuenta de los gritos de Will.

—¡Para! ¡Para! ¡Es suficiente! —El chico asomó la cabeza por la abertura de la tienda, la cara y el pelo blanco goteando con el líquido azul—. Sabía que iba a ocurrir esto —farfulló, no obstante lo cual parecía muy satisfecho—. Bueno, parece que todo funciona. —Miró a Elliott—. Así que ¿seguimos adelante?

Su amiga asintió enérgicamente con la cabeza.

Desde el principio Will había sabido que era imposible que Elliott se fuera a acobardar y que, a pesar de su cautela, tampoco había sobre la Tierra —ni dentro de ella— nada que pudiera detenerle a él. Estaba impaciente por averiguar si el cuadrado de plata haría lo que su amiga afirmaba que haría.

—Muy bien, si te agencias uno de esos trajes antimicrobianos, podrás empezar con la descontaminación. —Se giró hacia el nativo, que seguía hablando con Elliott—. ¿Y crees que puedes conseguir que Tronco eche una mano? Porque, si no, no habrá nadie fuera de la tienda cuando yo pase.

—No te preocupes por él… Escojamos el equipo que nos llevamos —respondió Elliott, que ya se estaba dirigiendo adonde habían preparado dos de los trajes blancos de plástico idénticos a los que Jürgen y Karl llevaban la primera vez que se habían topado con ellos en la ciudad.

Mientras Will revisaba todo el equipo que llevaban en las Bergen, Elliott le daba instrucciones en styx a Tronco, que estaba en el exterior de la tienda. Ella se encontraba en la sección de la ducha del túnel, dejándose impregnar por el germicida rociado por el sifón suspendido en lo alto. Le entró un poco de líquido en el ojo, y escocía de tal manera que tuvo que apartarse de la ducha y lavárselo con el agua de una cantimplora antes de poder seguir—. ¡Espero que lo estemos haciendo bien! —le gritó con inquietud a Will.

—Ay, yo también lo espero —le respondió él a gritos. Movió la cabeza de lado a lado y se rió sin ganas—. O seremos responsables de causar la muerte a varios miles de millones de personas en la Superficie. —La idea hizo que la cabeza le diera vueltas. El mero hecho de pronunciar aquellas palabras dejaba perfectamente claras las consecuencias: incluso el más insignificante de los errores que permitiera que un solo virus diminuto fuera transportado al mundo exterior provocaría un desastre que no se podría describir con palabras.

Elliott reaccionó de la misma manera. Sin dejar de guiñar el ojo, no se movió durante un instante.

—Entonces, ¿crees que debería pasar por la ducha otra vez?

Will echó un vistazo a los bidones de plástico colocados al lado de Tronco.

—Puede que sea una muy buena idea. Tenemos de este pringue azul a paletadas.

Una vez que Elliott se hubo duchado por segunda vez,

Will empujó las Bergens, y el equipo al interior de la entrada, y ella lo empapó todo con el germicida.

Luego, acarreando el equipo, avanzó por la tienda hasta pararse debajo del panel de luz ultravioleta que Tronco había encendido. Tras meterse en el traje de plástico —lo que en sí mismo fue toda una labor debido a que estaba resbaladizo por el germicida que lo recubría—, finalmente se colocó el casco cilíndrico. Se aseguró de que estuviera debidamente encajado en la juntura del cuello, cerró las dos piezas con un chasquido y entonces abrió la válvula conectada a la pequeña bombona de aire. A continuación, se colgó ésta de la espalda, donde quedó sujeta a una correa. Entonces avisó a Will de que ya estaba lista.

—Es mi turno —le dijo el chico a Tronco, incómodo porque el nativo no se esforzó lo más mínimo en apartar la mirada mientras se quitaba la ropa—. Elliott, voy a entrar. ¡No mires! —gritó, y entró con su traje antibacteriano bajo el brazo. También pasó por la ducha dos veces, y por último se paró bajo las luces mientras su amiga miraba hacia el otro lado con los brazos cruzados y canturreando con impaciencia.

Cuando acabó de vestirse, se unió a ella en el otro extremo del túnel y se colocaron uno al lado del otro, listos para meterse en el reluciente espejo situado directamente a la salida de la tienda.

—¿Sigue ahí? —preguntó él nerviosamente.

Elliott abrió unos centímetros el cierre de las solapas de la puerta para comprobar.

—Sí —respondió.

—¿Y estás segura de hacer esto? —Will recogió su Bergen, se colgó el Sten del hombro y entonces pareció bastante indeciso—. Dímelo una última vez… ¿De verdad esto nos va a trasladar a la Superficie? ¿Como algo sacado de *Star Trek*? ¿Cómo sabes que no arderá o algo parecido?

Ella frunció el ceño ante la mención de *Star Trek*, pero sólo respondió:

—Dará resultado.

—Sí, sí, pero no puedes decirme cómo, lo «sabes» y punto —refunfuñó Will.

Sin decir una palabra más, Elliott abrió las solapas de la puerta y juntos se enfrentaron al portal reluciente con los equipos y trajes goteando germicida.

—Hagámoslo —dijo Will en voz baja. Cogió de la mano a Elliott y se la apretó cuando salieron del túnel y avanzaron hacia el portal.

—Se nota frío —comentó él.

No habían entrado siquiera en el cuadrado cuando una fuerza los atrapó, retorciéndoles de tal forma que no podrían haberse resistido ni aunque lo hubieran querido.

Durante un segundo lo único que oyeron fue la ráfaga de aire. A pesar de los trajes, la sintieron en su piel como si fuera un repentino chorro de viento.

Y supieron que ya no estaban en el mundo interior.

TERCERA PARTE

El Bosque de los Obispos

13

Chocaron contra algo duro después de caer varios metros. La sacudida les hizo soltar las Bergen y las armas.

Estaba oscuro como boca de lobo y hacía un frío que pelaba.

Will alargó inmediatamente la mano hacia Elliott y la encontró en el suelo a su lado.

—¿Estás bien? —preguntó.

—Sí —respondió ella, y entonces se señaló el casco—. ¿Es seguro que nos quitemos esto ahora?

—Supongo que sí. Tarde o temprano vamos a tener que hacerlo, ya que el aire se agotará. Y si hemos hecho mal la descontaminación, entonces… —Dejó que su voz se fuera apagando. Soltó la juntura del cuello y se sacó el casco de plástico de la cabeza. Elliott siguió su ejemplo, y ambos dieron sus primeras bocanadas metiéndose el gélido aire nocturno en los pulmones.

—Brrrr —Elliott soltó el aire con los dientes empezando ya a castañetearle.

En ese momento ambos cayeron en la cuenta de lo mal preparados que iban para unas condiciones como ésas, después del clima tropical del mundo interior. Y la situación se agravaba no sólo a causa de que sus finos trajes de plástico supusieran una escasa protección contra el frío, sino porque ambos seguían mojados por el proceso de descontaminación.

—No hemos traído ninguna ropa adecuada con nosotros —reconoció Elliott.

—No lo pensamos detenidamente —admitió Will.

Sus voces parecían insignificantes, y no había eco. Fuera donde fuese adonde hubieran llegado, de lo que no había duda era de que estaban al aire libre.

—¡Al menos seguimos vivos! ¡Lo conseguimos! —declaró Will, cuando comprendió que habían sobrevivido al viaje a través del portal brillante.

Elliott se mostraba más calmada, como si no hubiera esperado menos.

—Sí, fantástico, pero ¿dónde estamos exactamente? —Se puso de pie y utilizó la mira de su fusil para echar un vistazo—. ¿Árboles? No veo más que árboles —dijo—. Y tengo verdaderas náuseas —añadió con un gemido, y se volvió a sentar en el suelo mientras se agarraba el estómago.

Will había abierto su Bergen y estaba rebuscando en su interior, pero dejó de hacer lo que estaba haciendo cuando las náuseas también se apoderaron de él.

—Yo también. De pronto me siento realmente fatal —dijo. Bajó la cabeza, pero la volvió a levantar rápidamente al tiempo que soltaba un sonoro eructo—. Ah, eso ha resuelto el problema. —Se volvió hacia Elliott en la oscuridad—. Inténtalo.

—¿El qué? ¿Eructar?

—Sí, vamos. Debe de ser una acumulación de aire, por al cambio de presión o algo parecido.

—Bueno, de acuerdo. —Se produjo un silencio mientras ella tomaba aire y contenía la respiración, tras lo cual lo expulsó convertido en el más apabullante de los eructos (bastante más sonoro que el de Will), que reverberó entre los árboles—. Esto está mejor —reconoció Elliott.

—Te ha quedado muy fino —se burló Will, riéndose entre dientes, y se volvió a sumergir en su Bergen para buscar el dispositivo de visión nocturna. En el mundo interior, donde la luz diurna era una constante, había resultado superfluo, pero lo seguía llevando con él allá donde fuera por la fuerza de la costumbre—. Hace tiempo que no utilizo esto. Espero que siga funcionando —dijo, ajustándose la correa alrededor de la cabeza, tras lo cual bajó el monocular sobre el ojo. Cuando conectó con un rápido movimiento el interruptor de la pequeña caja que colgaba de la unidad mediante un cable, lo único que vio fue la habitual ventisca naranja antes de que la visión se estabilizara—. Sí, árboles, los veo —dijo, echando un vistazo alrededor—. ¿Y eso de allí es un arroyo? —preguntó, señalando el lugar donde las ortigas y la maleza se abrían y algo brillaba bajo la escasa luz de la luna que atravesaba la gruesa capa de nubes.

Pero Elliott estaba ocupada mirando por su mira en el sentido opuesto, inspeccionando la corta pendiente que tenían al lado mientras intentaba distinguir algo colocado en lo más alto.

—Me pregunto dónde estamos —dijo ella.

—Sin duda no parece Londres. Debemos de estar en el campo, en cualquier parte —sugirió Will—. Y tenemos que salir de aquí antes de que muramos congelados —añadió, y se puso a patear el suelo en un intento de mantenerse caliente.

Fue entonces cuando Elliott divisó el asfalto helado de un camino que ascendía por la pendiente.

—¿Qué tal allí arriba? —le sugirió a Will.

Tras reunir su equipo, empezaron a subir por el camino, aunque Will se paró de repente.

—Espera un segundo. —Regresó adonde habían estado y sólo necesitó mirar el suelo un segundo o dos antes de inclinarse a recoger algo—. Confiaba en que estuviera aquí —dijo, levantando la brújula de su padre.

Pero entonces también vio otra cosa en el lugar por el que habían llegado.

—¡Eh!, ¿quieres echar un vistazo a esto? Hemos hecho un corro de brujas —dijo con una carcajada. Rodeándole, había un círculo perfecto como de un metro ochenta de diámetro. Cualquiera que fuera la fuerza que los había transportado hasta allí no sólo había cortado la larga hierba; toda la zona central del círculo también había sido extraída hasta el punto de que el suelo helado quedaba a la vista—. ¿Crees que es así como se hacen todos los corros de brujas? —preguntó en plan bromista.

Pero Elliott ya estaba en lo alto de la pendiente, donde se había agachado detrás de una barandilla metálica baja. Se tocó la coronilla para indicarle a Will que se reuniera con ella Había encontrado algo. Y mientras el chico ascendía como podía por la pendiente para reunirse con ella con el subfusil Sten listo, Elliott hizo otra señal agitando la palma en el aire, indicándole que se mantuviera agachado.

Estaban delante de una calle ancha que seguía hasta girar en una esquina a la derecha de donde se encontraban. Luego descendía en una ligera pendiente hacia la izquierda, y al otro lado de esa parte de la calle había unos edificios.

—Así que no estamos en el campo —susurró Will, mientras ambos asimilaban lo que se extendía ante su vista—. Después de todo, hemos venido a parar a Londres —añadió.

—Sí, eso ya lo había deducido yo solita —le susurró ella.

—¡Pero menudas casas! —comentó Will. Por el tamaño de los edificios sabía que tenían que estar en una de las zonas más ricas de la ciudad.

Elliott estiró el cuello hacia la izquierda para ver lo que había calle adelante.

—No hay luces en ningún sitio —susurró. No tenía

mucha experiencia en las ciudades de la Superficie, y añadió—: Eso no es normal, ¿verdad?

Will no respondió de inmediato, pues estaba prestando atención al gañido de un zorro.

—No, no hay ninguna duda de que pasa algo. —Casi enfrente de ellos tenían una calle secundaria flanqueada de más casas grandes—. Echemos un vistazo por allí —sugirió, y entonces levantó la vista hacia el cielo—. No tengo ni idea de lo tarde o temprano que es, pero no queremos quedarnos atrapados al aire libre cuando esto se llene de luz.

—Así es —replicó Elliott—. Así que cúbreme. —Echó a correr medio agachada hasta la esquina del otro lado de la calle, y luego vigiló mientras Will hacía lo mismo. Se aplastaron contra un muro mirando de pasada a los vehículos abandonados a lo largo de la calle, alrededor de los cuales se esparcía la basura y hasta algunas prendas de vestir.

La mirada de Will se posó en un cartel.

—¿Camino del Bosque de los Obispos? —susurró, tratando de recordar si había oído antes el nombre de ese lugar.

—¿Te dice algo? —preguntó Elliott.

Él negó con la cabeza.

—No, pero por el código postal, esto es el norte de Londres, aunque no debe de estar tan al norte como Highfield.

—En esa casa ha habido un incendio —dijo Elliott señalando la vivienda de enfrente, donde unas densas sombras de humo manchaban la blanca fachada georgiana.

—¿Y qué pasa con la siguiente casa? ¿Ves algo allí? —preguntó Will, que entornó el ojo mientras intentaba verla a través del monocular de visión nocturna.

—Si queremos algún lugar seguro para quedarnos, ¿qué tal la casa que tenemos detrás? —propuso Elliott—. La rodea un bonito muro.

Will tardó un instante en sopesar la propuesta. Advirtió que las puertas parecían firmemente cerradas.

—Pues claro. Echémosle un vistazo de cerca.

Una vez traspuesto el muro cruzaron un camino de adoquines e inspeccionaron todas las ventanas en busca de señales de vida. Will intentó abrir la puerta principal, pero estaba cerrada con llave, así que rodeó la casa lentamente hacia la parte posterior pasando junto a un gran invernadero.

Llegaron a una puerta posterior con cristales en la mitad superior, y se pegaron cada uno a un lado de la pared. Will comprobó el picaporte, pero una vez más la puerta estaba cerrada a cal y canto con llave.

—Bueno, ¿rompemos el cristal para entrar? —propuso él—. ¿Y qué pasa con el ruido?

Elliott no respondió de inmediato, y ambos prestaron atención al zorro que seguía gañendo a lo lejos y a las ramas desnudas de los árboles del jardín que el gélido viento agitaba.

—Estoy completamente helado —gruñó Will—. Típico, ¿no? Llevo semanas quejándome del sol y del calor, y ahora me toca esto. —Le echó un vistazo al cielo—. Una oscuridad completa y un tiempo de perros.

—Vamos, rómpelo —se decidió Elliott—. No podemos quedarnos aquí fuera.

—Romper y entrar... Otro intento —dijo Will entre dientes. Golpeó con la culata metálica de su Sten uno de los cristales e hizo una mueca cuando los trozos aterrizaron con estrépito en el suelo del interior. Metió la mano por el agujero y abrió el cerrojo del interior de la puerta—. Ya está. Entremos.

El pasillo estaba revestido de madera oscura y adornado con varios candelabros. Will y Elliott se separaron y recorrieron metódicamente la planta de abajo. Luego se reunieron al pie de la escalera antes de hacer lo propio con los dormitorios de la siguiente planta. El chico meneó la cabeza.

—Para que luego hablen de las casas de los ricos y los famosos. Sólo he visto sitios así en los programas que ve mi madre en la televisión —comentó.

Escogieron la habitación más grande y empezaron a buscar ropa de abrigo. Will abrió una puerta en un rincón, y se encontró en un vestidor con unos preciosos estantes de cedro atestados hasta arriba de ropa de hombre. Llamó a Elliott y ambos eligieron entre todo lo que encontraron a mano; se pusieron unos jerséis, y encima otra capa de ropa con la intención de conservar el calor.

El resto de la noche montaron guardia por turnos en la entrada, mientras el otro dormía.

Will había estado acertado en lo de ponerse a cubierto, porque no pasó mucho tiempo antes de que despuntara el alba. Tras quitarse el monocular de visión nocturna, despertó a Elliott con delicadeza. Su amiga se había desplomado sobre la lujosa cama de matrimonio y tenía cubierta la cabeza con el edredón. Ambos bajaron las escaleras de puntillas, y la luz que entraba desde el exterior les permitió enterarse de lo extravagante que era el interior de la casa.

—No se parece en nada a tu casa —observó Elliott contemplando el pasillo de bruñidas baldosas de mármol mientras Will entraba en una gran habitación, en cuyo interior había un piano de cola rodeado de algunas palmeras en grandes maceteros de barro que parecían bastante necesitadas de agua.

—Y que lo digas —respondió él, riéndose—. ¿Por dónde se va a la cocina?

La encontraron, una estancia que parecía increíblemente cara embaldosada de arriba abajo de blanco y con un equipamiento igualmente blanco. Y en el primer armario que registraron, encontraron varios paquetes de galletas de chocolate dietéticas.

Will no perdió ni un segundo en rasgar el envoltorio de una y pasarle un puñado de galletas a Elliott.

—Un poco insípidas, pero caray, ¡prueba este chocolate! —farfulló Will con la boca llena. Se detuvo delante del doble fregadero que había debajo de la ventana, mirando fijamente el jardín, y siguió comiendo ruidosamente hasta acabar con todo el paquete. No prestó mucha atención cuando Elliott se fue a explorar la casa.

Cuando oyó un ruido detrás de él, giró en redondo.

Un hombre, de unos cincuenta años, barba gris y pelo alborotado, le estaba apuntando con una pistola directamente a la cabeza.

—¿Qué estás haciendo en mi casa? —exigió saber con voz ronca.

Con las migajas cayéndole de la boca, Will intentó responder.

—Veo que has roto una de mis ventanas. ¿Quién eres tú? ¿Un jodido saqueador? —le preguntó el hombre, a quien la ira enronquecía la voz—. ¿Es que las sabandijas del Archway vienen aquí a desvalijarme?

Will por fin consiguió tragar lo que tenía en la boca.

—No, no soy un saqueador —replicó.

—Si no sales de mi propiedad, te juro por… que te pegaré un tiro —le amenazó, apartándose un paso de Will como para darle la oportunidad de que se largara sin montar ningún alboroto.

El chico suspiró.

—¿Por qué siempre soy al que apuntan con un arma? —preguntó cansinamente.

—¿Qué? —preguntó el hombre con un resoplido y perplejo por que Will se estuviera tomando la situación con tanta calma.

Y es que Will se la estaba tomando con calma. Después de todo lo que había pasado durante los dos últimos años, se necesitaba algo más que eso para ponerle nervioso. Sobre todo, porque había reparado en algo.

—¿Así que me va a disparar con esa asquerosa pistola de aire comprimido, no es así? ¿Y luego qué? —preguntó—. Porque eso no me va a hacer mucho daño, y para cuando la haya amartillado y cargado un nuevo perdigón, le habré partido en dos con mi Sten. —Se giró ligeramente para permitir que el hombre viera el subfusil que llevaba colgado del hombro.

—¿Eso es un Sten? —preguntó el dueño de la casa, que parecía notablemente menos seguro de sí mismo.

Se oyó un chasquido cuando Elliott montó su numerito y le quitó el seguro a su fusil mientras empujaba al hombre en la nuca con el cañón.

—¿Necesitas ayuda, Will? —preguntó.

—No, estamos bien —dijo el chico—. Yo y el barbudo sólo estamos hablando, ¿verdad?

El hombre bajó lentamente la pistola de aire comprimido, aunque se quedó contemplando a Will y luego a Elliott con cierta indignación.

—Si me vais a birlar la ropa, ¿no os parece que podrías coger otra cosa que no sean mis mejores trajes? Esos dos están hechos a medida en Savile Row, y son muy caros.

Will no había prestado mucha atención a lo que habían encontrado en el ropero, pero entonces examinó la americana gris que llevaba puesta y el traje azul cruzado escogido por Elliott, que se había arremangado las mangas y las perneras de los pantalones para que le quedaran mejor. Los dos eran unos trajes muy elegantes.

—Lo siento —dijo—. No vinimos aquí con intención de robarle, pero nos estábamos quedando congelados. Llegamos esta mañana temprano y necesitábamos ropa y algún lugar caliente.

—¿Por qué? ¿Y desde dónde «llegasteis»? —inquirió el hombre—. Porque no he oído llegar a un solo vehículo desde hace semanas.

Will asintió con la cabeza.

—Es una larga historia.

El dueño de la casa miró el jardín por las ventanas que estaban a espaldas de Will.

—Bien, si no tenéis intención de volver ahí fuera mientras haya luz (lo que sería una forma muy rápida de suicidarse), os sugiero que me sigáis.

Sin esperar a que le respondieran, pasó directamente por delante de Elliott y salió de la cocina, dirigiéndose hacia una habitación situada en la parte delantera de la casa. Allí, se acercó a un pesado tapiz que colgaba de la pared detrás de una gran mesa de comedor y levantó una esquina para dejar a la vista la puerta escondida detrás.

—Bienvenidos a mi guarida —dijo.

Una vez que Will y Elliott bajaron los peldaños, el hombre cerró la gruesa puerta metálica tras ellos y corrió unos cerrojos en la parte superior e inferior. Encendió su linterna y los condujo por un pasillo, señalando las distintas puertas que salían de allí

—El cine, la bodega, y éste es el baño. No hay gas ni electricidad desde hace un mes, aunque parece que sigue habiendo agua.

Se detuvo junto a una puerta sólida y la golpeó con la palma de la mano.

—Y ésta es la habitación del pánico.

—¿Y eso qué es? —preguntó rápidamente Elliott.

—Es una habitación segura en la que te puedes encerrar bajo llave en caso de emergencia. La hice instalar por mi familia después de que se produjera un robo a mano armada en la casa de un vecino. —El hombre guardó silencio un instante mientras su cara se ensombrecía—. Os lo cuento porque, aparte de una línea telefónica directa con la comisaría de policía, tenía acceso completo a toda la casa por medio de un circuito cerrado de televisión. Y antes de que la corriente se fuera por última vez, podía observar lo que sucedía en la calle…

—¿Y qué es lo que vio? —preguntó Will.

El hombre meneó la cabeza.

—Había unas cosas… realmente no puedo describirlas… que se movían por la calle, pero no fue tanto lo que vi como lo que «oí» esa noche. Los alaridos y gritos pidiendo socorro. Fue terrible.

Luego, cuando continuó por el pasillo, pareció recobrar la compostura.

—A propósito, esas otras habitaciones son un par de almacenes donde he escondido toda la comida, y aquí es donde he estado viviendo —dijo, moviendo la linterna sobre unas puertas dobles antes de abrirlas—. La sala de juegos.

—Mola mogollón —susurró Will cuando entró. Iluminada por una lámpara de queroseno que siseaba sobre una mesa situada en el centro, la sala era casi del tamaño de una pista de baloncesto.

—Esto fue un capricho que les concedí a mis hijos —dijo el hombre.

En uno de los extremos de la estancia había una mesa de *ping-pong* y un gran televisor con algunas videoconsolas. La otra mitad de la sala estaba menos abarrotada y contenía una cama colocada en un rincón y varias cajas con ropa y libros.

—Asombroso. ¿Y esto ha estado siempre aquí? —preguntó Will.

El hombre negó con la cabeza.

—Hice excavar el sótano cuando mi familia todavía vivía aquí. —Señaló los respiraderos que se abrían encima de sus cabezas—. Aunque no ha habido electricidad para los ventiladores, el aire fresco sigue entrando por ahí. —Señaló el techo con ambas manos—. ¿Veis?, ahora mismo estamos parados justo debajo del jardín. —Entonces echó un vistazo por toda la sala—. Reconozco avergonzado que cuando oí todo aquel griterío en la calle, bajé aquí corriendo. Y aquí llevo escondido desde entonces.

—No le culpo —dijo Will.

El hombre echó un vistazo a la radio situada junto a la cama desecha.

—Mi idea fue que esperaría a que hubiera alguna noticia antes de aventurarme a salir, pero lo único que sintonizo son emisoras europeas, y ninguna parece tener la menor idea de lo que está sucediendo en el Reino Unido. —Quitó la ropa de un par de sillas para que Will y Elliott se sentaran, y luego se posó en el borde de la cama mientras seguía hablando.

El hombre se llamaba David, y era evidente que agradecía tener algo de compañía. Contó que vivía solo en la casa porque su esposa le había abandonado, llevándose a los hijos con ella.

—Se fueron hace seis meses, y supongo que no he salido mucho de casa desde entonces. Pero cuando...

—¿Qué es esto? —le interrumpió Will. Había empezado a recorrer la sala y un mapa de aspecto antiguo que colgaba en la pared de un marco llamó su atención—. El Bosque de los Obispos —dijo, entrecerrando los ojos para leer el nombre escrito en una zona boscosa. Dado que estaba escrito en inglés antiguo, *Bifhops*, con una efe en lugar de la primera ese, Will supo, por lo que el doctor Burrows le había contado, que el mapa debía de tener varios siglos de antigüedad—. Qué interesante. Estamos en la calle del Bosque de los Obispos, ¿no es así?

—Sí, el nombre proviene de un antiguo bosque. Cuando los obreros estaban metiendo la excavadora para horadar este sótano, descubrieron algunos trozos de madera podridos muy antiguos, así que los urbanistas tuvieron que comprobar que no estuvieran destruyendo nada de interés arqueológico. —David se volvió hacia un punto en la pared justo detrás de él—. Mirad, en esa dirección, justo al otro lado de la calle principal, está el parque donde creen que estaba situado el primitivo Bosque de los Obispos.

—Ahí es donde estuvimos anoche —comentó Will a Elliott—. Entonces, ¿allí había un antiguo bosque? —le preguntó a David.

El hombre asintió con la cabeza.

—El representante del Patrimonio Nacional me contó que era una especie de lugar druídico de gran antigüedad. —Hizo una mueca—. Y por añadidura, un cruce de dos líneas telúricas, siempre que uno crea en esas cosas.

—Creo que quizá yo esté empezando a creer en ellas —dijo Will, provocando que Elliott le mirase.

David se frotó las manos.

—Bueno, no sé vosotros, pero yo estoy empezando a helarme de frío. Por lo general, de noche me envuelvo en un par de edredones para mantenerme caliente, pero tomar habitualmente una taza de algo caliente también ayuda a matar el frío. ¿Puedo ofreceros algo?

Cuando David se marchó para preparar un té para cada uno en otra de las habitaciones, Elliott se volvió hacia Will.

—¿De qué iba todo eso de las líneas telúricas? ¿Qué son?

—Mi padre consideraba que las teorías acerca de ellas no eran más que un montón de bobadas. Se supone que están donde se canaliza la energía de la Tierra o algo parecido —explicó Will—. Tenía un libro que decía que los rituales solían celebrarse en esos lugares, y también que algunos monumentos antiguos, como Stonehenge, se habrían construido por donde discurrían esas líneas.

Elliott sacudió la cabeza.

—No lo entiendo. ¿Y qué son exactamente?

Will tomó aire.

—Es todo un poco extravagante, pero el libro explicaba que señalaban los lugares donde los hombres del Neolítico creían que fluía la energía natural a través de la Tierra. Energía mágica, si quieres llamarla así. —Sonrió—. Si llegamos por la intersección de la que habló David, puede que estuvieran en lo cierto. ¿Es posible que esas líneas telúricas sean una fuente de energía procedente de tu torre del centro del mundo?

David regresó manteniendo en equilibrio tres jarras de humeante té sobre una bandeja, y todos empezaron a beberlo con aprecio.

—Bueno, decidme, me muero de curiosidad por saber cómo llegasteis aquí —quiso saber el dueño de la casa.

Will se apresuró a hablarle de los styx y la Colonia, omitiendo cualquier referencia al mundo interior y Nueva Germania, porque habría sido demasiado para que el hombre lo pudiera asimilar.

—Así que salisteis al exterior a un tiro de piedra de esta casa —dijo David—. Teniendo en cuenta lo que ha estado sucediendo por aquí, supongo que estoy preparado para creerme lo que sea. Pero ¿adónde os dirigís a continuación?

Will cedió la palabra a Elliott con un gesto de la mano.

—Pregúntele a ella, es la del plan.

14

La luz se estaba desvaneciendo rápidamente cuando salieron al jardín. Will y Elliott llevaban puesta más ropa de David —pantalones de pana y unas gruesas gabardinas—, esta vez cogida con sus bendiciones.

Tras esperar a que cayera la noche, se despidieron del hombre y abandonaron el sótano por la puerta del comedor. El olor a quemado aderezaba el aire frío y vigorizante cuando salieron a hurtadillas por la parte posterior de la casa. Will miró el césped bajo sus pies mientras avanzaban, pensando en lo extraño que resultaba que David estuviera justo debajo, escondido en su versión moderna de caverna con la esperanza de que mal que bien todo volviera de nuevo a la normalidad. Se preguntó cuántos más estarían haciendo lo mismo en todo el país.

—Un segundo —dijo, rebuscando en lo hondo de uno de los bolsillos laterales de su Bergen. Sonrió cuando encontró lo que había estado buscando y, como si estuviera a punto de realizar un truco de magia, exhibió una pequeña caja negra con un ademán ostentoso.

—¿Eso es lo que pien...? —preguntó Elliott mirando la caja con atención, que era del tamaño de una baraja y tenía una antena de cable colgada de ella.

—Por supuesto que lo es —le interrumpió él—. Me había olvidado por completo de que me seguían quedando algunas balizas hasta que saqué el monocular de Drake. —Will sostuvo en alto el dispositivo electrónico—. Ésta la tenía de repuesto por si necesitábamos alguna más para señalar la ruta en el mundo interior. —Encontró el diminuto microinterrumptor situado junto a la antena y lo desplazó—. Bien —dijo—, conectado.

Elliott miró la baliza frunciendo el entrecejo.

—¿Seguro que es una buena idea?

Él se encogió de hombros.

—Aparte de pegarnos la caminata para llegar a la hacienda de Parry en Escocia (lo que podría ser una absoluta pérdida de tiempo, dado que es probable que él no regrese jamás allí), no tenemos ningún medio de informarles ni a él ni a Eddie de que volvemos a estar en la Superficie, ¿no? —Will lanzó por el aire el transmisor y lo volvió a coger cuando caía—. Pero nunca se sabe, podrían captar la señal emitida por esto. Y si lo hacen, eso les conducirá directamente hasta nosotros.

Elliott asentía con la cabeza.

—Supongo que no tenemos nada que perder, a no ser que los styx también puedan rastrear la señal.

—Creo que debemos correr ese riesgo —dijo Will, sin creer ni un momento que hubiera riesgo alguno.

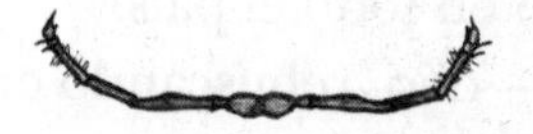

Una alarma metálica había sonado con insistencia por toda la planta; Danforth había aparecido como un rayo sobre la pantalla donde parpadeaba el indicador. Tras silenciar la alarma, acababa de empujar a un lado a la persona encargada del puesto para poder ver la pantalla adecuadamente, cuando el viejo styx entró a grandes zancadas en la sala.

—¿Qué fue eso? —exigió saber.

—Un VLF, una señal de muy baja frecuencia —contestó Danforth con cierta sorpresa, mientras contemplaba la larga ondulación que serpenteaba a lo largo de la parte inferior de la cuadrícula de la pantalla—. Pero, según los sensores, no tiene ninguna codificación secundaria.

—¿Y eso que significa? —preguntó el viejo styx.

—Que no lleva ninguna información. Es sólo alguna clase de indicador. —Señaló la siguiente pantalla de la mesa—. Y acaba de encenderse en Londres.

—¿Alguna idea de lo que podría ser? —inquirió el viejo styx—. ¿Tiene un origen militar?

—Yo no me precipitaría a llegar a esa conclusión. No está en una frecuencia de las que utilizan; y es tan baja que está rozando el mismísimo fondo del espectro.

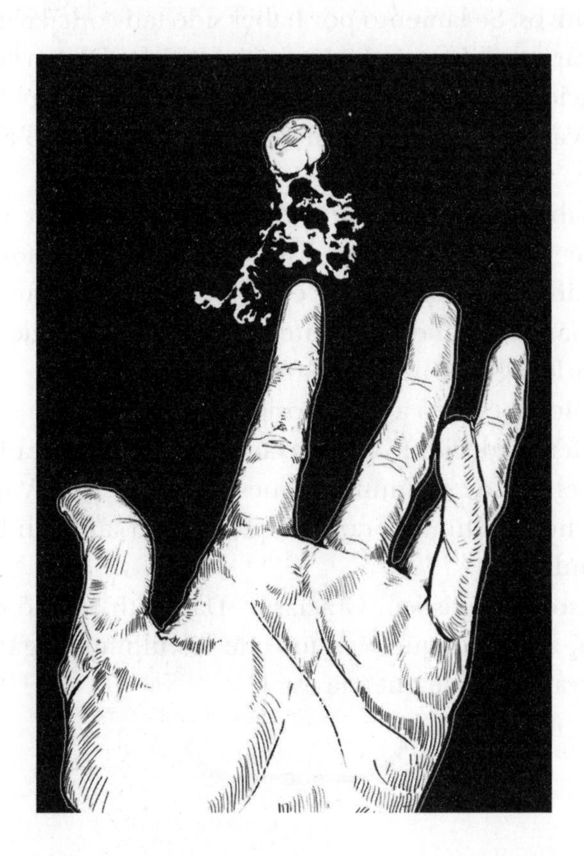

La verdad era que Danforth sabía perfectamente lo que podía ser, porque había sido él quien había perfeccionado la tecnología VLF que habían utilizado en diversas misiones al mundo interior, en especial en la última para precintarlo. Pero no podía revelar al viejo styx por qué estaba tan interesado en aquel descubrimiento; aquello significaba que alguien había logrado regresar de aquella última misión. Era el primer indicio de que había algún superviviente.

Si Danforth hubiera previsto que una de las balizas aparecería de repente en la Superficie de aquella manera, habría limitado el alcance de los detectores, o bien habría programado un punto negro para ocultar la señal de esos dispositivos. Se lamentó por haber sido tan concienzudo al sobrecargar el sistema de detección para los styx en aquella instalación, aunque había querido demostrarles su valía.

—¿Vamos a hacer algo al respecto? —preguntó al viejo styx.

—Sabemos dónde está; podemos enviar a algún Armagi al lugar para que eche un vistazo, pero en este momento no es una prioridad —dijo el viejo styx, entrelazando sus dedos largos y pálidos delante del pecho—. Porque tengo que darle algunas noticias agradables.

Danforth esperó a que prosiguiera.

—Hemos decidido comenzar la ofensiva contra la Oficina Central de Comunicaciones del Gobierno. Vamos a entrar hoy a última hora. Y sé que a usted también le gustaría unirse.

—Eso es fantástico. Gracias. —Danforth asintió con la cabeza, aunque aquél era uno de los últimos lugares en la Tierra en el que querría estar.

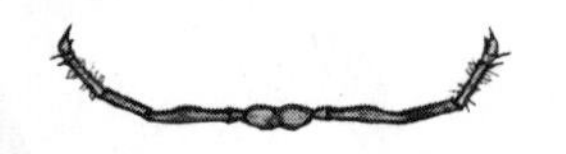

Drake estaba inclinado sobre la valla lateral del campo apoyado en su brazo bueno, mientras vomitaba violentamente.

Jiggs lo observaba con preocupación; las náuseas iban evidentemente en aumento, como había esperado que sucediera.

—Nuestro grueso amigo del pueblo del Norfolk tenía razón en lo de que nos iba a proporcionar un medio de transporte vetusto —dijo Drake con un gruñido sin levantar la vista—. Esto sí que es mandarle a una de vuelta a la Edad Media.

—Cumplen su función —le retrucó Jiggs.

Drake soltó un gruñido.

—Por supuesto, pero ser sacudido arriba y abajo encima de ese condenado animal no me está ayudando lo más mínimo.

—No hagas caso. No lo dice en serio, compadre —susurró Jiggs al oído del caballo de Drake mientras le acariciaba el cuello. Estaba sujetando sus riendas y las de su montura mientras esperaba a que su amigo se recuperara—. Lo cierto es que piensa que eres un caballo fabuloso. Lo que ocurre es que en este momento no es él mismo —añadió dirigiéndose al animal con aire conspirador.

—Si le estás hablando de mí a mis espaldas a ese refugiado de una fábrica de pegamento, voy a... —dijo Drake, pero se interrumpió cuando el calambre de su estómago le hizo doblarse por la cintura.

Jiggs meneó la cabeza con tristeza, lamentando no poder hacer más por su amigo. Habían estado evitando las carreteras principales y las zonas urbanizadas, lo cual no era lo ideal, porque una dosis alta de un antiemético conseguido en una farmacia o un hospital habría mejorado el estado de Drake.

Aunque Jiggs no necesitaba realmente consultarlo debido a su excepcional sentido de la orientación, se sacó el mapa del bolsillo y comprobó de nuevo la ruta campo a través que pretendían seguir hasta la hacienda de Parry en Escocia. En circunstancias normales, se habrían sentido atraídos de forma natural por Londres, porque habría sido un buen lugar para intentar enterarse del paradero de Parry. Pero si las cosas estaban en el sur tan mal como el hombre corpulento y los aldeanos percibían, no sería un lugar en el que Jiggs quisiera quedarse atrapado, al menos no con Drake tan enfermo. Así que habían decidido que la hacienda de Parry era el mejor lugar y el más cercano al que dirigirse; aunque el comandante no estuviera allí, lo más probable es que hubiera uno o dos teléfonos vía satélite escondidos por la casa.

Jiggs estaba guardando el mapa cuando oyó un débil chasquido proveniente de algún lugar cercano.

—Ajá, ¿qué ha sido eso? —preguntó, frunciendo el ceño. Aguzó el oído, y cuando el ruido se repitió al cabo de unos segundos, se dio cuenta de que debía de provenir de la Bergen amarrada al lomo de su caballo.

Cuando Drake regresó arrastrando los pies, encontró a Jiggs entre los caballos, con la Bergen a los pies, mirando fijamente un rastreador.

—Esto acaba de despertar —dijo Jiggs, levantando el dispositivo para que Drake pudiera ver la aguja, que estaba mostrando unas insignificantes fluctuaciones en el extremo inferior de la escala, y oyera las ocasionales series de chasquidos, que recordaban a un grillo adormilado.

—¿De qué dirección viene la señal? —preguntó Drake débilmente—. Puede que sea un eco de alguna de las balizas subterráneas.

—Esto es algo sorprendente. No creo que sea eso —contradijo a su amigo cuando, sujetando el rastreador delante de él, lo hizo girar noventa grados hacia la dirección por la que acababan de venir—. De hecho, proviene del sur.

—¿Del sur? —repitió Drake.

Jiggs fue moviendo el rastreador cada vez un poco más hasta que la señal llegó al máximo, emitiendo un chasquido regular, mientras la aguja se mantenía notablemente estable.

—No hay ninguna duda acerca de la dirección. Y por el rumbo, apuesto lo que quieras a que Londres es el origen.

—Bueno, ¿qué es lo que sabes? —preguntó Drake, visiblemente reanimado—. Pero la única razón para que alguien activara una baliza aquí en la Superficie es que quisiera atraer la atención…, la nuestra, porque ¿quién más podría tener la tecnología para detectar una señal VLF o estaría atento siquiera a las transmisiones en ese extremo del espectro?

—Y en la Superficie no quedó ninguna baliza, ¿no es así? Se llevaron todas al mundo interior. Así que ¿cómo se las ha arreglado ésta para encontrar el camino de vuelta? —dijo Jiggs, anticipándose a lo que Drake estaba a punto de decir.

—Eddie y yo pudimos localizar y librar a Chester de Martha gracias a su baliza, pero en esta ocasión no es él. Así que tiene que ser alguien de nuestro equipo —concluyó Drake—. Alguien que ha conseguido volver a casa, incluso después de la explosión nuclear.

—¿Will? —sugirió Jiggs.

Drake se encogió de hombros.

—O Elliott, o Sweeney, o, si nuestra misión fue un completo fracaso, hasta podrían ser los styx —dijo, aupándose sobre el caballo—. Y sólo hay una manera de averiguarlo. Nos vamos a Londres.

—¿De verdad te encuentras en condiciones de hacerlo? —preguntó Jiggs—. Sería más prudente que nos ciñéramos al plan inicial y fuéramos a casa de tu padre.

—Ni lo sueñes —replicó Drake. Extendió la mano para

acariciar las crines del caballo—. Ojalá que esta cosa viniera con una suspensión mejor.

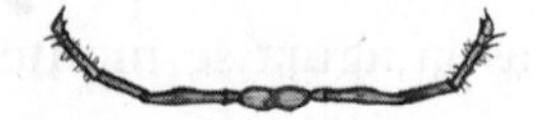

—Bueno, cuéntame —dijo Will en un susurro—, ya hemos saltado un total de cuatros vallas y atravesado tres jardines traseros, pero ¿adónde nos dirigimos? ¿En serio que lo sabes?

Desde que abandonaran la casa de David, Elliott había encabezado la marcha colina arriba a través de los jardines de los vecinos para evitar utilizar la calle. En ese instante levantó el brazo sin el menor titubeo y señaló.

—Sí, es por ahí.

—¿Hay algún motivo en particular para que quieras ir por ahí? Porque aquí fuera no estamos demasiado seguros, ¿sabes?

Elliott se disponía a contestar, pero él le puso suavemente un dedo en los labios.

—No te preocupes, no tienes que responderme. Recuerda que sólo soy un despreciable humano que está aquí para obedecer tus órdenes.

—Bah, cierra el pico, Will —le soltó mientras se zafaba de su mano, aunque estaba sonriendo.

Elliott abrió la marcha, y él le siguió sin preguntar mientras trepaban por la siguiente valla y aterrizaban silenciosamente en el otro lado.

Aquella casa era descomunal, incluso comparada con la de David, pero Will reparó en algo cuando la inspeccionó a través de su monocular de visión nocturna.

—Una residencia de ancianos —comentó al ver un solitario andador en la terraza.

Estaba enfrente del invernadero que discurría por la parte posterior de la finca y había muchos sillones de cara al jardín.

—Teníamos muchas en Highfield para los ancianos, pero ¿por qué han dejado ese andador ahí fuera? —se preguntó Will.

Cuando examinó la parte trasera del edificio con más detenimiento, vio que había más andadores en la terraza y el césped, pero que estaban volcados. Y algunos de los grandes paneles de cristal del invernadero estaban destrozados.

—Me pregunto adónde habrán ido los ancianos —masculló para sí, porque Elliott se había adelantado y ya no le llegaba su voz mientras seguían avanzando, repitiendo el proceso de trepar por las vallas y atravesar un jardín tras otro.

Acababan de aterrizar en otro más cuando Will se paró en seco.

—¡Increíble! —soltó, y se ajustó el monocular cuando la luna surgió entre las nubes para bañar el escenario con una luz etérea—. ¡In… creí… ble! —repitió, ante la visión de los animales ornamentales diseminados por el jardín; había un gallo y un águila uno frente al otro, pero era imposible ver qué eran supuestamente las demás criaturas, porque hacía tiempo que los setos no se habían recortado. Cuando avanzaron, Will y Elliott repararon en las ventanas a oscuras de la casa; tuvieron la sensación de que los estaban observando.

Él empezó a tomarse interés por la casa.

—El jardín mola bastante, pero fíjate en eso —dijo con un soplido. El tejado se elevaba hasta formar una aguda punta y tenía unos aleros tallados de madera oscura. Y las ventanas eran todas muy estrechas y estilizadas.

—Es sólo una casa —replicó Elliott.

—Sí, pero parece sacada de un cuento. Mi padre habría dado lo que fuera por vivir en un sitio así —dijo Will—. Es un ejemplo notable de arquitectura gótica —añadió, pareciéndose un poco al doctor Burrows.

Al igual que todas las demás casas, aquella parecía estar deshabitada, aunque era imposible saberlo con certeza. Elliott se volvió hacia el edificio y lo examinó con atención antes de encaminarse hacia él a grandes zancadas. Will echó a correr para alcanzarla, y la cogió del brazo.

—Esto…, no he querido decir que debiéramos entrar —aclaró—, si es en lo que estás pensando.

Elliott señaló la casa con un movimiento circular de la mano.

—¿Y por qué no? Ya oímos lo que dijo David, pero ¿no te parece que deberíamos averiguar lo que está sucediendo por nosotros mismos? Al fin de cuentas, todavía nos queda un largo camino, y tenemos que saber con qué nos podríamos encontrar.

—¿Nos queda mucho? ¿Tenemos que saber? —intentó aclarar Will cuando Elliott apretó repentinamente el paso en dirección a la casa. Exasperado, soltó un gruñido y esprintó para alcanzarla.

Encontraron la puerta delantera abierta de par en par. Elliott pareció titubear un instante mientras miraba fijamente hacia la primera planta, y Will creyó que había cambiado de idea. Pero entonces ella le quitó el seguro a su fusil y se dispuso a entrar.

Con las armas en ristre, entraron juntos. No había un vestíbulo propiamente dicho, sino una gran sala que parecía extenderse por la mayor parte de la planta baja. Will vio un piano de cola magnífico y muchas estanterías con libros detrás del instrumento, antes de que su mirada fuera a posarse en la pared del fondo

—Mira —dijo. Unas vitrinas, con la parte delantera acristalada, se extendían a lo largo de la pared. Olvidándose por un instante de dónde estaba, Will fue incapaz de resistirse a examinar más de cerca los objetos arqueológicos que contenía. Fragmentos de ollas lacadas, herramientas y joyas, todo a la vista—. Antigüedades romanas —comentó, estudiando la primera vitrina, antes de dirigirse a la segunda—. Y éstas son griegas, creo... sí..., y esas vasijas podrían ser etruscas. Asombroso —musitaba una y otra vez.

—Sí, asombroso —corroboró Elliott, aunque no con mucho entusiasmo. Era evidente que allí había vivido algún apasionado de la historia, pero ése no era precisamente el momento de detenerse en todo aquello.

Principalmente porque mientras Will iba de vitrina en vitrina, fijándose con entusiasmo en los diferentes objetos, Elliott había hecho un descubrimiento inquietante. Al principio no había reparado en ello, pero en la sala había varios muebles volcados, y su bien aguzado sentido del peligro se disparó cuando divisó una estela oscura en el lustroso suelo de madera. Al examinarlo más detenidamente, descubrió que la estela eran manchas de tierra y lo que parecía sangre y que trazaba una ruta que iba desde la puerta principal a la escalera.

—Voy arriba a inspeccionar —le comunicó a Will señalando la planta superior.

—Estoy contigo en un minuto —replicó él.

Elliott empezó a subir por la escalera, y en el camino se encontró con un zapato suelto y una dentadura postiza. La escalera terminaba en un amplio rellano que conducía a un pasillo igual de amplio. La luz de la luna entraba a raudales por las grandes ventanas panorámicas que se abrían a ambos extremos, lo que le permitía ver hasta dónde llegaba el rastro.

Fue asomando la cabeza en todas las habitaciones a medida que avanzaba por el pasillo, descubriendo que estaban vacías, y todas las camas hechas. Pero entonces, a mitad de pasillo, el rastro se desviaba por un pequeño tramo de escalones de madera labrada que subían a la siguiente planta, que Elliott supuso sería el ático. Con el arma en ristre, empezó a subir.

Sin embargo, cuando llegó arriba, su pie se atascó en algo, y cayó hacia delante; al tratar de evitar la caída, su dedo se crispó sobre el gatillo y se le disparó el fusil.

El disparo resonó ensordecedoramente por la gran habitación.

—¡Joder! —exclamó, y se levantó rápidamente.

Hacía frío. Las claraboyas del empinadísimo tejado situadas a ambos lados de donde se encontraba estaban casi totalmente rotas, así que el ático quedaba expuesto a los elementos.

Lo que explicaba que Elliott no hubiera percibido el olor que desprendían los muchos cadáveres con distintos grados de mutilación.

Lo que había dado con sus huesos en el suelo fue uno de los cadáveres tendidos en lo alto de la escaleras, aunque estaban por todas partes.

Los había que estaban medio devorados, y algunos todavía habían estado llenos de vida cuando las larvas styx habían excavado sus madrigueras dentro de ellos.

—Jo... —empezó a decir, pero se comió la palabra al darse cuenta de con qué había tropezado.

Evidentemente aquél era el lugar al que los Armagi habían llevado a los ocupantes de las casas para reproducirse. Algunos de aquellos pobres desgraciados habían sido fecundados, mientras que los demás habían servido de alimento. Y muchas de las víctimas habían sido ancianos, algo que supo por el escaso pelo blanco y las facciones envejecidas. Eso explicaba por qué la residencia de ancianos estaba vacía.

Entonces, a sólo unos metros de ella, se oyó un escalofriante plañido; Elliott se volvió hacia la parte del techo que tenía más cerca.

Uno de los pequeños Armagi —una criatura con aspecto de lagarto y algo más de un metro de longitud desde el hocico a la cola— estaba aferrado allí. Y en ese momento, giró la cabeza hacia ella.

La cabeza de un niño humano.

Sus fosas nasales se ensancharon cuando su lengua bífida se agitó hacia Elliott.

La criatura volvió a gemir, y otro lagarto se unió al lamento, y luego otro. El ruido del fusil los había asustado; Elliott vio el miedo en sus ojos brillantes.

Los animalejos estaban por doquier, probablemente serían unos veinte, aunque por ningún motivo iba a ponerse a contarlos. Y, aferrados todos a las vigas del techo, la observaban con sus pupilas hendidas y las bocas empapadas de sangre.

Además de los lagartos, Elliott vislumbró unas cosas grandes encajadas en los rincones del espacio que quedaba entre el tejado y el suelo. Parecían capullos de moscas o mariposas, pero a escala gigante.

Oyó a Will llamándola por su nombre, pero no se movió ni un milímetro de donde estaba.

El lagarto que tenía más cerca la estaba olisqueando, pero había dejado de gemir. Sin embargo, algunos de los otros lagartos seguían haciéndolo de forma aleatoria. Y sin duda alguna aquellos pequeños Armagi continuaban alarmados por su aparición.

El lagarto más cercano la olfateó una vez más. Elliott se preparó, preguntándose si aquella cosa estaba a punto de clavarle sus hileras de afilados dientes.

Entonces ocurrió algo de lo más sorprendente. La criatura pareció perder interés sin más y huyó hacia la cúspide del techo, con las garras haciendo un ruidoso *tac-tac* al fijarse en la superficie.

Ella se quedó petrificada, sin atreverse siquiera a respirar.

La voz nerviosa de Will le llegó de nuevo desde el piso de abajo. Oyó un portazo; aquello pareció alterar una vez más a los lagartos, haciendo que se escabulleran en todas las direcciones. Y entonces otra puerta se cerró con un portazo en el piso de abajo. Will la estaba buscando. Pues claro, había oído el disparo.

Y de un momento a otro aparecería por las escaleras y llegaría al ático.

Elliott tenía que hacer algo.

Retrocedió un paso, y luego otro, levantando el pie sobre el cadáver masacrado. Entonces llegó a la escalera de madera; giró en redondo y se precipitó escaleras abajo, en cuyo pie se dio de bruces con Will.

—¡Por Dios bendito! —gritó él—. ¿Dónde estabas? ¿Qué ha sucedido?

—Cierra el pico —retrucó ella empujándole hacia atrás, lo que siguió haciendo hasta que Will acabó contra la pared del pasillo, donde golpeó y tiró al suelo un cuadro con el hombro.

Cuando la pintura chocó estruendosamente contra el suelo, Elliott se apretó con fuerza contra él, así que Will acabó emparedado entre el cuerpo de su amiga y el muro.

—En serio, éste no es momento ni lu… —empezó a decir él con una risilla nerviosa.

—Capullo —le espetó ella, oyendo la conmoción del piso de arriba. Le aterrorizaba que aquellos seres pudieran bajar la escalera de madera en manada. Pero por encima de eso, sabía, casi con absoluta certeza, que los gritos de los asustados lagartos estaban llamando a los Armagi adultos. Y lo sabía porque los gemidos de los lagartos habían penetrado en su interior, algo que le resultaba imposible de ignorar, como si aquellas pequeñas criaturas hubieran sido sus propios hijos, sus propios bebés, que le pidieran ayuda a gritos.

—Creo que te puedo salvar —le dijo a Will.

Estaba gritando y respiraba entrecortadamente.

—¿Que puedes qué?

—Los Armagi se acercan. Te atraparán.

—¿A mí? Bueno, pues salgamos de aquí —replicó Will.

—No podrás huir de ellos —le respondió jadeando.

—¿Y qué pasa contigo? ¿Acaso no te atacarán a ti también? —preguntó él.

—A mí no me pasará nada. —Palpó al muchacho alrededor de la cintura—. ¿Dónde está tu cuchillo? ¡Dámelo! ¡Rápido!

Will bajó la mano hasta la vaina que colgaba de su cinturón y lo sacó.

Elliott se apartó bruscamente de él y se sacó el guante con una sacudida. Sostuvo el cuchillo sobre la palma de la mano, y se lo hundió con fuerza, abriéndose la mano.

—¿Qué… haces? —preguntó Will con un grito ahogado al ver la profundidad de la incisión. Elliott alargó la mano hacia la cara de su amigo y se limpió la sangre sobre él, manchándole las mejillas de arriba abajo.

—Pero ¿qué puñetas…? —inquirió Will.

—Estate quieto —le susurró apremiantemente—. Los estoy oyendo.

Él también los oía. A menos que fuera el viento, estaba seguro de haber oído una especie de zumbido. Algo se estaba acercando.

Ella siguió apretándose la mano para sacarse más sangre, y se la extendió a Will por todas partes, sobre los brazos, y de ahí bajó hasta los muslos.

—Con que sólo consiga engañarlos para que crean… —estaba diciendo Elliott cuando oyeron un golpetazo en el piso de arriba. Algo había aterrizado sobre el tejano.

—¿Es uno de ellos? —preguntó Will.

Sin saber qué estaba haciendo, intentó liberarse de Elliott.

—No, por amor de Dios, estate quieto —insistió ella, y apretó los dientes cuando volvió a clavar la punta del cuchillo sobre la palma de la mano. La sangre manaba a borbollones mientras le pasaba la mano por la cabeza dejándole unos manchurrones sanguinolentos sobre el pelo blanco.

—No te muevas —insistió en un siseo.

Se oyeron dos topetazos, y el suelo vibró bajo sus pies con cada impacto.

Un par de Armagi habían entrado volando por las ventanas de ambos lados del pasillo.

Totalmente inmóviles, Will y Elliott apenas se atrevieron a respirar.

Oían y sentían cada impacto de las patas de los Armagi, provistas de garras como las de los grifos, mientras las espantosas criaturas avanzaban por el pasillo desde ambos sentidos. Y a través de su monocular Will pudo distinguir mejor su apariencia a medida que se acercaban, las plumas transparentes que brillaban a la luz de la luna, los músculos de sus extremidades, que se montaban unos sobre otros como placas de hielo pulido.

Uno se dirigió directamente hacia la escalera de madera, mientras que el otro se acercó a Will y a Elliott. Ella estaba de espaldas a lo que estaba acaeciendo en el pasillo, y no podía ver.

Pero Will, sí.

Haciendo crujir las tablas del piso con su peso, el Armagi se aproximó a ellos y se detuvo justo detrás de Elliott. De la estatura de un hombre alto, sus ojos compuestos como los de un insecto se posaron en ese momento sobre los dos amigos.

Como la cabeza del engendro era translúcida, Will podía ver con absoluta nitidez a través del monocular cómo los líquidos circulaban en todas direcciones dentro del cráneo, y algo como un diminuto corazón negro latía en lo más alto de su exoesqueleto.

El Armagi tenía un pico como de pájaro. Pero cuando la criatura dio un paso más hacia Elliott, vio que no era un pico sólido, porque se había abierto dividiéndose en cuatro mandíbulas insectoides.

La muchacha se tensó contra el cuerpo de Will cuando el Armagi inclinó la cabeza y le raspó encima del hombro con sus dos mandíbulas superiores. La criatura no dejaba de inhalar, olfateando el aire.

Entonces se quedó inmóvil durante un instante, como si hubiera percibido algo.

Will no se atrevía respirar.

El Armagi giró un cuarto de vuelta y se apartó de él y de Elliott. De la nuca le salían un par de varillas transparentes; tenían el diámetro de unas agujas de hacer punto. Will se quedó mirando cuando empezaron a golpearse entre sí, cada vez más y más deprisa, hasta que adquirieron tal velocidad que se hicieron borrosas. Pero aunque vibraban al unísono, él no oía nada. Se preguntó si Elliott oiría algo. Entonces cayó en la cuenta de que tales apéndices no eran tan distintos de las patas insectoides que brotaban del mismo sitio en las columnas vertebrales de las mujeres styx.

Pero ahora no estaba para pensar en tal cosa. Durante un instante se permitió creer que iban a escapar con vida. O que, si Elliott pensaba que ella no corría peligro, entonces él podría estar a punto de escapar.

Pero entonces el Armagi se giró de nuevo hacia ellos y sacudió la cabeza nerviosamente con un movimiento que recordaba al de los reptiles.

Olfateó de nuevo a Elliott. Luego, durante un buen rato, pareció quedarse allí tan tranquilo, limitándose a observarles.

Will no sabía si el plan de su amiga estaba dando resultado y la criatura estaba confusa, o si estaba en un tris de destrozarlos con sus garras. La situación se parecía bastante a intentar adivinar los sentimientos de una pesada estatua que estuviera a punto de volcarse y aplastarte.

Will sentía el corazón de Elliott palpitando contra el suyo y la sangre de su amiga goteándole por la cara. El ojo que llevaba el monocular estaba protegido, pero el otro no, y parte de la sangre se le había metido dentro, provocándole un desesperado deseo de pestañear, pero no podía.

Entonces, con otro ruidoso crujido, el Armagi salió disparado hacia la escalera de madera que conducía al piso de arriba y desapareció por ella.

Sólo entonces Will se atrevió a soltar el aire.

—Se han ido —susurró de manera casi inaudible al tiempo que parpadeaba repetidamente.

Elliott tardó un instante en responder, y cuando lo hizo, habló casi igual de bajo.

—Tenemos que escapar. Ya.

Se separó de él, y juntos recorrieron el pasillo de puntillas, bajaron la escalera y salieron por la puerta principal. Una vez al aire libre, treparon por el bajo muro delantero de la casa y atravesaron varios caminos privados que llegaron a uno donde crecía una espesa maleza, donde pudieron esconderse y recobrar el aliento.

Will vio que Elliott hacía una mueca de dolor al tratar de mover la mano. Del bolsillo de su abrigo sacó uno de los pañuelos de David que se había agenciado y le vendó la palma con delicadeza. Luego, simplemente la abrazó.

Cuando ella empezó a relajarse, Will dijo:

—Bueno, eso no fue nada. —Soltó un soplido por el flagrante eufemismo, y se sintió tan aliviado que le entraron ganas de reír. Pero no lo hizo—. Al menos ya sabemos qué aspecto tiene un Armagi.

Elliott mascculló algo, aunque él no lo entendió.

—Y no alcanzo a comprender cómo supiste lo que tenías que hacer, el truco ese con tu sangre —añadió.

Ella siguió en silencio.

—Pero gracias —dijo Will.

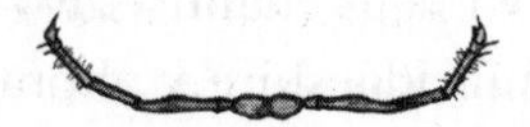

Mientras Drake estaba tumbado en el suelo con los ojos cerrados, Jiggs inspeccionaba la lejana autopista con sus prismáticos.

—Hay un par de camiones en el arcén… Un transporte del ejército. Y se produjo una pequeña colisión múltiple entre algunos coches… Pero no se mueve nada de nada.

Mientras los caballos pastaban, uno resopló ruidosamente. Drake lo imitó y dijo:

—Bueno, si pudiéramos cambiar los caballos por un coche, estaríamos en Londres en menos de una hora. Si al menos a esos pestilentes Armagi no les gustaran tanto los motores…

El caballo resopló de nuevo.

—Pues eso es lo que hay —admitió Jiggs—. Si esto te está resultando excesivo, podemos abandonar la idea de ir a Londres. Quién sabe con qué nos encontraremos cuando lleguemos a las afueras. ¿Con un ejército de Armagi? ¿De verdad vamos a abrirnos camino luchando hasta el centro? ¿Y para qué?

—¿Qué tal para encontrar a alguien con un teléfono vía satélite o averiguar dónde están refugiados algunos militares?

—No sabemos si todavía queda alguien —retrucó Jiggs…

—Alguien tiene que… —Drake soltó un gruñido cuando se sentó. Una de las vendas de su cabeza se había soltado y aleteaba al viento. Se la arrancó de un tirón y examinó las manchas del apósito con asco—. Esto no mejora nada.

—Es una quemadura por radiación. Tarda en cicatrizar —observó Jiggs.

—Pues si no se da prisa, no obtendrá ningún punto —dijo Drake, que se volvió a Jiggs cuando tuvo una idea—. Acabamos de salir de Cambridgeshire y ahora estamos en Essex, ¿no es cierto?

Jiggs asintió con la cabeza.

—Tengo una sugerencia. ¿Te acuerdas del tren subterráneo ultrasecreto en el que viajamos con mi padre y que nos llevó a todos hasta Londres? ¿El que mandó construir el gobierno durante la Guerra Fría para que los capitostes pudieran salvar el pellejo si Rusia atacaba?

—Sí, claro que me acuerdo. Llegaba hasta la misma Torre de British Telecom. Viajé contigo en ese tren —contestó Jiggs con una sonrisa irónica.

—Ah, sí, lo había olvidado. El hombre invisible —replicó Drake—. Bueno, dime, ¿aproximadamente a qué distancia de aquí está la estación?

—A unos veinticinco kilómetros —respondió Jiggs—. Pero no hay electricidad, así que el tren no podrá funcionar.

—Por supuesto que no, pero ¿qué tal si vamos hasta allí a galope tendido en los caballitos, y luego utilizamos el túnel? Podemos ir hasta el final a pie —propuso Drake—. Es mucho mejor que ser destrozados por los Armagi cuando lleguemos a los arrabales.

Sin que mediara una palabra más, montaron en sus caballos y partieron hacia la estación subterránea secreta del depósito.

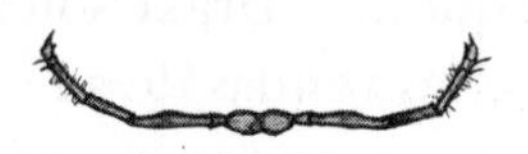

—Hay tanto silencio —dijo Will, mientras permanecían ocultos en el margen de la maleza delante de la casa—. Esto es Londres. Lo normal es que haya coches, voces…

Más por el susto que por otro cosa, había estado hablando sin parar en un intento de llenar el silencio, pero dejó que su voz se fuera apagando cuando se dio cuenta de que no tenía nada que añadir. Empezó a frotarse la cara con la manga para quitarse la sangre de Elliott.

Ella llevaba un rato sin hablar, pero entonces carraspeó.

—No hagas eso —dijo.

Will la miró a través del monocular, pero no le preguntó por qué.

—No te creerías lo que había en aquella habitación —añadió ella con voz apagada—. Lagartos styx como el que mordió al padre de Chester en el almacén. Larvas… dentro de cuerpos, y los cuerpos eran en su mayoría los de los ancianos de la residencia de la misma calle. Ahí es adonde los llevaron. Y aquellas grandes vainas. Había Armagi dentro, esperando a eclosionar. —Se estremeció—. Pero los cuerpos estaban horriblemente… Eran tantos y estaban a medio devorar… Verdaderamente horrible.

Will asintió con la cabeza.

Elliott se ajustó el pañuelo con el que él le había vendado la mano.

—Y lo extraño de todo es que en cierto modo sabía en dónde me estaba metiendo. Tenía el pálpito de qué iba a encontrar en esa casa…, en aquella habitación del piso de arriba…

—¿De verdad? —preguntó Will—. Pero no lo entiendo. Entonces, ¿por qué entramos en ella?

—Tenía que hacerlo. Fue como si me estuvieran llamando —intentó explicar, y sin terminar apenas la frase empezó a hablar atropelladamente—. Ay, Will, deberías estar con Stephanie, no conmigo. Yo no soy como tú. Soy otra cosa. Soy este monstruo, y no es bueno que estés conmigo, soy peligrosa.

Will tragó saliva con nerviosismo.

—¿Stephanie...? ¿Qué quieres decir? —logró articular.

Elliott meneaba la cabeza lentamente.

—Soy consciente de que te gusta —contestó ella, y entonces bajó la voz—. Se que estuvisteis un rato a solas cuando permanecimos atrapados en el Complejo.

Sorprendido por la asombrosa revelación, Will se quedó momentáneamente sin habla, pero luego empezó a hablar incoherentemente.

—No, yo no... Creo que ella quería, pero no hubo...

Elliott se inclinó sobre él rozándole el brazo con el hombro.

—No pasa nada.

—Sí, sí que pasa —dijo Will.

—No. De verdad, no pasa nada. Porque no te puedo asegurar cuánto tiempo estaremos juntos. Y no deberías estar solo —dijo Elliott en un tono de voz casi inaudible.

—¡No me lo creo! —le rebatió Will, muy alterado en ese momento.

—No tan alto —le advirtió Elliott. Levantó la vista hacia el tejado de la casa gótica, que era perfectamente visible desde la calle—. Los Armagi siguen allí, y no nos conviene que salgan a buscarnos. —Se puso en pie—. Nunca debí traerte conmigo —sentenció—. Si pudiera hacerte regresar, lo haría.

Will empezó a balbucir presa de la indignación.

—¿Qué... qué quieres decir? ¡Estás hablando como si estuviera a tu cargo o algo parecido!

Elliott echó la cabeza hacia atrás y contempló el cielo nocturno.

—Así es —dijo sencillamente—. Todos lo estáis. Porque yo puedo poner fin a todo esto. —Bajó la mirada hacia

Will—. Y ahora sé que te puedo proteger de los Armagi. Lo puedo hacer. —Extendió la mano herida como si la estuviera sopesando—. Pero no puedo hacer nada respecto a los Limitadores. Así que tenemos que tomárnoslo con calma y ser tremendamente cuidadosos mientras nos movemos, y hacerlo sólo de noche. Y necesitamos un sitio seguro antes de que llegue el día.

Se oyó un ruido sordo, *zump*, cuando la cerradura estalló en la puerta de hierro. De hecho, el ruido que hizo la puerta al girar en sus goznes al abrirse y golpear la pared de detrás fue mucho más fuerte y perceptible.

—Buen trabajo —dijo Jiggs, y él y Drake desanduvieron el camino hasta el lugar donde la pequeña carga de explosivo plástico había detonado. Se detuvieron para escudriñar los desmoronados peldaños de hormigón en el hueco del dique que rodeaba el depósito, donde la puerta recién abierta les estaba esperando.

—Estamos dentro —dijo Drake, y descendieron los escalones mojados. Al cabo de varios tramos, entraron en la estación de tren. Cuando dirigieron sus luces por el andén, repleto de grandes bobinas de cable, sacos terreros podridos y piezas metálicas oxidadas que habían sido abandonadas, vieron el tren que les había transportado en su anterior viaje a la Torre de British Telecom.

—Se hace extraño estar aquí de nuevo sin Elliott y Will y el resto del equipo —comentó Drake—. Y no hay ni rastro del tipo aquel de la Vieja Guardia que vigila el lugar. Parry decía que efectivamente vive aquí abajo.

—Puede ser que le hayamos pillado en la hora del té —bromeó Jiggs—. Vamos por ahí —añadió, y avanzaron hasta el final del andén.

—En las entrañas del infierno —susurró Drake, y durante un momento se quedaron inmóviles mirando fijamente la lúgubre oscuridad que se abría frente a la locomotora. El enladrillado que enmarcaba la entrada al túnel estaba manchado de cal y eflorescencias, y el aire apestaba a agua estancada.

—Tengo la sensación de haberme pasado toda la vida entrando en lugares oscuros a los que no quería ir —se lamentó Drake con aire cansado—. Supongo que no hay razón para que eso deba cambiar ahora.

Jiggs dio unos zapatazos contra el suelo, como para demostrar que tenía suficiente energía para los dos.

—Vamos, Drake, arriba esa barbilla, amigo. ¿Qué es lo que dicen acerca de que hay una luz al final del túnel?

—No les hagas caso —replicó Drake—. No tienen ni idea de lo que están hablando.

15

Martha no cabía en sí de gozo cuando regresó a la granja.

—Acércate, mi queridísimo niño, acércate —vociferó, haciéndole gestos a Chester para que se aproximara. Stephanie reparó en las manchas de sangre y hollín en las manos de la mujer; eso significaba a buen seguro que otra oveja había encontrado su fin e iba camino del puchero de Martha—. ¡Tengo que darte algunas noticias!

Rodeó a Chester con los brazos y le dio un achuchón mientras él la observaba impasible.

—Bien, ¿de verdad? —preguntó él.

—¡Sí, en serio! —contestó ella—. Una de mis hadas parece haber encontrado el rastro del olor de tu asqueroso hombre.

—¿De Danforth? ¿Estás segura? —preguntó Chester, y su actitud se transformó por completo—. ¿De verdad lo ha localizado?

—Sí, mi hada puede llevarnos hasta él —respondió Martha.

—¡Ah, maravillosa mujer! —exclamó Chester, que sólo entonces correspondió al abrazo de la mujer. Apretó la mejilla contra la suya—. ¡Te comería!

«Cuidado con lo que dices, pensó Stephanie con sarcasmo. ¡Ella también podría comerte a ti!» A la muchacha le habían hablado de la afición de Martha por la carne humana, aunque no había pensado demasiado en la cuestión hasta conocer realmente a la mujer. Pero la consideraba muy capaz de algo así.

—¿Dónde está, pues? ¿Dónde está Danforth? —insistió Chester.

—No sé decirte a qué distancia está, pero mi hada nos lo puede mostrar —contestó ella.

—La verdad, ¿cómo funciona esto? —se apresuró a preguntar Chester, como si de pronto hubiera empezado a dudar de lo que le estaba contando—. ¿Tus hadas te hablan?

Martha asintió con la cabeza.

—En cierto modo, sí, me hablan. Verás, he aprendido a descifrar las señales que se hacen entre sí, y también me las hacen a mí. Y una de las hadas me lo acaba de comunicar, mientras las demás mantienen vigilado al hombre asqueroso.

A Chester pareció satisfacerle la respuesta, y Stephanie empezó a mover la cabeza de un lado a otro mientras los dos seguían abrazados con fuerza emitiendo sonidos guturales de mutuo aprecio. Cada uno a su manera, estaban desquiciados: Martha, debido a la pérdida de su hijo y a los años de aislamiento que había padecido, y Chester a causa de todo lo que había pasado a manos de los styx y que culminó con la muerte prematura de sus padres. Dos personas, las dos profundamente heridas, unidas por sus pérdidas. Pero Stephanie no se engañaba en cuanto a la fragilidad de la relación entre ambos, era como la de dos platos que girasen uno al lado del otro encima de unas varillas. En cualquier momento, uno de los dos platos —cuando no los dos— podría estrellarse contra el suelo.

Por fin, aflojando la presión sobre la rotunda mujer, Chester la mantuvo a la distancia de sus brazos.

—Entonces, deberíamos ponernos en marcha.

Martha titubeó.

—¿Por qué no le pido a mis hadas que nos hagan el trabajo y que maten al hombre asqueroso? Así no tenemos que ir a ninguna parte.

«No, no, no.» Stephanie deseó que Chester no estuviera de acuerdo. Había estado considerando seriamente escapar para librarse de aquella situación increíblemente estrambótica, pero el chico le había dicho que se olvidara de semejante alternativa. No sólo a causa del riesgo que implicaban los Armagi; también le había dicho que él no podría impedir que Martha le echara encima los relámpagos en cuanto se largara.

Chester no había respondido a la sugerencia de la mujer; de hecho, parecía sumamente furioso.

—¿Por qué no les decimos que lo liquiden, cariñito mío? —le volvió a preguntar ella—. Así no habrá necesidad de que nos movamos de aquí, donde somos felices y estamos a salvo.

—¡Ni hablar! Ese cerdo es cosa mía. Y dile a tus condenados relámpagos que no le toquen un puñetero pelo de su repugnante cabeza. De hecho, quiero que le protejan… y que lo mantengan a salvo para mí —refunfuñó Chester, echando chispas por los ojos—. ¡Es mío!

—Pues claro, amorcito, no pasa nada, no pasa nada —dijo Martha con dulzura al tiempo que le acariciaba el pelo de la sien—. Por supuesto que haré eso por ti. Lo que haga falta.

Chester soltó súbitamente a Martha y se apartó de ella. Se quedó quieto un instante, con los dientes apretados, sumido en sus pensamientos.

—Si no sabemos a qué distancia se encuentra Danforth, entonces necesitamos un transporte. Esperad aquí.

Dicho esto, salió al pasillo y cogió su cazadora del perchero. Luego abrió la puerta principal y abandonó la casa hecho una furia.

Stephanie no podía seguirle, así que se recostó en su sillón habitual, se arrebujó en la colcha de plumas de ganso que había cogido en un dormitorio y se quedó mirando fijamente por la ventana. No había ninguna otra cosa que pudiera hacer en aquella casa; no había ninguna revista nueva, y la mayoría de los días ni siquiera una emisora de radio que escuchar. Transcurrieron varias horas, y ya se había abandonado a su habitual sopor —la única manera que tenía de superar el día—, cuando fuera se oyó el rugido de un motor.

Stephanie y Martha, ésta armada con su ballesta, fueron inmediatamente hasta la ventana y miraron atentamente por el cristal para ver de qué se trataba. Chester bajó del vehículo, un coche de doble tracción cubierto de barro. Les hizo un gesto a las dos para que salieran.

—Encontré este cuatro por cuatro en una granja cercana el otro día cuando estaba echando un vistazo por los alrededores, y pensé que podría llegar a ser útil. Cerca de la granja también había algunos bidones de diésel de repuesto, así que los he metido en la parte de atrás, y algunas latas de comida, para que no tengamos que seguir comiendo ese emplasto de oveja —dijo, echando un vistazo a la parte posterior del vehículo. Luego, cuando rodeó el coche por delante, le dio una contundente palmada al capó—. ¡Espabilad, la una y la otra! Recoged vuestras cosas. ¡Nos marchamos!

—No me gusta esto. No voy a viajar en uno de esos artefactos —soltó Martha. Sentía una arraigada desconfianza hacia cualquier cosa más complicada que su ballesta—. En todo caso, ¿quién va a llevar el timón?

—¿Llevar el timón? ¿Querrás decir conducir? Yo voy a conducir, porque ese mamón de Parry me enseñó. —Chester se acercó directamente a Martha—. Vamos, dijiste que harías cualquier cosa por mí. Pues bien, ahora te lo estoy pidiendo. —La mujer pareció indecisa, pero él estaba decidido a hacer aquello a su manera—. Sabes que deseas ayudarme... y sabes hacerlo, mamá. —Y le estampó un beso grande y sonoro en los descamados labios.

—¡Oh! ¡Oh! ¡Oh! —Turbada, Martha se quedó sin aliento. De inmediato, se puso como un tomate y empezó a balancear los hombros como una niña pequeña—. Ah, de acuerdo, mi querido niño —dijo.

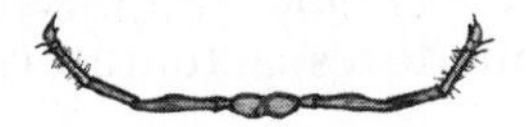

—A menos que sean animales extraviados que nos estén dando falsos positivos, parece que la fiesta se está animando —declaró Parry.

Dos de sus hombres habían levantado la mano simultáneamente cuando los sensores térmicos que estaban controlando en sus ordenadores portátiles registraron las señales. En el último piso del edificio de viviendas había una docena en total de tales hombres, algunos reclutados del SAS y otros de la Vieja Guardia de Parry, todos mirando atentamente sus ordenadores colocados en diferentes muebles que habían rapiñado en los pisos inferiores. Rodeando a los hombres, estaban las instalaciones de aire acondicionado y los motores de los ascensores, los cuales, por supuesto, llevaban varios meses fuera de servicio a causa de la falta de electricidad.

Otro de los hombres de los ordenadores levantó la mano en ese momento.

—También por el noroeste, jefe. Una señal fuerte —informó.

—Sí, se diría que empieza la partida —convino Eddie, mirando a Parry a los ojos—. Y es como esperábamos: los sensores están captando a los Limitadores mientras ocupan sus posiciones en torno a la instalación para atrapar a cualquiera que trate de huir. —Desvió su atención a una pantalla cercana que mostraba una imagen en vivo de la Oficina Central de Comunicaciones del Gobierno, la agencia estatal de señales y comunicaciones. El edificio estaba situado a unos quinientos metros de donde se encontraban en ese momento, y la imagen estaba siendo enviada desde una de las cámaras colocadas en lo alto del bloque de viviendas—. Así que las tropas de vanguardia, los Armagi, dirigirán el ataque, mientras que mis antiguos camaradas, los Limitadores, actuarán como escuadrón de limpieza —añadió.

—¿Escuadrón de limpieza? Nunca pensé que alguna vez oiría describir a la élite styx de semejante manera. —Parry sonrió, aunque sus ojos expresaban otra cosa diferente. Se acercó a Eddie, y bajó la voz—. Ambos hemos sacrificado a demasiados hombres en las últimas semanas para que la tapadera de Danforth con los styx pudiera preservarse. Quiero que sepas que el comportamiento desinteresado de tus antiguos Limitadores no será pasado por alto.

Como era de esperar, la respuesta de Eddie estuvo desprovista de cualquier emotividad.

—Gracias, pero ellos sabían lo que se jugaban cuando se unieron a mí —dijo—. En cuanto a lo que está a punto de suceder, es posible que mueran más Limitadores, y aunque ellos siguen obedeciendo ciegamente a la jerarquía styx, me gustaría creer que podremos salvar todas las vidas que estén en nuestras manos. Ellos sólo siguen los dictados de la clase dirigente.

—¿Y los Armagi? —preguntó Parry.

—Ésos son un asunto completamente diferente —respondió Eddie—. No tengo ningún escrúpulo en destruirlos, porque no los considero «personas». No son más que un armamento biológico, máquinas de matar producidas por la Fase, y no tienen ninguna utilidad en la Tierra.

Parry asintió con la cabeza y se volvió hacia los hombres de las mesas para hablarles.

—Escuchad. Ahora, delante de todos, os quiero a las cámaras. Quiero que observéis los acercamientos. Cabe la posibilidad de que Danforth se muestre con algunos objetivos de alto valor para los styx. Estad alerta por si lo veis, porque el viejo styx, e incluso Hermione y la gemela Rebecca, podrían no andar lejos. Y es también prioritario que Danforth sea sacado con vida. Ya ha corrido suficientes riesgos para traernos hasta aquí, y quiero sacarlo de ahí de una pieza.

El Limitador metió el coche en el aparcamiento subterráneo y aminoró la velocidad. El vehículo apenas se había detenido cuando el viejo styx se apeó seguido por Danforth.

—¿Qué os retuvo? —les espetó Hermione cuando salió del asiento trasero del Bentley negro azabache que ya esperaba allí. Mientras cruzaba una puerta a grandes zancadas, gritó—: ¡Espabila, Rebecca, date prisa! Y, por Dios, ven tú sola. No traigas a tu mono de feria contigo.

Cuando Rebecca Dos salió del asiento delantero, Danforth reparó en la cortante mirada que le lanzó el viejo styx; o, para ser más exactos, la cortante mirada que lanzó al joven y rubio oficial neogermano sentado detrás del volante.

—¿Todavía dura esa impía unión? —le preguntó el viejo styx a Hermione cuando la alcanzó.

—Ya es hora de que le pongamos fin —respondió ella con frialdad en voz baja. Cruzó con decisión la entrada del aparcamiento y el oscuro pasillo de suelo de cemento sembrado de charcos de agua—. No es aconsejable llevar pasajeros —añadió meneando la cabeza, y sus patas de insecto chocaron entre sí con un chasquido por detrás del cuello de su ancho abrigo.

Danforth no podía tener una certeza total porque, por deferencia a la autoridad de ambos, caminaba varios pasos por detrás de Hermione y el viejo styx, pero estaba bastante seguro de que la mujer styx había vuelto ligerísimamente la cabeza hacia él cuando había pronunciado aquellas palabras. Por el viejo styx sabía que el compañero humano de la gemela Rebecca estaba mal visto, pero tuvo la abrumadora sensación de que Hermione también se había referido a él con esas palabras. Aquello no presagiaba nada bueno. La mujer styx era impredecible, y él se sentía increíblemente inseguro. De forma instintiva se pasó la lengua por la falsa muela que contenía la radio en miniatura y deseó tener una oportunidad para enviar un mensaje.

El grupo recorrió varios pasillos sin luz antes de subir un corto tramo de escaleras que terminaba en una puerta. Cuando salieron a la luz del día y pusieron el pie en la acera, Danforth vio dónde estaban exactamente.

—Ahí está —susurró Hermione—. Uno de los últimos bastiones del patético sistema de defensa de este país a punto de caer en nuestro regazo como una ciruela madura.

—La Oficina Central de Comunicaciones del Gobierno —masculló Danforth apretando los dientes. Todos se mantuvieron en el lateral de la calle, que atravesaba varias intersecciones antes de llegar al edificio con forma de rosquilla a cuya creación y equipamiento él había contribuido de forma tan decisiva.

Danforth señaló la alta verja apenas visible en la distancia.

—¿Son conscientes de que el perímetro exterior estará fuertemente controlado? —Paseó la mirada por la calle—. Aunque es improbable que haya electricidad en el resto de la ciudad, la Oficina Central de Comunicaciones del Gobierno posee su propio suministro geotérmico, así que sus sistemas seguirán funcionando.

Danforth se apresuró a tomar nota mental del número de Limitadores que podía ver por la calle, tres o cuatro a lo sumo, todos metidos en diferentes portales.

—Ustedes no me consultaron la planificación de ningún ataque, así que ¿qué saben del potencial defensivo de la Oficina Central de Comunicaciones del Gobierno? Habrá cuantiosas, y quiero decir cuantiosas, unidades de respuesta altamente especializadas listas para rechazar cualquier agresión. Y dicho potencial habrá sido fortalecido debido a…

Hermione echó la cabeza hacia atrás y soltó una desagradable carcajada.

—¡Qué hombrecillo tan gracioso! —se burló—. ¿De verdad cree que nos importa un comino algo de eso? —Volvió su atención a la instalación que tenía delante—. ¿Y quién dijo que fuéramos a atravesar el perímetro? Mire esto.

El viejo styx y Rebecca Dos se apartaron de ella cuando Hermione se echó el abrigo por debajo de los hombros. Sus extremidades de insecto se extendieron completamente, se juntaron y empezaron a vibrar.

Cuando Danforth echó un primer vistazo, supuso que el viento había alborotado el avance de las nubes por el cielo; enseguida se le hizo patente que lo que estaba viendo no tenía que ver con las condiciones atmósfericas, y que era algo muy siniestro.

Los Armagi revoloteaban en lo alto formando un remolino, y sus formas refractaban el azul grisáceo del cielo. Entonces empezaron a reunirse y descendieron, formando un círculo sólido que recordaba a un surtidor de agua boca abajo, directamente en la abertura central de la Oficina Central de Comunicaciones del Gobierno.

—Me pregunto qué pensarán de esto esos sacos de carne de sus amigos —Hermione se rió con suficiencia— durante los pocos minutos que les quedan de vida. —Súbitamente se giró hacia el viejo styx—. Ya nos podemos deshacer de este idiota. No le necesitamos para nada, y su presencia me resulta tediosa.

El viejo styx levantó la mano y un par de Limitadores aparecieron de la nada a uno y otro lado de Danforth. Entonces el viejo styx volvió sus ojos vacíos hacia él.

—Es cierto. Nunca le necesitamos, y no nos podemos permitir que se quede con nosotros. Aquí no hay sitio para los humanos.

—Hicimos un trato —replicó Danforth sin alterar la voz—. ¿Lo va a incumplir?

—Si nos hubiera entregado las cabezas de Drake, Elliott y el hijo de Burrows en bandeja, habríamos quedado más convencidos de su compromiso. Pero no lo hizo.

—No obstante, están todos muertos —insistió Danforth.

El viejo styx le miró con escepticismo.

—No le han visto el pelo a ninguno de ellos desde que me uní a ustedes, ¿no es verdad? —señaló Danforth.

—Puede que eso sea cierto, aunque seguimos sin tener noticias del grupo que enviamos al mundo interior, lo cual es sorprendente. Y los posteriores equipos que enviamos para buscarles tampoco han informado de lo sucedido —dijo el viejo styx—. Y eso hace que sospechemos que no todo es lo que parece.

—Si les ocurrió algo, eso no tiene nada que ver conmigo —razonó Danforth—. Está cometiendo un gran error. —Aunque aparentemente mantenía la calma, las ideas se agolpaban en su cabeza. La primera de su lista la ocupaba la manera de poder sacarse la muela y enviar un mensaje de SOS con los Limitadores vigilando todos sus movimientos.

—Lleváoslo y acabad con él —ordenó el viejo styx, y luego bajó la voz—. Y de paso que os encargáis de él, deshaceos de ese neogermano al mismo tiempo. Y aseguraos de que los cuerpos no queden a la vista. —Había bajado la voz para evitar que Rebecca Dos oyera de pasada su orden, pero en cualquier caso la gemela estaba demasiado concentrada en la avalancha de Armagi.

Cuando uno de los Limitadores empezó a empujarle por la calle en sentido opuesto a la Oficina Central de Comunicaciones del Gobierno, Danforth consiguió echar otro vistazo a la cascada continuada de Armagi que caía del cielo.

—Muévete —gruñó el Limitador, golpeándole en los riñones con el cañón del fusil.

A pesar del dolor, Danforth se permitió mostrar una pequeña sonrisa. En ese preciso instante, la mujer styx tenía la impresión de que iba a lograr una victoria considerable. Aunque más bien estaba a punto de tener un brusco despertar. Si todo discurría de acuerdo con el plan, al menos Danforth habría ayudado a propinar un importante golpe a los styx antes de perder la vida. Y todavía no había perdido todas las esperanzas; si el tiempo jugaba a su favor y el ataque tenía lugar antes de que le hubieran asesinado, tal vez pudiera distraer a los Limitadores y conseguir escapar.

No. Suspiró. Con aquel par de soldados letales tan alertas, era esperar demasiado. Estaban demasiado bien entrenados. Nada, salvo una intervención armada, los apartaría de su misión. Estaba muerto. Y lo aceptó.

Fingió que tropezaba.

—Más de prisa —gruñó uno de los Limitadores—. Deja ya de remolonear.

El soldado tenía razón. Danforth intentaba ganar tiempo. Echó un vistazo a los tejados de los edificios de alrededor, preguntándose si Parry le estaría siguiendo con una cámara. Pensó que no era probable; estaba demasiado lejos de la Rosquilla.

Cuando pasaron junto a la entrada al aparcamiento subterráneo, uno de los Limitadores se separó. El otro continuó empujando a Danforth por la calle principal y luego le hizo doblar una esquina para seguir por una transversal.

Allí, el Limitador le lanzó violentamente contra la pared del edificio, y lo hizo con tal fuerza que Danforth acabó tirado en la acera.

—No te levantes —gruñó el soldado, mientras sacaba una hoz de la vaina que colgaba de su cinturón.

Danforth paseó la mirada desde el acero mate de la hoja a las ramas sin hojas de los árboles que salpicaban la calle, y de ahí al cielo.

¿Así que era ahí donde acabaría todo para él? En una calle cualquiera de un pueblo cualquiera de Inglaterra. Resultaba irónico, teniendo en cuenta la de lugares en los que había estado en su vida.

Tanto Danforth como el Limitador se volvieron hacia el extremo de la calle cuando el otro Limitador apareció finalmente empujando al capitán Franz por delante de él.

—Levántate —bramó a Danforth el Limitador de la hoz.

Danforth sabía que cuando el joven neogermano llegara, ambos serían ejecutados tal como había ordenado el viejo styx.

—¿Qué está pasando aquí? —exigió saber el capitán Franz, que intentó enderezar su gorra de chófer cuando el Limitador volvió a empujarle.

—¿Dónde está Rebecca?

El capitán Franz se detuvo delante de Danforth.

—Ella ya no va a poder ayudarte —dijo éste.

El neogermano tenía aquella expresión ligeramente atontada que ocasionaba el exceso de sesiones de Luz Oscura.

—¡Id a buscar a Rebecca! ¡Ahora mismo! —ordenó el

capitán Franz a los Limitadores—. Esto es una completa equivocación.

Danforth respiró hondo antes de hablar.

—Ahorra saliva. No conseguirás nada —le dijo al neogermano—. Estas patéticas porquerías de soldados no pueden pensar por sí mismos. —Sonrió con amargura al Limitador más próximo a él, que tenía preparada la hoz en el costado—. No sois más que unos robots. He conocido a muchos soldados profesionales en mi época, y vosotros no les llegáis a la suela de sus zapatos.

Se calló durante un segundo, intentando calibrar el efecto que sus pullas estaban teniendo, pero el Limitador era impenetrable. Aquellos ojos hundidos en el rostro marcado se limitaron a observarle.

—¿Qué problema hay? ¿Es que necesitas que tu jefa insecto te diga lo que tienes que hacer a continuación?

El Limitador de la hoz le atizó en la cara. Danforth cayó al suelo, y aunque sus gafas se habían roto y los ojos le hacían chiribitas, no podía creerse la suerte que había tenido. El Limitador no había utilizado la hoz.

Todavía no, al menos.

—Me has roto un diente —dijo Danforth, poniendo voz lastimera, pero pegando saltos de alegría por dentro. Se metió la mano en la boca, se despegó el molar postizo y lo escondió en la palma.

—De pie —rugió el Limitador de la hoz.

Aunque resbaladiza a causa de la sangre y la saliva, Danforth acababa de lograr presionar el interior de la radio para activarla cuando el Limitador le golpeó de nuevo.

La radio salió volando.

«¡Maldita sea!», pensó Danforth.

El Limitador le apuntó con la hoja.

—Tú, hombrecillo, te has ganado el derecho a ser el primero en morir.

El soldado styx agarró a Danforth por las solapas y lo puso de pie con una sola mano, mientras en la otra balanceaba la hoz.

El capitán Franz estaba balbuciendo algo incomprensible en alemán. Tal vez fuera una oración.

El Limitador se disponía a segar la vida de Danforth.

Todo ocurrió tan deprisa que fue como si el Limitador sencillamente hubiera desaparecido.

Danforth se tambaleó, bizqueando con los ojos llenos de sangre, y se encontró con la mirada aún más aturdida del capitán Franz.

—¿Adónde ha ido? —masculló.

Entonces ambos vieron al Limitador.

Estaba despatarrado en el extremo opuesto de la calle, sin cabeza y con el cuerpo destrozado.

A pesar de las chanzas de Danforth en sentido contrario, los Limitadores eran unos consumados profesionales, y el otro soldado ni se inmutó por la muerte de su camarada. Y no iba a esperar a que le dieran ninguna explicación para reaccionar. Moviéndose por puro instinto, se abalanzó sobre Danforth y lo retuvo.

Quizás había pensado en utilizarlo como escudo en lugar de matarlo de inmediato, pero aun así el relámpago atacó, arrancándole al Limitador buena parte de la cara y el cuello. La cabeza del soldado quedó colgada de un lado, y de la yugular seccionada brotó una fuente roja a presión. Acto seguido, se desplomó a los pies de Danforth hecho un gurruño.

—¿Qué fue eso? —gritó el capitán Franz, mirando boquiabierto hacia el cielo, aunque ya no se veía el relámpago por ninguna parte.

—No tengo ni la más remota idea — contestó Danforth, que recuperó sus gafas. Uno de los cristales había desaparecido, aunque el otro seguía en la montura a pesar de estar rajado—. Y no me voy a quedar aquí para averiguarlo.

Se oyó un aullido procedente de la esquina.

—¡Johan! ¿Qué haces aquí? —Rebecca Dos había aparecido corriendo a toda velocidad por la calle principal, pero al ver a su amado neogermano se detuvo con un patinazo.

—Oh, Rebecca —contestó el capitán, que pareció consternado cuando extendió una mano fláccida hacia ella.

—Me pareció que pasaba algo... Lo presentí —dijo ella.

Danforth no estaba de humor para sentimentalismos.

Pese a ser un hombre bajito, seguía sabiendo cómo apañárselas. Rodeó el cuello del capitán Franz con un brazo para inmovilizarlo con una llave y le apretó la hoz del Limitador contra la garganta. Pensando que podría serle útil, había recuperado el arma al mismo tiempo que las gafas.

—¡Quieta! —le ordenó a Rebecca Dos.

—Vale, pero, por favor, no le haga daño —le imploró a Danforth, y entonces divisó la sangre del Limitador en la cara de su amado capitán. Se dispuso a dar un paso—. Pero ¿qué te ha ocurrido, Johan? ¡Estás sangrando!

—¡Te lo advierto! ¡Quédate ahí! —le ordenó de nuevo Danforth.

—¿Qué te ha hecho este hombre? —preguntó ella, lanzando una furibunda mirada a su capturador.

—No estoy sangrando —contestó el capitán Franz, antes de que Danforth incrementara la presión de la llave para impedir que el neogermano siguiera hablando.

—Mataste a esos Limitadores —acusó Rebecca Dos a Danforth, aunque no pareció muy convencida de lo que decía cuando vio el cuerpo decapitado del soldado al otro lado de la calle y las demás heridas letales.

—Tus hombres tenían órdenes de ejecutarnos a los dos —replicó él.

—¿Por qué? —preguntó ella a gritos.

—¿No resulta un poquito evidente? Ambos somos humanos prescindibles —respondió—. Ahora quiero que bajes la voz, porque vas a venir conmigo.

—De eso nada —retrucó Rebecca Dos.

—Vendrás si quieres que tu novio viva —amenazó él y hundió la punta de la hoz en el cuello del capitán Franz.

—¡No, no lo hagas! Por favor, no le hagas daño —le imploró Rebecca Dos—. Haré lo que dices.

—Y antes de que nos vayamos, necesito que me encuentres una cosa —dijo Danforth. Miró atentamente hacia el centro de la calle—. Parece una muela.

—¿Una muela? —Rebecca había acabado de hacer la pregunta cuando el suelo tembló bajo los tres y se produjo una detonación que les sacudió los sesos. La onda expansiva tiró al suelo a la gemela, y una enorme nube de polvo surgió como una oleada y avanzó a lo largo de toda la calle hacia ella.

—¡La leche! —exclamó Danforth, lanzando una mirada al lugar donde había caído Rebeca Dos—. Parece que sólo quedamos tú y yo, rubito —le susurró al oído al capitán Franz.

—*Nein, Rebecca, nein, nein* —balbuceaba sin parar el neogermano.

—Te alteras por nada; dudo que esté muerta —dijo Danforth, empujando a su rehén para que se dirigiera al lugar donde había divisado su radio en miniatura. En cuanto la recuperó, le echó otro vistazo a Rebecca Dos—. Es una pena que no me la pueda llevar. Habría sido un sujeto interesante de interrogar —comentó apenado.

El capitán Franz también la estaba mirando, transido de dolor.

—*Nein, nein, nein* —seguía farfullando cuando Danforth se lo llevó a la fuerza a toda prisa.

—Ahí es cuando estalla —dijo Parry en el momento en que las imágenes de las cámaras parpadearon a causa de la explosión. Cuando se estabilizaron, las vistas de lo que quedaba de la Oficina Central de Comunicaciones del Gobierno estaban oscurecidas por unos mantos mortuorios de polvo y humo. La detonación se había programado para el momento en que la marea de Armagi terminara su entrada aérea y estuvieran en el interior de la instalación, buscando en vano a alguien que matar.

—¿Así que por nuestro lado ninguna baja? —preguntó Eddie.

—Confío sinceramente en que no. El centro fue evacuado hace semanas, salvo, claro está, por el personal mínimo imprescindible para mantener la apariencia de que seguía funcionando como siempre —explicó Parry—. Y esas personas deberían haber escapado por los túneles subterráneos de evacuación... Había varios de...

—Señor —le interrumpió uno de los soldados a cargo de un portátil—, acabamos de recibir un mensaje de Danforth. Nos pide que le evacuemos. Y dice que tiene un rehén.

—¡Todos los demás recoged vuestro equipo! ¡Nos vamos ya! —ordenó Parry mientras se acercaba al soldado—. Muy bien, ¿dónde dice Danforth que está? —preguntó.

Hermione y el viejo styx habían sido afortunados. Estaban bien guarecidos en el lateral de la calle cuando se produjo la explosión, aunque aun así los tiró a ambos al suelo.

Ella se estaba riendo cuando el aire empezó a limpiarse y vio lo poco que quedaba de la Oficina Central de Comunicaciones del Gobierno. La Rosquilla había quedado reducida a un montón de escombros, y las pocas partes que seguían en pie eran pasto de las llamas.

—Así que colocaron cargas explosivas y esperaron a que apareciéramos para volar todo el lugar... ¿Es eso lo mejor que se les puede ocurrir a esos pobres sacos de carne? —dijo.

—Nos han ahorrado el trabajo de demolerlo —abundó el viejo styx, sin apartar la vista de los restos.

Hermione había dejado de reír y en su lugar estaba como cacareando, absorta en la cantidad de polvo que se había depositado en su abrigo.

—Aunque me duele haber perdido a algunos de mis hijos, son Armagi, y ahora son muchísimos —dijo, y empezó a sacudirse el abrigo utilizando sus miembros humanos para la parte delantera y los insectoides para la espalda—. No es lo mismo que cuando se deshicieron de mis Guerreros. Los humanos sólo han conseguido empeorar su situación al cambiar de táctica.

—Sí, y no son del todo conscientes de que cualquier cosa que intenten ya es inútil —convino el viejo styx asintiendo con la cabeza—. Es demasiado tarde para ellos.

Pero Hermione no le estaba escuchando. Había dejado de sacudirse el abrigo y tenía la mirada triste.

—Pero jamás le perdonaré a Will Burrows ni a los demás que masacraran a mi Clase Guerrera, a mis verdaderos hijos, en aquel almacén —dijo en voz baja con ardor.

El viejo styx tenía la cabeza en asuntos más apremiantes. Ya que el humo y el polvo se empezaban a disipar, había estado buscando con la mirada por la calle; un gesto de contrariedad apareció en su rostro generalmente inexpresivo.

—¿Adónde se ha ido Rebecca? —preguntó.

16

—¡Hurra! Aquí estamos de nuevo —dijo Chester, poniendo los limpiaparabrisas cuando los trozos de Armagi y el líquido que corría por sus venas salpicaron el parabrisas por enésima vez.

Había estado conduciendo como un lunático, sin disminuir la velocidad pese a que la autopista estaba llena de obstáculos. En varias ocasiones había golpeado ligeramente a los coches abandonados que le estorbaban, a punto de perder el control del cuatro por cuatro mientras zigzagueaba por la carretera por ir tan deprisa. Y cada vez que había chocado, se lo había tomado a risa, aunque Martha parecía petrificada, y sentada a su lado se aferraba al cinturón de seguridad como si la vida le fuera en ello. Por su parte, Stephanie no se permitió ni un momento de respiro, porque si iban a estrellarse, quería estar preparada para ello.

Hicieron un bienvenido alto en el camino para calentar algunas latas de comida. Pero antes de que hubieran terminado de comer, Martha se había alejado. Stephanie la localizó en lo alto de una pequeña colina, donde aparentemente no hacía otra cosa que mirar atentamente el cielo. Cuando finalmente regresó, le dijo a Chester que se había enterado por los relámpagos de que el «hombre asqueroso» se estaba moviendo, aunque ellos seguían yendo en la dirección correcta para alcanzarlo. También le dijo que un relámpago permanecería todo el rato con él para rastrear sus movimientos.

A pesar de lo que le había contado a Chester, Stephanie no acababa de explicarse cómo Martha podía saber tal cosa por aquellas criaturas con aspecto de moscas grandes que rara vez parecían dejar de volar como centellas de aquí para allá. Chester no pareció muy interesado en aquella noticia, más preocupado, en cambio, en reservarse para él solo un lata entera de judías estofadas con salchichas, mientras que Stephanie tuvo que compartir la segunda lata con Martha.

Y luego, después de que Chester hubo llenado de diésel el depósito hasta los topes, se pusieron en marcha de nuevo. Por una vez el tramo de autopista que se abrió ante ellos estaba relativamente despejado, así que dio lo mismo que el chico pisara a fondo el acelerador.

Pero después de que les llovieran más trozos de Armagi, Martha no dejaba de estirar el cuello para escudriñar el cielo a través del parabrisas delantero.

—El cansancio va a poder con ellos —dijo finalmente.

Chester no respondió, antes bien empezó a balancear la cabeza de un lado a otro como si estuviera escuchando una música que sólo él pudiera oír. Y no hizo ningún intento de aminorar la velocidad.

—¿Sabes, cariñín?, no pueden estar ahí arriba todo el día —intentó Martha de nuevo—. Tienen que descansar, como nosotros.

Chester empezó a juguetear con los mandos del aire acondicionado para aumentar la intensidad y orientar la rejilla, de manera que la brisa le dio de lleno en la cara y le alborotó el pelo.

—Empieza a hacer un poco de calor aquí dentro —dijo.

Lo que no dijo fue que la combinación del aire viciado y caliente del vehículo y la falta de higiene de Martha resultaba especialmente desagradable. Cuando Stephanie había abierto su ventanilla trasera, Chester y Martha le habían dicho a gritos que eso era demasiado peligroso. Pero donde estaba sentada, el aire acondicionado no le era de gran utilidad. Así que en su lugar cogió el frasco de perfume del neceser que llevaba en la Bergen y de vez en cuando le quitaba el tapón para olfatearlo, lo que le proporcionaba un alivio pasajero. Había llegado incluso a echarse una o dos gotas en el pañuelo, pero eso le granjeó unas miradas tan feroces de Martha que no se atrevió a hacerlo de nuevo.

—Si no reducimos la velocidad y nos lo tomamos con más calma, esos Armagi matarán a algunas de mis hadas —dijo Martha.

No hubo respuesta por parte de Chester, que volvió a bambolear la cabeza una vez más y frunció los labios como si estuviera silbando en silencio.

—De verdad, cariñín, tenemos que ir más despacio —insistió Martha, que parecía ya bastante desesperada.

Stephanie acababa de quitar el tapón a su perfume una vez más y lo estaba oliendo, cuando Chester aulló a la mujer:

—¿Te quieres callar de una vez?

La chica se asustó tanto por su reacción que estuvo en un tris de dejar caer el perfume. Y entonces se sorprendió siendo presa del impulso casi irrefrenable de atizarle un puñetazo a Chester en la nuca. Era tan egoísta, las había arrastrado a su cruzada de venganza sin la menor consideración. «Ni siquiera se ha preocupado por mí», se dijo para sus adentros Stephanie.

De pronto había tenido más de lo que estaba dispuesta a soportar. Quizá fuera la atmósfera sofocante y bastante desagradable del coche, o posiblemente su cansancio, pero ya le traía todo sin cuidado.

—¡Para el coche! ¡Me quiero bajar! —le gritó a Chester justo en el oído. Ella apenas había dicho una sola palabra durante todo el viaje, así que su exabrupto fue aún más imprevisible.

—¿Qué? —preguntó Chester con un grito ahogado, y el cuatro por cuatro empezó a dar bandazos por la carretera de forma descontrolada.

—He visto anunciada un área de servicio más adelante —contestó Stephanie—. Déjame allí.

Él no esperó tanto y se detuvo en la cuneta. Cuando tanto él como Martha se giraron hacia el asiento trasero para mirarla, Stephanie no dijo nada, sencillamente cogió su neceser y salió del coche. En el momento en que empezó a alejarse del coche, Chester echó a correr tras ella.

—¿Qué puñetas te pasa? —preguntó él.

Stephanie se detuvo de inmediato.

—¿Que qué me pasa a mí? ¿Y qué pasa contigo? —Sacudió la cabeza—. Muy bien. Deja que te lo aclare: te estás comportando como una verdadera mierda y me he hartado.

Chester señaló el campo abierto a ambos lados de la autopista.

—Pero si estamos en medio de la nada. Morirás.

—Como si te importara —le espetó ella—. De todas formas, prefiero correr el riesgo aquí fuera que contigo dentro de ese apestoso coche.

—Como quieras —soltó él, que se giró sobre sus talones y regresó al coche dando pisotones—. Haz lo que te dé la gana.

—De todas formas nos matarás a todos si sigues conduciendo de esa manera —le gritó ella mientras él se alejaba. Stephanie soltó un bufido para mostrar su desprecio—. ¡Eres tan hipócrita! Seguro que a tu hermana la atropelló un idiota que conducía igual que tú.

Chester se paró en seco, aunque siguió dándole la espalda a Stephanie. No sabía qué responder. El comentario de la chica le había alcanzado de lleno; en ese momento, algo caló en su ira y en el deseo devorador de venganza.

Pero Stephanie no había terminado.

—Hay algo verdaderamente idiota: ¿no te has percatado de que sólo hay Armagi cuando nos acercamos a las ciudades? Así que si ahora perdemos a algunos relámpagos, ¿cómo nos las arreglaremos cuando lleguemos a Londres, que parece que es adonde se están dirigiendo? —Se encogió de hombros—. Lo más probable es que la ciudad esté llena de Armagi, así que sin las hadas de Martha tanto nos da estar muertos.

—Tengo que decir que ella tiene razón, cariñito —manifestó de pronto una voz. Martha se había acercado a escuchar—. Tenemos que dejar que mis hadas se den un respiro y coman algo. Y tienes que timonear un poco más despacio.

—Es conducir, Martha. Uno «conduce» un coche. —Chester se volvió hacia Stephanie y carraspeó—. Sí, puede que me haya pasado de la raya, y creo que todos podríamos tener un merecido descanso. ¿A cuántos kilómetros está esa área de servicio que viste? —preguntó.

Stephanie no contestó.

—Vamos. Vuelve a poner tus cosas en el coche. Londres no está tan lejos, y a ti te encanta Londres —arguyó en un intento de consolar a su amiga, sonriéndole con timidez.

Ella respondió con indignación.

—Sí, ¿y qué haremos cuando lleguemos allí? Lo único que sé es que va a ser como el lugar más terrible de la Tierra. Estoy segura.

—Pero sigue siendo Londres, con todas esas tiendas que te encantan. Y además, seguro que hay algo abierto

—insistió él sin perder la sonrisa. Era evidente que estaba haciendo un esfuerzo tremendo para mostrarse agradable con ella, pero Stephanie se dio cuenta de que aquel brillo enloquecido no había desaparecido de su mirada—. Vuelve al coche, ¿de acuerdo, Stepho?

—¿Stepho? A mí nadie me llama Stepho —dijo ella entre dientes. Pero en contra de su buen juicio, echó andar hacia el vehículo arrastrando los pies y preguntándose qué puñetas estaba haciendo.

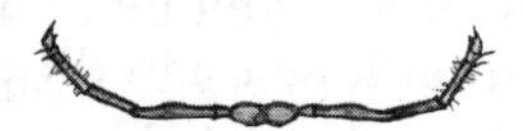

—Y pensamos que tenía mala pinta la última vez que estuvimos aquí —susurró Drake. Él y Jiggs habían avanzado a gatas hasta las ventanas y levantaron las cabezas lo suficiente para contemplar Londres.

Deteniéndose numerosas veces en el camino para permitir que Drake se recuperase, habían recorrido todo el túnel del tren desde Essex hasta el centro de Londres. Cuando por fin llegaron al andén debajo de la Torre de British Telecom, se habían apresurado a subir las escaleras hasta la misma planta de la torre, desde la que habían observado los resultados de los primeros intentos de los styx por alborotar las cosas en la capital. Pero eso había sucedido varios meses atrás, y en ese momento la situación era inconmensurablemente peor.

—No hay electricidad en ningún sitio. Así que toda la red eléctrica debe de estar inutilizada —comentó Drake—. Confiaba en que pudiéramos activar alguna de las parabólicas de la torre y enviar una señal a Parry.

—Mira aquel edificio de oficinas de allí —dijo de pronto Jiggs, escudriñando la oscuridad mientras la noche empezaba a caer—. Es difícil de ver con esta luz, pero ¿distingues lo que hay en la azotea?

—¡Caray! —exclamó Drake, cuando vio las numerosos formas cristalinas de los Armagi reunidas en la azotea—. ¿Cuántos hay?

—En realidad todo el lugar está plagado de ellos. Están por todas partes —replicó Jiggs, cuando localizó más en otras azoteas.

—Esto ha ido demasiado lejos —comentó Drake, que se desplomó sobre el suelo—. ¿Cómo vamos a salir de ésta?

Jiggs consultó el rastreador antes de responder.

—No hay ninguna duda de que la baliza se ha movido desde que estábamos bajo tierra. —Como fuera que Drake se limitó a quedarse allí tirado, Jiggs se preocupó—. Sé que esa caminata por el túnel ha debido ser como varias maratones para ti. ¿Cómo lo llevas, amigo?

—Estoy hecho polvo, con unas náuseas que me muero, y dolorido por todas partes… ¿Continúo? —masculló Drake—. Y lo peor de todo es que esta jodida pierna me arde como si tuviera fuego —añadió, tocándosela por encima de la rodilla con una mueca de dolor.

—Déjame echar un vistazo —sugirió Jiggs.

Se acercó a él a gatas. Remangó los pantalones de combate de Drake empezando desde el tobillo hasta que pudo ver el vendaje que llevaba en la parte baja del muslo, el cual empezó a retirar lentamente.

—Me temo que la infección de esta herida es bastante grave.

—Ya me preguntaba yo qué olor sería ése.

Jiggs le dio una palmada a la Bergen donde guardaba el equipo médico.

—Alejémonos de las ventanas y te cambiaré los vendajes.

—De acuerdo, pero antes quiero comprobar una cosa —dijo Drake.

Y tras bajarse el pantalón, empezó a arrastrarse sobre el

vientre por la vieja moqueta de losetas siguiendo el contorno de la torre, hasta que llegó a un tramo de los ventanales.

—¿Te acuerdas de aquel puesto de control de Charlotte Street? —le preguntó a Jiggs.

Entonces, gruñendo por el esfuerzo, se levantó para poder ver la vista de abajo.

—Confías en que se hayan dejado una radio —aventuró Jiggs—. Sabes que aquello era algo más que un puesto de control. La última vez que me di un paseo por allí no vi ningún equipo de comunicación, aunque en el camión de reabastecimiento había alguna munición pesada —añadió, y señaló el camión de aspecto macizo parado junto a la marquesina caqui.

A pesar de su malestar, Drake estaba sonriendo abiertamente.

—¿Y conseguiste fisgar allí dentro delante de sus narices?

Jiggs asintió con la cabeza.

—Fue pan comido. La verdad es que nos podría venir bien reabastecernos de munición si se olvidaron algo cuando huyeron.

Drake seguía estudiando el escenario de abajo con preocupación en el rostro.

—Esto… sí, sería fantástico… Pero… ¿no deberías apuntar un poco más alto?

Jiggs se sintió intrigado.

—Bueno, ¿qué tienes en mente? —preguntó.

Drake señaló hacia un lugar al lado del camión del que había estado hablando su amigo.

—Si no me equivoco, lo que hay allí aparcado es un Challenger dos último modelo esperando que alguien se lo lleve.

Jiggs asintió mientras contemplaba el último modelo de carro de combate del ejército británico.

—Bueno, ésa sería una manera muy elegante de moverse por la ciudad —dijo, riéndose entre dientes.

—¿Verdad que sí?

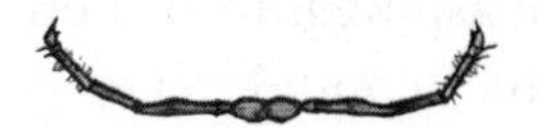

Algunos de los edificios habían sido tiendas, pero ahora era imposible saber qué habían vendido, ya que habían quedado destrozadas por el fuego.

Y en otros edificios las cortinas aleteaban en las ventanas superiores cuando el viento corría por la calle, y cuando soplaba con todas sus fuerzas, los papeles y la basura esparcidos por las aceras y la calzada empezaban a girar y bailotear.

—Este sitio no ha cambiado mucho —comentó Will mientras avanzaban a rastras sin que Elliott dejara de protegerle a cada paso que recorrían.

—¡Cuidado! —susurró ella de pronto, y se quedó inmóvil.

Por la puerta de un bar salió rápidamente un joven lagarto styx. Miró hacia ellos.

Se oyó el ruido que hacía al deslizarse y los chasquidos al abrir y cerrar las fauces.

Antes de que se dieran cuenta, salieron más lagartos por todas las ventanas del mismo edificio de la esquina y echaron a correr como centellas por la fachada de estuco.

La sangre con que Elliott había embadurnado a Will parecía seguir surtiendo efecto, porque tras su interés inicial ninguno de los lagartos les prestó demasiada atención. Cuando todos los reptiles volvieron a entrar de nuevo en el edificio, se oyó un estrépito de cristales rotos. Durante un instante fugacísimo Will se imaginó que reinaría la normalidad dentro del local y que a uno de los clientes se le había caído la pinta al intentar dejarla en la barra.

Pero entonces Elliott le volvió a dar un codazo para que siguiera adelante, y Will vislumbró los capullos que colgaban de las falsas vigas rústicas que atravesaban el techo del bar, unas vainas de aspecto fibroso en las que los Armagi estarían madurando.

Más adelante, mientras recorrían lentamente la ancha calle llena de tiendas, el cielo empezó a mostrar los primeros grises fríos que anunciaban el alba. De algún sitio lejano les llegó un aullido terrible.

—Brrrr. Esto es espantoso —dijo Will, hablando también por Elliott. La oscuridad, el frío y la absoluta desolación estaban empezando a afectarles.

La muchacha estaba mirando fijamente un cine en la acera de enfrente.

—Deberíamos encontrar un lugar donde escondernos. ¿Qué tal ahí? —propuso.

—Claro —aceptó Will, echando a andar inmediatamente hacia el local. En la entrada del multicine, vio de pasada el póster de una película que debía de estar proyectándose cuando los Armagi habían empezado su expansión. En él se veía a una creciente muchedumbre de zombis con las caras de color verde desvaído y las bocas manchadas de rojo carmesí.

—Ya no parece tan apropiado, ¿verdad? —preguntó él señalando el póster—. La gente quería *gore,* y ahora lo tienen a paletadas.

Elliott guardó silencio mientras ascendían por una escalera mecánica al vestíbulo, con mostradores para las palomitas y los helados; luego condujo a Will al interior de la sala más pequeña, con sus filas de butacas vacías y la pantalla en blanco.

—Esto servirá hasta que se vuelva a hacer de noche —dijo ella, dejándose caer a plomo en una de las butacas.

—¿Te encuentras bien? —preguntó Will, preocupado

porque su amiga parecía muy agotada. Sabía que le estaba complicando la vida y retrasando cuando estaba tan desesperada por llegar cuanto antes adonde fuera que necesitara llegar. Y tenía la mano hecha un verdadero desastre, porque se la había cortado una y otra vez para extraer más sangre de la herida para ayudarle. Will no estaba seguro de si no sería eso lo que la estaba debilitando.

—¿Qué ha sido eso? —preguntó de pronto al oír ruidos encima de ellos.

—Estamos debajo de un nido —respondió ella—. Como el de esa casa en la que entramos. —Sin levantar ni mover la cabeza, que tenía apoyada en el respaldo de la butaca, movió los ojos hacia el techo—. Los Armagi se están reproduciendo ahí arriba.

—Ah, genial. ¿Y por qué narices escogiste entonces este lugar para parar?

Elliott bostezó abriendo enormemente la boca.

—Es mejor estar delante de sus narices, es más seguro.

Will recordó lo que le había contado ella sobre haberse sentido atraída hacia el nido en el que se había metido por error en aquel ático.

—Ya, pero ¿para quién es más seguro, para ti o para mí? —preguntó él.

Jamás recibió una respuesta, porque Elliott se había quedado dormida en la butaca.

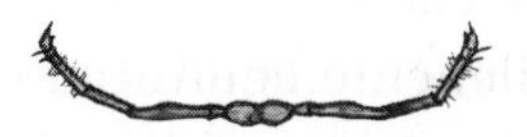

—No la conocen. No es una mala persona. —El capitán Franz le dio una calada con delectación al cigarrillo que sujetaba en la mano libre, mientras tenía la otra esposada a la mesa.

Parry y Danforth lo miraban fijamente al mismo tiempo, y la expresión del primero no era precisamente amistosa.

—¿Estás de broma, amiguito? ¿Dices que la gemela Rebecca no es mala, después de todo lo que ella y su hermana han hecho? ¿Después de todas las vidas destruidas por los styx, y de la muerte y devastación desplegada con toda su osadía por nuestro país? ¿Que no es una mala persona? No puedes estar hablando en serio. Porque si es así, eres más estúpido de lo que pareces —bramó Parry dirigiéndose al oficial neogermano.

—No se parece en nada a los otros —insistió el capitán Franz.

Danforth había cogido uno de sus Purgadores de donde lo había dejado encima de la mesa y no paraba de conectar y desconectar la luz púrpura.

—Puede que éste esté defectuoso, lo que explicaría por qué no he conseguido desprogramar aquí a nuestro amigo —sugirió sarcásticamente.

El capitán Franz se indignó.

—Sé lo que estoy diciendo. Y les he contado todo lo que soy capaz de recordar y, sí, presencié algunas cosas terribles. Puede que haya estado deambulando envuelto en una nube por culpa de la Luz Oscura, pero también vi su lado bueno. No le queda más remedio que aceptar lo que se espera de ella. Sólo obedece órdenes.

—¡Bah! —explotó Parry—. La vieja cantinela. «Yo sólo obedecía órdenes.» No, tu pequeña styx es tan malvada como cualquiera de ellos.

—Estás completamente equivocado con ella —replicó el capitán Franz indignado—. Y de todas formas, no es ninguna niña. Los styx crecen más deprisa que…

Parry levantó una mano.

—¡Por Dios santo, tío, ya he oído suficiente!

Reparó en que Eddie y uno de sus hombres estaban esperando a la entrada de la tienda.

—No te muevas de ahí —le ordenó innecesariamente al

capitán Franz, y se levantó de la silla apoyándose con más fuerza de la habitual sobre su bastón debido al cansancio. Danforth le siguió adonde esperaban los dos hombres.

—El niño bonito es todo vuestro. Mira a ver si le puedes sacar algo útil —le dijo Parry a Eddie en voz baja, echando un vistazo por encima del hombro al neogermano rubio, que estaba contemplando la punta incandescente de su cigarrillo.

—¿Así que no ha dicho nada que nos sirva? —preguntó Eddie.

—No, a menos que estés interesado en la moda femenina o en la afición de los styx por los coches de lujo —terció Danforth.

Parry negó con la cabeza.

—No tiene muy claro los lugares donde ha estado, y todos los que nos ha indicado ya son historia. Los styx hace mucho que los abandonaron. También está absolutamente engañado respecto a la gemela Rebecca. No sé en qué medida eso se debe al daño neuronal provocado por la sobreexposición a la Luz Oscura o a su pasión por ella.

—¿La pasión es auténtica? —preguntó Eddie.

—Eso parece —respondió Parry, arqueando las cejas con incredulidad.

—Así que quieres que utilice unos métodos más extremos con él —propuso Eddie.

El comandante asintió con la cabeza.

—Pero no se te vaya la mano, porque podría sernos de gran ayuda si llegamos a necesitar que influya sobre Rebecca —precisó Parry, y él y Danforth salieron de la tienda.

Este último se detuvo con sorpresa cuando divisó la hilera de helicópteros negros posados en el terreno contiguo al campamento provisional que habían levantado.

—¿Cuándo aparecieron éstos? —preguntó.

—Mientras estábamos con el capitán Franz —contestó Parry—. Cinco de los más recientes helicópteros artillados Sikorsky UH-sesenta, una generosa oferta de paz de mi amigo Bob. Los norteamericanos están trasladando más unidades de su flota a nuestro lado del Atlántico, y esta remesa procede directamente de uno de sus portaaviones.

—Pues no les oí llegar —comentó Danforth.

Parry se frotó las manos con impaciencia.

—Ésa es en buena medida la intención. Son el último grito en tecnología furtiva, con motores muy silenciosos y colectores de escapes con filtros, así que la firma térmica es mínima. Creo que Bob ha sido tan generoso sólo porque quiere ver si los Armagi son capaces de oírlos.

Los ojos de Danforth resplandecieron de interés.

—Quizá pueda sugerir que los utilicemos inmediatamente.

Vieron a un soldado que salía de una de las muchas tiendas con un pequeño artilugio en las manos.

—Si ese soldado —prosiguió Danforth— me ha construido el escáner que le pedí para rastrear la señal de aquella baliza VLF que capté anteriormente, quizá podamos averiguar quién es el emisor.

Parry se quedó pensativo durante un instante.

—Sí, si es uno de nuestro equipo que ha regresado del mundo interior, entonces quizá, sólo quizá, tenga algo que pueda ayudarnos. —Levantó la vista hacia las amenazantes nubes que se iban acumulando en el cielo—. En este momento, me conformaría incluso con un pequeño milagro.

17

Elliott no parecía dudar cuando se trataba de escoger el camino que tenían que seguir, aunque en una ocasión puntual simplemente se paró en el sitio, como si estuviera escuchando una voz que Will no podía oír. Luego echó a andar de nuevo, siempre manteniéndole pegado a ella mientras avanzaban de portal en portal, escudriñando la oscuridad atentos a los Limitadores y los Armagi.

—Reconozco esto —comentó Will cuando llegaron a Euston Road y empezaron a recorrer la calle utilizando los vehículos para ponerse a cubierto.

Y más tarde, mientras seguían con su metódico avance a trompicones, llegaron a un lugar que despertó un aluvión de recuerdos en él.

—Russell Square —le dijo a Elliott, cuando doblaron una esquina y entraron en la plaza.

Entonces vieron algo que los paró en seco. Justo delante de ellos, en mitad de la calle, estaba la sección de cola de un avión de pasajeros. Por la manera en que esa parte del fuselaje se había estrellado encima del tráfico, aplastando muchos coches y dejándolos calcinados, el accidente había ocurrido cuando los problemas no habían hecho más que empezar y la gente intentaba marcharse de Londres sin pérdida de tiempo. Y hasta abandonar el país, si conseguían encontrar un asiento en un avión.

Will miraba absorto la pintura quemada y descascarillada de los timones de cola azul y blancos, y sólo reaccionó cuando Elliott le instó a seguir con un codazo. Atravesaron la plaza en diagonal, moviéndose por lo que había sido una zona de césped donde en otro tiempo los paseantes comían sus bocadillos en los bancos a la hora del almuerzo. Ahora la cosa era muy diferente; el combustible de aviación quemado había chamuscado hasta el último palmo de terreno, y los árboles estaban reducidos a unos pinchos negros carbonizados.

En la otra esquina de la plaza tuvieron que sortear más partes del avión, y, cuando enfilaron la calle que salía de allí, Elliott sufrió un cambio. Pareció abandonar toda prudencia y tiró de Will hacia delante sin el cuidado habitual para protegerlo. Lejos de quejarse, él lo aceptó de buena gana, bastante aliviado por no seguir moviéndose a paso de tortuga.

Mientras avanzaban por la calle, Will descubrió por qué la zona le resultaba tan familiar: había hecho ese mismo camino en numerosas ocasiones con su padre, y reparó en que aquel gran edificio era donde él le llevaba a menudo los fines de semana. Como era de esperar, en las verjas había varios carteles que anunciaban las últimas exposiciones y que le confirmaron que estaba en lo cierto.

Le dio una palmadita en el hombro a Elliott.

—¿Así que era aquí donde nos hemos estado dirigiendo desde el principio? —le preguntó, a lo que ella asintió con la cabeza—. Te das cuenta de que esto es el Museo Británico, ¿verdad? —añadió entusiasmado, señalando el ala de tres plantas que se levantaba a unos tres metros detrás de la verja.

Elliott había estado mirando fijamente el edificio, pero entonces desvió su atención a la verja, agarrándose a ella como si estuviera considerando escalarla.

—¿Cómo entramos? —preguntó.

—Vamos a dar la vuelta hasta la parte delantera —contestó él.

Elliott empezó a correr y a Will le costó mantener el paso.

—Espera un segundo —le dijo cuando llegaron a la esquina—. ¿A qué viene tanta prisa? ¿Estás realmente segura de que es aquí donde tienen que estar?

—Lo estoy —respondió ella sin titubear.

Will la llevó hasta las puertas principales. Aunque estaban cerradas, había una entrada más pequeña en un lateral que les permitió acceder a los jardines del museo. Pese al hecho de que estuviera oscuro como boca de lobo, Will llevaba el monocular de Drake en el ojo, lo que volvía el escenario tan claro como si reinara la plena luz del día.

Mientras seguía a su amiga por el patio delantero, la íntima relación de aquel edificio con su pasado le animó. Aquel museo de impresionante fachada de templo griego era algo que conocía muy bien y que le era muy querido.

Durante un instante se sintió transportado a una época más feliz y segura. Muchos de sus primeros recuerdos estaban relacionados con las visitas a los museos, especialmente a aquél, aunque su padre, el doctor Burrows, siempre había tenido su propio programa en cada visita y a su hijo le había facilitado las cosas poco o nada, deteniéndose rara vez a explicarle algo de lo que allí se exponía. Pero a medida que Will se había ido haciendo mayor y más independiente, había dejado que su padre se largara y él se iba a su aire, y sólo se volvía a reunir con él en la entrada, cuando llegaba la hora de regresar a Highfield.

Entonces el viento sopló y agitó toda la basura acumulada en el patio delantero del museo convirtiéndola en un caos animado, y el lugar se le antojó sumamente desolado. Ya no bullía de turistas, como lo recordaba en las soleadas mañanas dominicales, con el constante chirrido de los taxis londinenes que paraban para dejar o recoger a la gente.

—Son como los semáforos de la Colonia —dijo Elliott de pronto, señalando las farolas que salpicaban los jardines.

Aparte del hecho de que no tenían las luminosas esferas resplandecientes en lo alto de sus postes de hierro, tenía razón; Will se percató del parecido. Estaba a punto de darle la razón, cuando su amiga se paró sujetándose la cabeza, como si estuviera escuchando de nuevo su voz inaudible.

Entonces echó a correr hacia el centro de las tres puertas de la entrada principal. Cuando llegó allí, se puso a tirar de la puerta y a sacudirla ruidosamente con tal fuerza que el ruido resonó por todo el patio delantero. Estaba perdiendo el tiempo porque estaba cerrada con llave a cal y canto. Entonces lo intentó con las otras puertas de cristal, haciendo idéntico ruido.

—¡Eh! —siseó Will—. ¿Intentas que llamemos la atención?

Se dio cuenta de que Elliott estaba desesperada por entrar, que miraba desenfrenada de un lado a otro de la entrada como si no se pudiera creer que ninguna de las tres puertas estuviera abierta.

—¿Estás segura de que éste es el lugar que buscas? —preguntó Will.

—Tenemos que forzar la entrada —balbució Elliott al tiempo que le arreaba una patada al cristal inferior de la puerta.

—Para ya. Tranquilízate, por Dios, Elliott —le instó Will sacudiéndola por el brazo—. No podemos hacer eso. Probemos por allí. —Señaló el ala lateral del museo al final del patio delantero.

Elliott echó a correr al lugar que le había indicado, un

edificio situado detrás de la parte delantera aunque construido con la misma piedra blanquecina de Portland.

Alguien había utilizado un coche como ariete para abrir las puertas y luego, una vez logrado su propósito, lo había abandonado en los escalones. Will y Elliott treparon por encima del vehículo para llegar a la puerta pintada de negro, que se abrió con un crujido del único gozne que la sujetaba.

Dentro, cerca de la entrada, había unas mugrientas cartulinas tiradas en el suelo de mármol junto con algunas mantas viejas apiladas. A juzgar por los envoltorios de caramelos y bolsas de comida vacías, alguien había utilizado el recinto como vivienda, aunque no había ningún indicio de que, aparte de ellos dos, hubiera más gente por allí.

Will se aseguró de que la puerta quedara cerrada tras ellos. Jamás había estado en aquella parte del museo, y enseguida dedujo por los letreros de las puertas que eran las dependencias administrativas. Entonces alcanzó a Elliott, que ya se estaba dirigiendo hacia las salas abiertas al público. Estuviera o no siguiendo lo que fuera que la guiara, no les resultó complicado encontrar el camino gracias a las rozaduras del suelo y al rastro de las cosas allí abandonadas, que incluían más envoltorios de caramelos y latas de bebidas vacías.

Atravesaron algunas puertas que, por el astillamiento de la madera alrededor de las cerraduras, Will dedujo habían sido forzadas, y por fin entraron en las salas de Grecia Antigua y Roma. Sobre la marcha, él tomó nota de los objetos minoicos y micénicos expuestos en las vitrinas, muchos de ellos viejos amigos suyos.

Y entonces se encontraron en el Gran Atrio, un amplio espacio antaño expuesto a las inclemencias del tiempo y ahora cerrado por un moderno tejado de teselas de cristal. En el centro del Gran Atrio se encontraba la Sala de Lectura. Las botas de ambos resonaron por el descomunal sitio mientras se encaminaban hacia allí.

Will advirtió que su amiga se había desentendido de las más mínimas medidas de seguridad.

—Supongo que aquí dentro estamos bastante seguros —comentó, más para tranquilizarse que para intentar insinuarle algo a ella—. Y quienquiera que haya estado aquí parece haberse ido ya. Imagino que un museo no es el primer lugar que se te ocurre para conseguir comida —añadió. Sus tripas eran de otro parecer, y le sonaron ruidosamente mientras se preguntaba si los saqueadores del coche-ariete habrían expoliado todas las existencias de dulces y coca-colas.

Elliott se paró en seco e inclinó la cabeza a un lado, como si estuviera escuchando de nuevo.

—¿Ahora adónde? —preguntó Will en un susurro.

Ella levantó la mano, se puso un dedo en los labios y cerró los ojos.

—Bueno, puedes escoger entre África, Oriente Medio o Euro... —empezó a decir Will, tratando de impresionarla con sus conocimientos de las diferentes secciones, cuando ella le interrumpió.

—No, ahí arriba —dijo lentamente, y abriendo los ojos con un parpadeo, avanzó muy despacio hasta que la pasarela que se extendía entre la sala de lectura y la pared del fondo del Gran Atrio apareció ante su vista.

—Fantástica elección —observó Will—. Por ahí se va a la sala de Mesopotamia y el Antiguo Egipto.

—Limítate a decirme cómo se llega ahí —le espetó ella.

Will levantó los dedos y los movió como si caminaran.

—Por las escaleras. Por el otro lado —respondió de forma sarcástica y sincopada.

Y avanzó unos pasos cabreado para poder señalar dónde empezaba el tramo circular de escaleras en el lateral de la Sala de Lectura. Pero a ella le pasó totalmente inadvertida su irritación, porque ya había echado a correr hacia las escaleras, que subió a toda velocidad sin decir palabra.

Will la siguió con un gruñido, y cuando por fin llegó a la pasarela de arriba, la cruzó y entró en la primera sala de exposición. Elliott no estaba allí, así que entró en la sala contigua. Resoplando de tanto subir escaleras, la llamó a gritos, pero su voz se perdió en la red de salas intercomunicadas.

—Estoy aquí —murmuró ella.

Will miró por todas partes hasta que la divisó en el centro de la habitación por la que había entrado, tan quieta que no había logrado verla. Elliott tenía los ojos cerrados.

—¡Ah, estás ahí! —Will se echó a reír—. Esta sala es realmente una elección fantástica. Desde mi más tierna infancia venía aquí a ver a las momias porque… —su voz se fue apagando cuando se acercó a una vitrina rectangular.

En su interior había un ataúd de madera toscamente tallado con la tapa abierta. Apretó la cabeza contra el expositor para mirar la momia que le era tan familiar por sus visitas a lo largo de los años. El pequeño cuerpo estaba encogido en posición fetal sobre un lecho de arena en el fondo del féretro.

—Porque molan mogollón —terminó de decir, mientras contemplaba desde arriba la piel seca y la carne cuarteada de la cara de la momia, a la que se le veían los dientes marrones a través de la mejilla resquebrajada.

—Está aquí dentro —anunció Elliott en voz baja.

—¿El qué? —preguntó Will, que se dirigió a la esquina sin pérdida de tiempo. Elliott estaba junto a un enorme sarcófago de piedra cuya superficie estaba cubierta de jeroglíficos.

—¿Qué quieres decir con que está ahí dentro? —inquirió él—. No puede ser. Ahí dentro no habrá nada.

Tras quitarse la Bergen y dejarla junto a su fusil en el suelo, Elliott empezó a pasar las manos por la tapa del sarcófago.

—No, está aquí dentro —repitió—. Lo percibo.

—Ah, genial. —Will exhaló cansinamente—. Espero que hayas escogido el sarcófago más descomunal de todo el lugar.

Ella detuvo las manos sobre un panel situado en el centro de la tapa maciza en el que aparecían dos serpientes entrelazadas a lo ancho.

—Justo aquí —susurró, moviendo los dedos sobre las serpientes. Parecía ser presa del pánico y la desesperación cuando empezó a intentar enganchar los dedos bajo la tapa para levantarla. Era inútil; Will sabía que no tendría ninguna posibilidad debido al enorme peso.

—De acuerdo, espera un segundo —dijo, y depositó la Bergen y el Sten junto al equipo de su amiga—. Tenemos que encontrar algo para hacer palanca. Un trozo de metal servirá.

Elliott se negaba a separarse del sarcófago, así que Will empezó a buscar por allí. Al final descubrió en el pasillo exterior una boca de incendio donde había varios cubos y una manguera enrollada en una bobina. Al lado, había un hacha en una caja con la pantalla de vidrio, la cual rompió de una patada. Regresó con el hacha, y aunque logró introducir la punta bajo la piedra erosionada de la tapa, resultó inservible para levantarla.

—Esto es imposible —mascullló, cuando su mirada se posó en el gran ídolo de piedra, una descomunal cabeza de faraón tallada en piedra y de unos tres metros de altura, situada al lado del sarcófago. Rodeó la cabeza para examinarla desde diferentes ángulos, y luego comprobó muy cuidadosamente a qué distancia estaba del sarcófago. Por último, se metió detrás de la cabeza para averiguar qué espacio había entre ésta y la pared.

—Me pregunto... —dijo entre dientes, y se levantó el monocular del ojo para mirar la cabeza a la luz de la luna que se filtraba por una ventana situada en lo alto de la pared.

Entonces asintió con la cabeza para sí.

—Elliott, necesito que vengas aquí. Si podemos volcar esto, calculo que debería caer sobre tu sarcófago y quizá lo abra.

Tardó un rato en convencerla para que abandonara el sarcófago y le acompañara a la parte posterior de la cabeza de faraón. Entonces ella pareció comprender lo que le estaba proponiendo. Mientras trataba de explicarle a Elliott dónde quería que se pusiera, de pronto su amiga se agarró la nuca con la mano.

—¿Qué sucede? —preguntó él.

—No lo sé, acabo de sentir un dolor terrible aquí —respondió—. Ya ha desaparecido.

Will le volvió a explicar su idea, y luego, con las espaldas apoyadas en la pared y los pies apuntalados contra el faraón, ambos se impulsaron verticalmente hasta que estuvieron a dos metros sobre el suelo.

—Tres, dos, uno —contó Will, y empujaron con todas sus fuerzas. La cabeza de faraón se balanceó ligeramente—. ¡Sí! ¡La movimos! —exclamó con entusiasmo—. ¡Elliott, esto puede que dé resultado de verdad!

Volvio un instante la cabeza para echar un vistazo por la ventana, y sus ojos se demoraron en la luna.

—Howard Carter, si estás ahí arriba y estás viendo esto, quiero que sepas que lo siento —masculló—. De acuerdo —dijo, dirigiéndose a Elliott—. Adoptemos un ritmo hasta que volquemos este busto. Sólo espero que caiga del lado correcto, o acabaremos despachurrados como... unas cosas muy despachurradas.

Will repitió: «Empuja... empuja... empuja...» una y

otra vez mientras el faraón se balanceaba atrás y adelante, y entonces, con un último «¡empuja!», el busto se inclinó hacia delante. Will y Elliott saltaron hacia un lado cuando la cabeza cayó directamente encima del sarcófago con un golpe seco que hizo retumbar el suelo.

Ambos se habían dirigido rapidamente a la parte delantera para contemplar el sarcófago en el momento en que, pareciendo moverse a cámara lenta, también se desplomaba. Su enorme tapa se deslizó sobre el suelo, aplastando la vitrina de cristal antes de detenerse.

—¿Qué he hecho? —exclamó Will cuando vio los daños ocasionados a la cabeza de faraón, la tapa del sarcófago, que se había partido por la mitad, y la momia de la vitrina.

Pero Elliott no sentía la menor preocupación por nada de eso. Se agachó junto a la tapa rota para recoger algo de entre los trozos. La tapa no era completamente maciza; en su interior había un objeto.

Se levantó con él. Era una especie de porra de unos sesenta centímetros de largo.

—¡Dios mío! —exclamó Will—. Es exactamente igual que la torre.

Y lo era; con la misma división en la punta, podría haber sido un modelo de la torre del mundo interior. Y su superficie lisa y gris también parecía estar hecha del mismo material que la torre.

Y cuando la piel desnuda de la mano de Elliott había entrado en contacto con el objeto, un aro que rodeaba el mango resplandeció con una intensa luz azul. Era idéntica a la luz que habían visto antes tanto en la torre como en la pirámide.

—Ah, así que las pilas siguen en buen estado —susurró Will, intentando no echarse a reír por lo insólito de todo aquello.

—Esto es lo que vine a buscar —murmuró Elliott, cuando se levantó y sujetó reverencialmente el objeto ante ella.

—Pero ¿qué es? ¿Una especie de arma, una maza? —preguntó el muchacho, aunque entonces se le ocurrió algo—. Espero que no se transforme de pronto en otra torre, ¿verdad?

—Es un cetro, y tengo que llevarlo de vuelta —replicó Elliott sin apartar los ojos del objeto.

Will se encogió ligeramente de hombros.

—Muy bien, es un cetro, ¿puedo verlo? —Se adelantó con la mano extendida, pero Elliott lo apartó de él de una sacudida.

—No, no puedes —respondió ella con aspereza—. No debes tocarlo.

—Muy bien, que así sea.

Will volvió a encogerse de hombros y se dedicó a examinar las partes rotas de la tapa del sarcófago donde el cetro había estado escondido. Había un canal circular perforado justo en el centro de la gruesa piedra de la tapa, el cual, por supuesto, estaba ahora vacío.

—Así que este cetro puede llevar escondido ahí dentro desde hace siglos, y nadie tenía ni la más ligera idea de ello —dijo Will, pensando en voz alta—. Y, como es natural, todas estas reliquias fueron traídas a Inglaterra por los coleccionistas victorianos hace cosa de uno o dos siglos, así que, hasta ese momento, este sarcófago habría estado en Egipto durante siglos. ¿Fue entonces cuando se perdió el cetro?

Pero Elliott ya había recogido su fusil y su Bergen y se dirigía fuera de la sala.

—¡Eh, tú y tu palo mágico! ¿Se puede saber dónde vais ahora? —gritó Will cuando oyó cerrarse la puerta de un portazo detrás de su amiga.

Cogió la Bergen y el Sten y cruzó corriendo la pasarela, y acababa de alcanzar a Elliott varios tramos de escalera más abajo cuando se oyó el tableteo de unos disparos, tan fuertes que las ventanas temblaron. Ambos se quedaron paralizados en el sitio.

—Eso ha sido cerca —comentó Elliott—. Y es un arma automática.

—¿Podría ser el ejército? —sugirió él.

Los disparos provenían del exterior del museo, y Elliott tenía razón: se habían hecho muy cerca. Bajaron corriendo la escalera circular hasta que pudieron ver por la entrada principal.

Hubo otra ráfaga de disparos y un gran estruendo.

—¡Un carro de combate! —gritó Will—. ¡Me cago en la leche!

El vehículo subió disparado los escalones delanteros, arremetió directamente contra las puertas y las atravesó con estruendo, machacando metal y cristales.

Entonces se paró allí, la mitad dentro del edificio y la otra mitad fuera. El fuego automático empezó de nuevo, y el ruido ensordecedor se extendió por los confines del museo, mientras que al otro lado del carro los proyectiles barrían el patio delantero.

La escotilla se abrió y alguien saltó fuera.

Elliott fue la primera en reconocerle a través de la mira de su fusil.

—¡Drake! —gritó.

—¿Elliott? —respondió él con un aullido.

Will y Elliott bajaron volando las escaleras. Drake había descendido del carro de combate.

—Captamos la señal de vuestra baliza —dijo él cuando Elliott le estrechó entre sus brazos fuertemente—. ¡Pero no creía que pudierais ser realmente vosotros dos! —añadió. Sacudiendo la cabeza, sonrió a Will—. Pero ¿cómo conseguisteis regresar?

—Explicar eso nos llevará un poco de tiempo —respondió Will, que se interrumpió cuando se le hizo patente el aspecto de su amigo—. Pero, Drake, ¿qué te ha sucedido?

Elliott también había retrocedido para poder ver su palidez cadavérica y que no sólo era su brazo el que estaba vendado; también llevaba la cabeza y las manos cubiertas con vendas.

—Fue la explosión en el Poro —explicó Drake—. La radiacion me alcanzó.

—Ay, no —dijo Elliott casi de manera inaudible.

Justamente entonces la ametralladora empezó a tabletear de nuevo. Cuando se detuvo, se oyó un grito apremiante en el interior del carro de combate.

—¿Quién es? —preguntó Elliott.

—Jiggs —contestó Drake—. Los Armagi se están multiplicando ahí fuera, así que tenemos que largarnos pitando.

Jiggs estaba gritando tanto que su voz pareció enronquecer.

—¡Joder, daos prisa ahí fuera!

—¡Tenemos que irnos! —dijo Drake apremiantemente, volviendo a trepar al carro de combate.

La ametralladora abrió fuego de nuevo, ahogando la voz de Elliott cuando dijo:

—Tengo que proteger esto. —Deshaciéndose del fusil, se metió el cetro dentro de la cazadora y lo sujetó fuertemente con el brazo. A Drake, que había visto lo que acababa de hacer, le resultó difícil creer que se deshiciera del arma. Pero ése no era el momento de pedir explicaciones.

—¡Los hay a montones! ¡No los puedo repeler! —gritó Jiggs, abriendo fuego de nuevo contra los Armagi.

—¡Vosotros dos, daos prisa! —gritó Drake, haciéndoles gestos a los chicos como un poseso desde la torreta.

Elliott extendió la mano hacia él y Drake se la agarró.

—¡No! ¡No hay sitio! ¡Deshazte de la Bergen! —gritó él. Ella así lo hizo, y Drake levantó en vilo a la muchacha para meterla en la torreta. Ya encima del carro de combate, Will se había quitado la mochila de los hombros para pasársela a Drake.

—¡Tú también, deshazte de la Bergen! —ordenó con firmeza Drake.

La ametralladora no paraba ya de disparar.

—¡De ninguna manera! —insistió Will—. ¡Llevo todas mis cosas ahí dentro!

Drake parecía furioso, pero le arrancó la Bergen de las manos, y cuando la estaba metiendo dentro del carro de combate, Jiggs gritó:

—¡Brecha! ¡Han penetrado!

Se oyó un estruendo de cristales justo encima del carro de combate y las dos puertas de los lados estallaron hacia dentro.

Aunque perdió un segundo o dos en protegerse de la lluvia de cristales, Will podría haberlo conseguido si la torreta no hubiera girado en redondo en ese momento. Al retroceder un paso a causa de la sorpresa, resbaló y cayó de rodillas.

—¡Drake! —gritó, alargando desesperadamente la mano hacia su amigo, que estaba haciendo lo mismo desde la torreta.

Pero no sólo estaban cayendo cristales alrededor de Will, sino unos objetos más pesados.

Armagi.

Algo casi le arrancó el brazo a Will cuando lo aferró con sus garras y tiró.

Lo último que Drake vio antes de cerrar la torreta de golpe fue que el chico era arrastrado por la parte posterior del carro de combate por dos Armagi, mientras otros aterrizaban en el interior del museo.

—No, no, no, no —Elliott lloraba mientras forcejeaban con Drake dentro del vehículo cuando éste se puso en marcha—. ¡No podemos abandonarle! ¡Tenemos que regresar!

—Lo siento. Lo han hecho prisionero —replicó Drake, intentando que recuperase algo de cordura—. Son demasiados.

—Drake, te necesito en el L-noventa y cuatro —dijo Jiggs, que ahora estaba conduciendo, en lugar de encargarse del cañón automático del carro de combate. Cuando atravesó las verjas y enfiló la calle de delante del museo, se oyeron unos batacazos secos producidos por los golpes de los Armagi contra la carrocería.

Jiggs maldecía entre dientes. No porque hubiera ni la más remota posibilidad de que los Armagi pudieran atravesar el blindaje Chobham del carro de combate, que era el doble de resistente que el acero, sino porque tenía dificultades tremendas para ver hacia dónde se estaba dirigiendo. La enorme cantidad de Armagi que se interponían en el camino lo hacía imposible. Y mientras conducía adivinando dónde estaba la calzada, el Challenger iba chocando con los coches abandonados en la calle

—Si consigo ver aunque sólo sea un poco, giraré a la izquierda en Southampton Row —anunció sin aliento—. Y luego me dirigiré hacia el norte. Tendremos que averiguar cómo…

Eliott dejó de llorar de repente.

—¡No! ¡Sigue recto! —ordenó.

—¿Recto! Pero no sabes… —había empezado a decir Drake, cuando Elliott sacó el cetro del interior de su cazadora. Durante un instante los dos hombres se quedaron en silencio, atónitos al ver la luz azul que inundó por completo el vehículo.

—Creo que tenemos que quitarnos de encima a esos malditos Armagi—dijo Drake— y luego encontrar algún lugar tranquilo donde podamos ponernos al día.

—¿Qué tal el salón de té de Fortnum? —propuso sombríamente Jiggs.

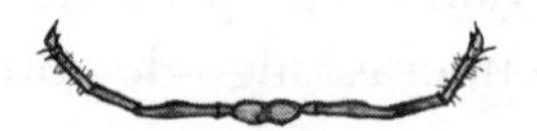

Tras caer del carro de combate, Will aterrizó cuan largo era sobre su espalda. Se golpeó contra el suelo con fuerza y se quedó completamente sin aire. Lo único que pudo

hacer fue quedarse allí tumbado, tratando de que sus pulmones le volvieran a funcionar.

Y cuando por fin consiguió recuperar el aliento y tragó aire, el poderoso motor diésel del carro de combate aceleró y una nube de gases calientes del tubo de escape se arremolinó a su alrededor.

Aquél fue el peor sonido del mundo, porque sabía muy bien lo que significaba: que Drake y Elliott ya no podían hacer nada por él.

Se marchaban.

Sin él.

Cuando el carro de combate salió rodando, Will se esforzó al máximo por concentrarse en el entorno inmediato. No llevaba puesto el monocular de visión nocturna de Drake, así que no sería un problema que sus ojos se acostumbraran a la luz de la luna, aunque seguía teniendo los sentidos bastante alterados. Unas formas se movían en torno a él, muchas.

Y en la relativa calma que siguió una vez que el ruido del carro de combate se perdió en la distancia, oyó a los Armagi moviéndose cerca de él, triturando los cristales rotos con sus pezuñas.

Permaneció tumbado de espaldas un segundo o dos sin que sucediera nada. Pero en cuanto trató de levantar la cabeza, algo le golpeó en la boca. El golpe fue tan fuerte que oyó el crujido de uno de sus dientes al romperse.

No se engañaba en cuanto a lo desesperado de la situación. Durante un instante deseó que el carro de combate hubiera reculado pasándole por encima y le hubiera matado, porque no iba a recibir ninguna ayuda. No en ese momento, tumbado en medio de todas esas bestias, que no se detendrían ante nada, y a las que no podría suplicarles por su vida como podría haber hecho con un ser humano.

Los miró de reojo. Vio los oscuros ojos inhumanos recortados contra los planos translúcidos de sus cuerpos; vio los bordes dentados de sus alas como dagas negras.

Iba a morir.

Y sabía que probablemente era lo último que debía hacer, pero intentó levantarse.

Uno de los Armagi se tiró de pronto contra su pecho, con tanta fuerza que lo lanzó de nuevo de espaldas contra el suelo de mármol.

A eso siguió otro golpe. Una patada en la cabeza propinada por algo punzante. En esta ocasión llegó a verlo antes de que le alcanzara: parecía la pata de un enorme pájaro.

Will tenía sangre en los ojos, y lo único que podía oír era el *bum-bum* de su propio pulso.

«Me voy a desmayar» —pensó—. «Pero no pasa nada.»

Entonces se oyó otra cosa. Un sonido diferente.

Sólo lo percibió cuando la manta negra de la inconsciencia empezó a caer sobre él.

Era la bocina de un coche.

Y se desmayó.

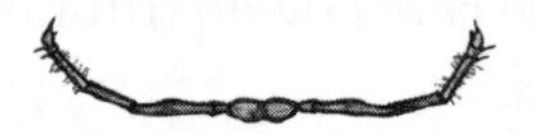

—Los llevamos pegados a nosotros —dijo Jiggs. Kingsway estaba razonablemente despejada de vehículos, así que no se contuvo y puso el blindado casi al máximo de su velocidad, a cincuenta y seis kilómetros por hora. Aun así, los Armagi no dejaban de seguirles obstinadamente, volando alrededor como un enjambre de avispas furiosas.

En el puesto del jefe de carro, Drake parecía agotado mientras observaba a las criaturas que les perseguían por el periscopio trasero.

—Tenemos que encontrar una manera de quitárnoslas de encima —masculló.

—¿Te acuerdas de la maniobra del cangrejo fantasma? —preguntó Jiggs.

—Algo recuerdo, pero ¿por qué la llaman así? —respondió Drake.

Su amigo hizo girar el carro de combate para meterse en Aldwych.

—No estoy seguro, pero ya sabes a qué me refiero. Por aquí tiene que haber un edificio adecuado.

—¿Por qué no sigues dando vueltas a esa manzana hasta que encontremos algo? —sugirió Drake.

Jiggs le hizo caso y serpenteó por Bush House y los demás edificios del centro del Strand, de manera que al cabo de unos minutos había vuelto de nuevo a Adlwych desde el este.

—Y, Elliott —dijo Drake—, vamos a tener que lanzar un poco de humo, como quien dice. Echa un vistazo y mira si puedes encontrar el mando para...

—Las granadas de humo L-ocho. Deberían estar junto al mando de elevación —terció Jiggs—. Si no es así, hay otra manera de hacerlo, que es quemando diésel en los colectores de los escapes.

—¿Cómo lo sabes? —preguntó Drake.

—En una ocasión robé uno de éstos para darme una vuelta —respondió Jiggs.

—Muy bien, creo que lo he encontrado —dijo Elliott, señalando una serie de interruptores numerados.

—Ármalas —le dijo Jiggs a la chica, que encendió un interruptor general en el panel y esperó.

—Jiggs, he conseguido un probable candidato —anunció de pronto Drake—. ¿Ves ese restaurante justo en la esquina de Kingsway? Si puedes sortear los árboles e impactar contra él, puede que consigamos arrasar las columnas principales.

—Parece prometedor.

—¿Qué estáis tratando de hacer? —preguntó Elliott con preocupación.

—Drake intenta enterrarnos —respondió Jiggs.

—Es un viejo truco. Creas un poco de confusión con humo, y luego, si penetramos en el interior del edificio adecuado y la cosa sale como queremos, acabamos enterrados en los escombros —explicó Drake, que entonces se volvió hacia Jiggs—. Inténtalo en la próxima vuelta —dijo.

Cuando serpentearon una vez más alrededor de los edificios de la isleta central de Aldwych y el restaurante apareció ante su vista de nuevo, Drake ordenó a Elliott que disparase las granadas. Éstas rebotaron contra los edificios de ambos lados, explotando y extendiendo una densa nube gris a lo ancho de la calle.

—Bueno, sujetaos —avisó Jiggs cuando lanzó el Challenger directamente contra el edificio de la esquina—. Y deseadme suerte, porque no tengo ninguna visibilidad.

Segundos más tarde se oyó un estruendo descomunal y el carro de combate fue perdiendo velocidad hasta pararse, lanzándolos a todos hacia delante. Pero Jiggs volvió a empujar a fondo el acelerador, y el blindado avanzó suavemente un poco antes de que apagara el motor.

Entonces se oyó un chirrido y el ruido de los escombros al golpear la carrocería.

Jiggs miró por encima del hombro desde el asiento del conductor y levantó el pulgar.

—Ahora guarda silencio absoluto —ordenó Drake a Elliott.

La maniobra había sido un éxito. El carro de combate había atravesado la parte delantera del restaurante y, cuando derribó varias columnas de apoyo, una parte del suelo de la planta superior se había desplomado encima del vehículo, cubriéndolo por completo. Cuando el viento empezó a disipar el humo, el carro de combate estaba casi totalmente oculto, y los Armagi se quedaron sin nada a lo que dirigir su atención.

—¿Qué os parece? —susurró Jiggs al cabo de un rato.

—¿Dio resultado? —preguntó Elliott.

—No veo nada a través de los periscopios, pero creo que sí. Supongo que sólo sabremos que no ha funcionado si los Armagi llaman a los Limitadores para que utilicen explosivos de alta potencia contra nosotros —respondió Drake—. Sólo confío en que haya suficiente aire para los tres en esta lata de sardinas. —Sacudió la cabeza cuando miró por la cabina—. Nunca había estado en un carro de combate… Detesto los espacios pequeños. —Se dirigió a Elliott—. Muy bien, ¿y qué pasa con esa varita luminosa gigante que llevas dentro de la cazadora?

CUARTA PARTE

Pandemónium

18

Con el motor diésel rugiendo, el carro de combate avanzó atronadoramente por Fleet Street, ora apartando los coches a topetazos, ora pasando sencillamente por encima de ellos. En cuanto Jiggs reculó para salir de debajo de los escombros, Drake abandonó el puesto del jefe de carro para que lo ocupara Elliott. Ella sabía exactamene adónde quería que fueran, y ahora estaba controlando el camino a seguir utilizando los periscopios.

Drake lo estaba pasando muy mal por haber estado expuesto a la radiactividad y agradeció la oportunidad de descansar, aunque se esforzaba al máximo por estar a la altura de las circunstancias.

—Vuelves a estar al mando, como en los viejos tiempos —dijo riéndose por lo bajinis, mientras la chica daba indicaciones a Jiggs, que estaba metido en el compartimento del conductor en la parte delantera del carro de combate.

Elliott sonrió a Drake, y cuando llegaron a un cruce, gritó a Jiggs:

—Todo recto. No te pares.

—Ludgate Hill —anunció Jiggs, y el sonido del motor cambió cuando empezaron a subir por la ligera pendiente.

—¡Allí! ¡Allí arriba! —exclamó Elliott.

Jiggs tardó un instante en responder mientras miraba por el periscopio.

—¿La catedral de San Pablo? —preguntó—. ¿Estás de broma?

—¡No, hablo en serio! ¡No te pares! —le respondió—. Tengo que entrar ahí... ¿Puedes hacernos atravesar las puertas?

—¿Quieres entrar? Como tú digas. —Jiggs soltó una carcajada—. Al fin y al cabo hoy ya hemos derribado las puertas de una institución británica, así que ¿por qué no podemos hacerlo de nuevo?

—Una vez dentro, quiero que te pares —añadió Elliott.

Drake negó con la cabeza.

—Si lo hacemos, los Armagi se nos volverán a echar encima antes de que nos demos cuenta. Así que repite la maniobra, entra y da media vuelta y mantenlos a raya con el L-noventa y cuatro —ordenó.

—Ya lo pillo —replicó Jiggs—. ¡Agarraos fuerte! —aulló cuando golpearon un par de postes de piedra en el límite de la zona peatonal delante de la catedral, arrancándolos como si fueran los tocones de unos árboles podridos. Entonces hizo girar el carro de combate bruscamente, y en el camino consiguió desmochar la estatua que se levantaba en la parte delantera de San Pablo.

—¡Vaya! ¡Creo que acabo de decapitar a la reina Victoria! —anunció Jiggs, al mismo tiempo que metía la marcha atrás y pisaba el acelerador a fondo.

Drake y Elliott se mantenían a la espera, y Jiggs, calibrando adónde se estaba dirigiendo por el periscopio trasero, enfiló el vehículo hacia el par de puertas de madera en lo alto de las escaleras. Por desgracia, había un par de descomunales columnas de piedra sin la suficiente distancia entre ellas; con un ruido metálico sordo y retumbante el carro de combate se quedó atascado en medio y se paró en seco.

—Caray, ¿controlas esta cosa o qué? —preguntó Drake, que parecía bastante alterado por tanto zarandeo.

—Hago lo que puedo —replicó Jiggs—. Teniendo en cuenta que hay un par de malditas columnas en medio —añadió entre dientes mientras hacía retroceder el carro de combate para intentar subir de nuevo.

En esta ocasión tuvo más éxito. Una de las columnas se vino abajo con un estrépito descomunal, y aunque lo que quedó del destrozado pilar levantó de un lado al vehículo militar, éste siguió su camino hacia las altas puertas de roble a cierta velocidad. Un crujido ensordecedor, y las dos puertas fueron arrancadas limpiamente de sus goznes.

—Ya estamos en casa, James —exclamó Jiggs, pisando el freno.

—Recuérdame que no te vuelva a dejar conducir —replicó Drake antes de volverse hacia Elliott—. Muy bien, a plena luz del día aquí estamos desprotegidos. Haz lo que tengas que hacer, y salgamos de aquí lo más rápidamente posible. Y confío en que esto no sea una travesura descabellada.

Siguió a la chica cuando ésta salió por la escotilla de la torreta y saltó del carro de combate. Despues de comprobar que en el interior de la catedral no hubiera styx, echaron a correr por la nave a toda velocidad. Al llegar a la zona situada debajo de la enorme cúpula de San Pablo y de la Galería de los Susurros, Drake siguió un trecho en dirección al altar antes de darse cuenta de que la chica había desaparecido. Se dio la vuelta y se encontró con que Elliott se había detenido justo debajo de la cúpula.

—Esto es —dijo ella cerrando los ojos.

Drake puso cara de pocos amigos.

—¿Que es qué? No lo pillo. ¿Qué podría haber aquí que nos vaya a servir de alguna ayuda? —inquirió con un dejo evidente de desesperación en la voz.

—Sinceramente, no lo sé —respondió Elliott, que abrió los ojos y sostuvo el cetro delante de ella.

Drake retrocedió hacia la muchacha.

—Pero esto es una catedral... ¿Qué estás buscando aquí? ¿Y por qué aquí, en particular? ¿Qué tiene este sitio que lo hace tan especial?

—De verdad, todavía no lo sé —admitió Elliott—. Will pensaba que tenía que ver con las líneas telúricas, lo que podría explicar que éste haya sido siempre un lugar sagrado.

Llegados a este punto, Drake estaba perdido.

—¿Líneas telúricas? ¡Un lugar sagrado! ¿Qué especie de nuevo disparate esotérico es éste? Sé que necesitamos un maldito milagro, Elliott, pero esto es tan...

No llegó a terminar la frase porque ella, sujetando el cetro con ambas manos, lo hizo girar media vuelta.

—¿Qué es esto? —preguntó Drake sin respiración, cuando él y Elliott presenciaron el más extraño de los fenómenos. Fue como si la luz que les bañaba y el suelo en torno a ellos hubieran pasado por una especie de desplazamiento del espectro.

El efecto se hizo más pronunciado por momentos, hasta que ambos descubrieron que estaban en el centro de un hemisferio de reluciente luz azul de unos doce metros de ancho. El borde del hemisferio fluía y se desplazaba de la misma manera que una película aceitosa lo hace sobre el agua.

Inesperadamente, un viento recio barrió el interior de la catedral con la suficiente fuerza para enviar los bancos por el suelo entre chirridos y lanzar por el aire los libros de cánticos, que aleteaban como pájaros alborotados que levantaran el vuelo a toda prisa.

Aquello fue seguido inmediatamente de un crujido chirriante increíblemente fuerte, como si toda la sillería del edificio estuviera sometida a una gran presión.

—¡Al suelo! —gritó Drake mirando por encima de ellos.

En menos de un suspiro, la cúpula de San Pablo se despegó del resto.

Y, con la misma rapidez, desapareció por completo de la vista.

—¿Qué has hecho? —inquirió Drake en el momento en que atisbó por primera vez el cielo azul sobre sus cabezas. Se acercó a Elliott dipuesto a protegerla de los pedazos de mampostería y madera que caían al suelo a su alrededor, aunque su intención se reveló innecesaria. Ninguno de aquellos restos estaban cayendo en realidad dentro del círculo azul en el que se encontraban.

Desconcertado, Drake se quedó mirando hacia el cielo.

—¿Adónde ha ido? —balbució, sacudiendo la cabeza de incredulidad. Era como si un gigante hubiera tronchado la parte superior de un huevo cocido con una cuchara.

Elliott se limitó a encogerse de hombros.

—Ya vimos algo parecido en la pirámide.

Sin dejar de mover la cabeza, Drake seguía esforzándose en comprenderlo.

—Bueno, me doy por vencido. —Y se echó a reír—. Contra todo pronóstico este edificio sobrevivió al Blitz*, ¡y nosotros nos lo acabamos de cargar! —Desvió su atención entonces a la reluciente burbuja azul que los envolvía—. ¿Y qué hay del espectáculo de luces?

Elliott se encogió de hombros una vez más sin dar ninguna explicación. Antes bien, miraba en torno a ella con desilusión, como si hubiera esperado algo más.

El renovado tableteo del L94 del carro de combate desde la escalinata delantera recordó a Drake la gravedad de la situación en la que se encontraban.

* Blitz, (relámpago, en alemán): nombre por el que se conoce el bombardeo sostenido sobre Londres, llevado a cabo por la Luftwaffe alemana durante la Segunda Guerra Mundial. *(N. del T.)*

—Muy bien, se acabó —decidió—. Aquí somos un blanco muy fácil. Es hora de largarnos.

Y como para demostrar que tenía razón, algo bajó en picado a través del techo abierto. El primer Armagi se posó en el suelo, y por fortuna no atacó inmediatamente, dándole tiempo a Drake a que le vaciara encima el cargador de su fusil de asalto. Los trozos de la criatura saltaron como pedazos voladores de hielo antes de que cayera al suelo.

Varios Armagi más aterrizaron sobre el suelo de la catedral, pero mientras Drake cambiaba el cargador, no dieron señales de que fueran a atacar.

Montó el fusil contemplándolos mientras las criaturas permanecían petrificadas.

—¿Qué les pasa a éstos? ¿Por qué no vienen a por mí? —preguntó. Inmóviles, ninguno de los Armagi hizo un movimiento, como si no quisieran entrar en el círculo de luz azul.

Drake y Elliott se miraron, pero ninguno dijo nada por el momento.

Siguieron aterrizando más y más Armagi en el interior de la catedral, pero no los atacaron.

—Ya sé que tú estás a salvo de ellos, pero yo no. ¿Qué está pasando? —preguntó él.

—Quizá sea un efecto de esta luz —sugirió Elliott.

Drake se encogió de hombros y echó un vistazo hacia la entrada de la catedral.

—Seguro que no nos protegerá de los Limitadores. Ese carro de combate es nuestro único medio de salir de aquí, pero ¿cómo podría llegar hasta él ahora? No me puedo abrir camino a tiros entre todos éstos —dijo, escudriñando a los inmóviles Armagi. Súbitamente, se sentó, como si todas sus fuerzas le hubieran abandonado.

Elliott se dio cuenta del descomunal esfuerzo que aquello le había supuesto a su amigo, y de que estaba en un verdadero apuro a causa de la radiactividad a la que había estado expuesto. Se acercó a él sin perder un segundo.

—Sálvate si puedes —le suplicó Drake—. Mírame. De todas formas, estoy acabado.

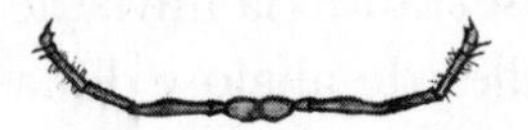

—¡Dios santo!, ¿qué es eso? —gritó Parry por el micrófono en el helicóptero que encabezaba la formación que sobrevolaba Londres.

Él y todos los que iban a bordo se quedaron fascinados por lo que parecía ser un tornado recortado contra el cielo matutino. Al principio se había asemejado a un surtidor oscuro que brotara por encima del nivel de los tejados, antes de ensancharse y convertirse en un negro ciclón giratorio que se extendió hacia las nubes.

—¿Alguna especie de explosión? —aventuró el piloto.

—No se parece a ninguna voladura que haya visto con anterioridad —contestó Parry mientras los trozos de escombros empezaban a caer en torno a ellos desde todas partes.

—¿A alguien se le ocurre alguna brillante explicación para lo que está pasando?

—A ese respecto no puedo ayudarte, pero justo en ese momento se produjo la madre de todas las puntas de energía —informó Danforth, al tiempo que contemplaba el indicador LED del artilugio que había estado utilizando para localizar la señal de la baliza.

—¡Dios! —gritó el piloto, cuando una gran sección de un tejado de plomo cayó en picado a una distancia muy cercana y tuvo que desviar bruscamente el helicóptero por su causa. La lluvia de escombros no era muy densa, pero un impacto directo de algunos de los trozos de piedra o madera de más envergadura habría sido suficiente para derribar al aparato.

—¿Los demás siguen con nosotros? —preguntó Parry, que se volvió para comprobar que los otros helicópteros no hubieran sufrido daños.

Eddie estaba observando la lluvia de fragmentos que se esparcía por las calles de abajo y de la que una parte impactaba en los edificios.

—Pero ¿qué puede haber provocado esto? —preguntó a gritos.

—Me parece que estamos a punto de averiguarlo —respondió Parry, señalando lo que quedaba del extraño fenómeno por delante de ellos—. ¿No está justo en nuestro rumbo, Danforth?

—Puede que tengas razón —respondió el científico—. La baliza ya lleva inmóvil un rato, y parece estar en el epicentro de lo que quiera que sea eso. —Consultó el indicador LED de nuevo—. Y casi estamos encima de ella, a unos mil metros... quinientos... ¡y éste es el lugar exacto!

—¡Por Dios bendito! —exclamó Parry, cuando el helicóptero hizo una pasada justo por encima de la catedral de San Pablo y vieron el enorme boquete donde debería haber estado la cúpula.

—En la escalinata está uno de nuestros carros de combate —comentó el piloto.

—Lo he visto. Y alguien se está cargando a los Armagi con el cañón automático del blindado —dijo Parry—. Muy bien, quienesquiera que estén ahí abajo están de nuestro lado, y estoy seguro de que agradecerán cualquier ayuda. —Habló por radio a los demás helicópteros—. Quiero equipos dobles de francotiradores en lo alto de los edificios de alrededor, y hacedlo pronto.

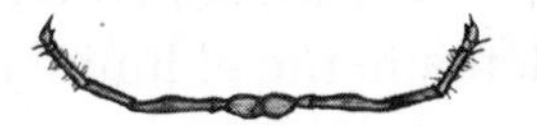

—¡No! ¿Qué estás haciendo? —gritó Drake sin fuerzas cuando Elliott empezó a cortarse en el antebrazo.

—Cierra los ojos y no te muevas —replicó ella, acercándole su brazo a la cara—. Te voy a cubrir con mi sangre. Con Will dio resultado, así que no encuentro ningún motivo para que no surta efecto contigo.

Drake obedeció, y Elliott empezó a embadurnarle con su sangre.

—Esta situación es algo diferente, ¿sabes? Vamos a estar muy liados con estos langostinos gigantescos en cuanto pongamos un pie fuera del círculo de luz. No va a ser lo mismo que esquivar a un par de ellos en la calle —comentó él.

—Ya lo sé.

Drake guardó silencio un instante antes de volver a hablar.

—Has sido una buena amiga. Siempre estuviste pendiente de mí en las Profundidaes cuando te necesité.

—No me vengas con sentimentalismos y deja que termine de pasarte la sangre por encima —le reprendió ella, riéndose.

Se dirigieron al borde de la burbuja azul, y ya estaban listos para avanzar cuando el motor del carro de combate se puso en marcha. El blindado empezó a recular hacia ellos, aplastando los bancos con sus orugas a medida que avanzaba. El motor se volvió a detener, y Jiggs abrió la escotilla unos centímetros para atisbar fuera.

—Pensé que os vendría bien que os recogiera —dijo, echando un vistazo alrededor.

Todos los Armagi de la catedral estaban casi completamente inmóviles, aunque de tanto en tanto alguno abría y cerraba las alas como un pájaro en reposo.

—Muy oportuno —reconoció Drake, y con Elliott sujetándole cruzaron lentamente el límite reluciente de la luz azul.

—Eh, esto es flipante —mascullό Drake.

Elliott estaba callada y no le quitaba ojo a los Armagi, que seguían todos sus movimientos.

Cuando llegaron al blindado, tanto Elliott como Drake se detuvieron un instante. Uno de los Armagi no había logrado apartarse a tiempo y estaba atrapado debajo del blindado con la cabeza aplastada por la oruga. Se hacía muy raro verlo allí, porque los Armagi no paraban de transformarse, adoptando el cuerpo largo y delgado de un styx, para volver luego a convertirse en Armagi. Aquél estaba intentando regenerarse, pero el punto de su nuca que Martha había identificado se encontraba ahora presionado por la oruga del carro de combate, y la criatura estaba atascada a medio camino entre las dos formas.

—Qué chulo —murmuró Drake sarcásticamente—. Tan pronto ves un monstruo, como ves a otro.

—Vamos —le apremió Elliott, que le sujetó mientras rodeaban a la criatura transformista y trepaban al blindado.

En cuanto los dos estuvieron a salvo en el interior y la escotilla fue cerrada, Jiggs miró a Elliott y luego a la sangre que cubría a Drake.

—Bueno, el truco de la mascarilla realmente da resultado. Tu sangre los confude.

Sin esperar a que ninguno de los dos hablara, inclinó la cabeza sobre los mandos del cañón automático.

—No os quiero preocupar innecesariamente, pero deberíais saber que casi nos hemos quedado sin munición. Y aquí hemos montado un barullo de mil pares de narices, así que tenemos que ahuecar el ala antes de que algunos Limitadores decidan unirse a la fiesta.

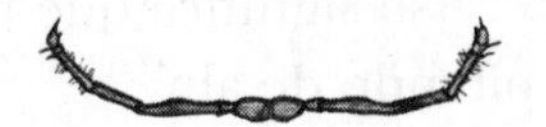

Parry y sus hombres estaban en lo alto de un edificio de oficinas desde el que se dominaba San Pablo. Desde detrás del parapeto situado en el mismo borde de la azotea, habían visto al Challenger meterse marcha atrás en la catedral y desaparecer de la vista. Y en ese momento un nutrido número de Armagi estaba llegando a la catedral, aunque se pararon en el patio delantero como esperando algo, como esperando a recibir una orden.

El comandante se disponía consultar con Eddie acerca de la situación, y en particular sobre la manera de comportarse de los Armagi, cuando su teléfono vía satélite sonó intempestivamente.

—Hola, Parry, soy yo, Bob —dijo la voz al otro lado de la línea.

—Bob, ¿podemos hablar luego? —le dijo Parry—. En este momento estoy un poco liado.

—No, ahora —respondió Bob.

Parry frunció el ceño.

—De acuerdo…

Hubo una breve pausa antes de que el norteamericano volviera a hablar.

—No es más que una llamada de cortesía. Me pareció que debías saber que estamos a punto de lanzaros un misil nuclear.

—¡Qué! ¿Aquí? —Parry apretó el teléfono vía satélite con tanta fuerza que la carcasa de plástico crujió. Empezó a hacer gestos como un poseso a Danforth y Eddie para que cambiaran el canal de sus auriculares y pudieran escuchar.

—Así es. Uno de nuestros submarinos en el Atlántico ha recibido instrucciones y está esperando la orden definitva del presidente. Eso significa que tenéis unos quince minutos para salir pitando de ahí.

—¿Y puedo preguntarte la razón de que hagáis semejante cosa?

—Por supuesto, aunque antes de hacerme explicarte la situación, quiero que veas algo. Estoy saltándome todas las puñeteras normas del manual, pero te voy a proporcionar un enlace seguro para que mires. ¿Tienes alguna pantalla cerca?

Danforth fue hasta el portátil más cercano, donde un hombre de Parry estaba trabajando, y tecleó la dirección del enlace a medida que Bob lo recitaba. Una imagen aérea apareció en la pantalla. Sin duda provenía de un avión no tripulado que volaba a considerable altura.

—Muy bien, está en marcha —confirmó Parry—. ¿Qué es lo que me quieres enseñar?

—Un momento —dijo Bob.

El avión no tripulado cambió de rumbo y fue entonces cuando Parry vio la necesidad de la urgencia. A lo largo de un trecho del Támesis en los alrededores de Canary Wharf, se había congregado una cantidad descomunal de Armagi que avanzaban sobre el terreno en densas columnas. Mientras el comandante contemplaba las imágenes en directo, la luz que se reflejaba en aquellas columnas de criaturas las hacía parecer pequeños arroyos de plata fundida que se extendían hasta las márgenes del río y que una vez allí se deslizaban directamente dentro del Támesis.

—La situación es la misma en todo el río desde la isla de Canvey hasta el estuario. En estos momentos se está produciendo un tránsito masivo —explicó Bob—. Y hemos estado rastreando sus movimientos desde que se meten en el agua, y se están desplazando hacia el mar. Lo único que se nos ocurre es que se trata de una fuerza invasora que se dirige hacia el resto del mundo.

—La célula se rompe, y los nuevos virus se derraman —recordó Parry.

—¿A qué te refieres? —preguntó Bob sin entender.

—Algo que mi hijo solía decir de los styx —respondió el comandante—. Bueno, Bob, estoy de acuerdo en que es indudable que los Armagi están en movimiento, pero ¿tan grande es la amenaza? —preguntó, intentando ver si podía encontrar algún motivo para retrasar el ataque del misil—. Quiero decir, ¿por qué no se desplazan por el aire? De esa manera se podrían propagar con más rapidez.

—Por una cuestión de furtivismo, supongo. Son más difíciles de detectar en el agua —respondió Bob—. O tal vez nadando ahorren energía y de esa manera puedan cubrir una distancia mayor. Digamos hasta Estados Unidos, por ejemplo. Al menos es lo que uno de nuestros asesores científicos sugiere. Aunque tu suposición es tan buena como la mía.

—¿Y exactamente quién ha aprobado este ataque? —preguntó Parry con voz inflexible—. ¿En razón de qué autoridad se hace esto? Porque espero que nuestros queridos Estados Unidos no estén jugando de nuevo a ser el policía del mundo por su cuenta y riesgo…

—En fin, ignoro a qué te refieres con todo eso que has dicho, pero la realidad es que hay una serie de ataques, así en plural, una serie de ataques nucleares programados. Y, básicamente, la acción está respaldada por todos los países del mundo —respondió Bob—. El Senado de los Estados Unidos y el Pentágono, Rusia y los países árabes, y hay un consenso unánime del Consejo Militar Europeo, y de todas las naciones sin excepción de Asia Central y Extremo Oriente, salvo en el caso de… bueno… de Kazajistán, que no parece decidirse. Así que en la práctica contamos con el consentimiento global e incondicional para realizar un ataque preliminar contra Londres, seguido de una serie escalonada a lo largo del Támesis, vuestra costa meridional y aguas internacionales.

—Haces que parezca tan frío —replicó Parry—. Es de mi país del que estás hablando.

—Lo lamento, pero al igual que nosotros, el resto del mundo no quiere que la contaminación se propague fuera de Ingla…

—Tienes que darme algo de tiempo —le interrumpió bruscamente Parry—. ¿Puedes demorar el ataque?

—¿Y por qué debería hacerlo? —le desafió Bob.

—Te daré la dirección del enlace de otro satélite y situaremos una cámara en la ubicación en la que me encuentro. Creo que alguien de nuestra gente regresó del mundo interior, y está ocurriendo algo muy extraño. Es posible que estemos a punto de conseguir alguna nueva información que nos pueda ayudar —dijo Parry.

Bob no estaba convencido.

—No me estás dando nada que pueda utilizar…

—Todavía no tengo nada —admitió Parry—. Pero por las imágenes en directo verás que los Armagi se están congregando aquí en un número tremendo, aunque por otro lado no se mueven. Parece que algo los está atrayendo hasta aquí, y, quién sabe, este reciente acontecimiento podría cambiar todo el panorama.

—Mira, veré lo que puedo hacer —respondió el norteamericano, no muy convencido—. Pero necesito que me des algo concreto, y lo necesito para ayer.

—Entendido, Bob. Te voy a pasar con uno de mis hombres un momento, pero no te retires —dijo Parry, pasando el teléfono vía satélite al soldado del ordenador portátil.

Entonces regresó inmediatamente al parapeto para reunirse con Eddie y Danforth.

—Como si no tuviéramos suficiente con lo que tenemos —protestó.

Drake se había tendido en el suelo del tanque utilizando una lona enrollada a modo de almohada. Tenía los ojos cerrados, y la cara tan pálida y consumida que parecía más muerto que vivo.

—Ojalá pudiera hacer algo por él —le susurró Jiggs a Elliott mientras lo miraban con preocupación.

—Por favor, dejad de hablar de mí como si no estuviera aquí —dijo Drake, sin abrir los ojos, pero consiguiendo sonreír.

—Creía que ya no estabas con nosotros, amigo. —Jiggs se rió.

—Dos peces en una pecera —farfulló Drake—. Y uno le dice al otro: «¿Qué tal se te da conducir este cacharro?»*

—Jo, qué malo —dijo con voz ronca Jiggs, que intercambió una mirada con Elliott. Ambos conocían a Drake demasiado bien; cuanto peor era la situación, peor era el chiste.

—Me temo que sí —balbució Drake—. Bueno, ¿no podemos arrancar este cacharro y salir de aquí? —suplicó—. De camino, podríamos abrirnos una puerta nueva en el otro extremo del edificio, porque a estas alturas habrá sin duda más langostinos en la parte delantera.

—¡No! —prorrumpió Elliott, y fue tal su vehemencia que Drake abrió los ojos—. No me puedo ir. Todavía no.

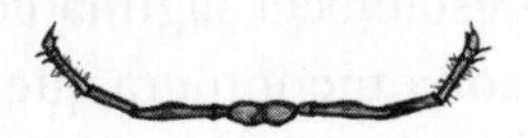

* El chiste no tiene ningún sentido en español. La supuesta gracia reside en la polisemia del término *tank* en inglés, que, entre otros, tiene el significado de «pecera» y «carro de combate». *(N. del T.)*

Agachado contra el parapeto en la cornisa de la azotea, Parry estaba utilizando los binoculares para intentar ver el lugar al que el blindado había reculado en el interior de la catedral.

—Tenemos que saber quién está en ese Challenger, y qué están haciendo ahí. Porque sea lo que sea lo que tramen, están actuando como un imán para los Armagi.

Eddie asintió con la cabeza.

—Es indudable que parecen haberse desviado de su ruta original hacia el Támesis y en su lugar están abriéndose camino hasta aquí.

Danforth había estado comprobando de nuevo la señal de la baliza y su dirección.

—Puede que sea una obviedad, pero apuesto todo mi dinero a que el carro de combate es el origen de la señal VLF; tiene que ser de ahí de donde procede —dijo.

Parry había desviado su atención a lo que quedaba del techo abovedado de la catedral mientras pensaba en voz alta.

—Ésa no fue una explosión convencional. Aquí ha ocurrido algo muy extraño, y sólo espero que sea algo que podamos utilizar para sacarnos de este atolladero o que al menos nos dé un respiro. —Guardó silencio durante un segundo antes de añadir—: Pero se nos acaba el tiempo. Necesitamos que alguien entre en el edificio para realizar un reconocimiento.

Danforth carraspeó.

—Iré yo. Puedo establecer alguna comunicación y ponerme de acuerdo con quienquiera que esté en el Challenger. Soy la elección evidente.

—Es improbable que consigas pasar teniendo que enfrentarte a esa multitud —dijo Parry, al tiempo que echaba un vistazo a las hordas crecientes de los Armagi.

—Desde un punto de vista general, no creo que suponga una gran diferencia que me quede aquí arriba o pruebe suerte ahí abajo. Tal como están las cosas, las probabilidades de que salgamos de ésta no son muy prometedoras —sentenció Danforth.

Parry hizo una mueca cuando echó un vistazo al horizonte de Londres.

—Me temo que tienes razón, los helicópteros están demasiado lejos. Aunque les ordenara que regresaran ahora mismo, dudo que ninguno de nosotros pudiera alejarse del radio de acción de la explosión.

—Entonces, ¿por qué no me dejas que baje ahí y reconozca el lugar? —insistió Danforth.

—No voy a intentar disuadirte —repondió Parry, mirando su reloj—. Llévate a dos de mis mejores hombres... No lleves mucha cosa encima, para no llamar demasiado la atención. Puedes utilizar el paso de peatones subterráneo para acercarte todo lo que puedas a la catedral, y a partir de ahí tendrás que decidir sobre la marcha. —Durante un momento se centraron en un punto a unos seis metros de la entrada a la catedral donde la señal de una parada de autobús indicaba un tramo de escalones que llevaban bajo la acera.

Danforth corrió a meter algún equipo en un macuto y, al cabo de unos minutos, él y un par de soldados del SAS salían a la calle por la parte trasera del edificio de oficinas. Los tres inspeccionaron los aledaños en busca de Armagi, pero no había ninguno a la vista. Las criaturas parecían concentrarse justo en los alrededores de la catedral, lo que les facilitaba la vida momentáneamente, aunque sería un problema para los tres hombres a medida que se acercaran.

Con un soldado situado detrás de él y otro delante, empezaron a avanzar lentamente pegados a la pared del edificio, bien juntos y haciendo el menor ruido posible.

En cuanto llegaran a la esquina, la entrada al paso subterráneo estaría a muy poca distancia y, dando por supuesto que no habría ningún Armagi deambulando por allí abajo, el pasadizo les llevaría hasta el patio delantero de la catedral en muy poco tiempo. Danforth procuraba no pensar en los últimos seis metros que tendría que recorrer entre una multitud de criaturas. No se llamaba a engaño en cuanto a que todo aquel ejercicio tenía el tufillo a misión suicida desesperada.

Casi estaba en la esquina cuando se oyó un grito detrás de él.

—¡Danforth!

Él y los dos soldados giraron en redondo.

Chester estaba apuntándole con su escopeta. Martha estaba al lado del muchacho, y su ballesta también apuntaba a Danforth, mientras que Stephanie estaba unos pasos más atrás y parecía muy asustada.

—Chester, éste no es un buen momento —contestó el científico sin levantar la voz.

—He estado esperando para hablar con usted —rugió el chico— de lo que le hizo a mis padres. —Avanzó hacia Danforth sin mostrar ningún temor, a pesar del hecho de que los dos soldados le estaban apuntando con sus fusiles de asalto.

—¿Quiere que los eliminemos? —le preguntó a Danforth uno de los soldados.

—¿Eliminarnos? —retrucó Chester encogiendo el labio con ferocidad.

—Espere —dijo Danforth, negando con la cabeza—. En serio, Chester, no tenemos tiempo para esto. Estados Unidos está a punto de lanzar un ataque nuclear contra nosotros, aquí en Londres. Tenemos que…

—¿Eliminarnos? —repitió el muchacho. Volvió la cabeza hacia Martha, a la que dirigió un leve gesto de aprobación.

Como unos rayos de luz blanca, los relámpagos atacaron brutalmente a los soldados, levantándolos en el aire y arrojándolos luego contra la pared. Cuando los dos hombres cayeron al suelo, sus cuerpos estaban retorcidos y descoyuntados.

Danforth se echó las manos a la cabeza.

—Esto era innecesario —comentó sin alterar la voz, pese a lo que acababa de suceder—. Ya veo que estás utilizando a los relámpagos. No estaba seguro de qué era lo que me había salvado de los Limitadores cuando la Oficina Central de Comunicaciones del Gobierno fue atacada.

—¡Usted es el siguiente, Danforth! —dijo Chester. La locura se reflejaba en sus ojos, y el ansia de venganza le contraía el rostro.

—¡No! —gritó Stephanie, incapaz de apartar los ojos de los dos hombres muertos—. ¿Qué estás haciendo? No necesitabas…

No sabía qué pensar acerca de la cruzada de Chester contra Danforth, pero matar a dos hombres que casualmente se habían cruzado en su camino era más de lo que podía consentir. Su hermano mayor se había alistado en el ejército meses antes de que comenzaran los problemas, y no pudo evitar imaginárselo allí desplomado, con su sangre manchando de arriba abajo la pared. Respiró superficialmente mientras las náuseas la asediaban.

—Esto tiene que parar —dijo.

Martha sencillamente la ignoró y siguió con la ballesta en alto.

Chester se acercó a Danforth y empezó a empujarle con el cañón de la escopeta.

—¿Qué decía de eliminarnos, tío mierda? ¿Como eliminó a mi madre y a mi padre?

Danforth seguía teniendo las manos levantadas, pero no reculó en ningún momento mientras el chico blandía el arma contra él.

—Chester, de aquí a unos minutos va a ser totalmente irrelevante si me equivoqué o actué correctamente… —replicó Danforth—. ¿Por qué no escuchas lo que te estoy diciendo? ¡Hemos sido escogidos como objetivo de un ataque con misiles!

—No podría traerme más al fresco —le espetó Chester con una voz que era un rugido sordo.

Pero a Stephanie sí que le importaba. No tenía ningún motivo para no creer a Danforth; la premura en su voz parecía suficientemente sincera, y sin duda no parecía que siguiera conchabado con los styx, o de lo contrario no andaría moviéndose furtivamente por allí y escondiéndose de los Armagi. Y además de todo eso, a ella sí que le importaban, y mucho, los dos soldados muertos.

Así que hizo lo único que se le ocurrió.

Extrajo el enorme cuchillo de caza del cinturón de Martha y, cogiendo a ésta de su mugriento pelo, le echó la cabeza hacia atrás de un tirón y le puso la hoja en el cuello.

Mientras la mujer echaba sapos y culebras por la boca, Stephanie intentó llamar la atención del muchacho.

—Chester —gritó—, has ido demasiado lejos. Y no vas a hacerle daño a nadie más.

—¡No te metas en esto! —replicó él sin ni siquiera volverse para mirarla—. Déjame disfrutar de este momento. El momento en que mato a este apestoso traidor.

—No, Chester, no vas a hacer tal cosa —dijo Stephanie, procurando mantener un tono de voz tranquilo a pesar del golpeteo de su corazón—. Déjale ir, o le clavo este cuchillo a Martha.

Sólo entonces apartó Chester los ojos de Danforth para echar un rápido vistazo detrás de él. Pero su mirada imperturbable y enloquecida volvió al científico casi inmediatamente, y empezó a reírse a carcajadas. Fue una risa ruidosa e inquietante que hizo que todo su cuerpo se sacudiera.

—Adelante, Stepho. Mátala, pues. Haz lo que te venga en gana.

—¿Chester? —preguntó Martha con voz queda—. No hablas en…

—Ah, cállate, bruja apestosa —la interrumpió el chico.

—Chester… —Martha tragó saliva—. Soy yo…, es tu mamá la que habla.

El deseo asesino del chico iba en aumento. Cuando habló, lo hizo sin pensar.

—¿Bromeas? ¿Tú mi madre? Te pareces tanto a ella como un balde de babosas muertas.

Chester empezó a susurrarle furiosamente a Danforth, apretándole el cañón de la escopeta contra la sien.

Stephanie notó que el cuerpo de Martha se tensaba.

—Siento que pienses eso, cariñito.

La mujer apretó el gatillo.

La flecha de la ballesta alcanzó a Chester en la espalda. El muchacho no gritó de dolor ni de sorpresa, pero un espasmo involuntario le hizo extender violentamente los brazos a ambos lados.

Danforth agarró la escopeta y se la arrancó de las manos cuando el chico se desplomó sobre el suelo.

—Uf, gracias Dios —susurró, no porque ahora estuviera a salvo de Chester, sino porque si el arma se hubiera disparado los Armagi habrían acudido en tropel—. Tengo que irme. ¿Tienes la situación bajo control? —le preguntó a Stephanie, hablando tan deprisa que sus palabras apenas resultaron comprensibles. No esperó a recibir una respuesta cuando corrió hasta la esquina y desapareció de la vista.

Stephanie tragó saliva con dificultad.

Permaneció en la misma posición, apretando el cuchillo contra el cuello de Martha.

—Chester —susurró, tratando de asimilar lo que acababa de ocurrir mientras miraba fijamente al muchacho inmóvil. La sangre abandonó su cabeza y la vista le empezó a dar vueltas y pensó que podría perder el conocimiento.

En ese momento sintió la agitación en el aire y alcanzó a ver los relámpagos que pasaban rápidamente, volando cerca de su cabeza. Martha habia dejado caer la ballesta después de dispararla, pero seguía teniendo las armas más letales a su disposición; sus «hadas» harían lo que fuera para protegerla.

Eso hizo que Stephanie recobrara inmediatamente la razón. Se dio cuenta de la precaria situación en la que se encontraba. «No voy a morir aquí», pensó.

—¡Muévete! —le espetó a Martha, a la que hizo avanzar rápidamente por la acera sin separarse de ella. Sintió la espalda contra la pared, tiró de su rehén para acercársela todo lo que pudo, asegurándose de parapetarse bien detrás de la corpulenta mujer y de su ropa amplia como una tienda de campaña.

Sabía que por el momento podría estar a salvo de los relámpagos, pero no tenía ni idea de adónde ir desde allí. Se preguntó por la puerta por la que habían aparecido Danforth y los soldados, pero desde allí no podía verla.

Martha sollozaba en silencio; Stephanie notaba temblar su cuerpo contra el suyo.

—No pasa nada, chiquilla —dijo Martha al cabo de un momento con voz bastante conmovedora—. No te culpo. No era un buen niño. No se parecía en nada a mi dulce Nathaniel. En nada.

Stephanie y Martha contemplaron a Chester, tendido boca abajo y con la flecha sobresaliendo de su espalda.

—Está muerto de verdad, ¿no? —preguntó la chica.

Martha se encogió de hombros antes de responder:

—No tienes nada que temer de mí. No te culpo de nada. Nos engañó, tanto a ti como a mí.

Stephanie pensó en eso. Si lo que Danforth había dicho era verdad —lo cual era un riesgo teniendo en cuenta su comportamiento en el pasado—, no importaba mucho que los relámpagos la mataran, porque de todas formas iban a morir todos muy pronto por los misiles norteamericanos.

—De acuerdo —dijo finalmente la muchacha, que apartó el cuchillo del cuello de Martha y la soltó—. Siento haberte hecho esto, pero...

La mujer dio varios pasos hasta el borde de la acera.

No se volvió, pero extendió lentamente en el aire su mano con los dedos destrozados y, triste y cabizbaja, lanzó un leve silbido.

«Aquí vienen —pensó Stephanie, preparándose para lo peor—. Voy a acabar como esos soldados muertos.»

Y sí que acudieron los relámpagos, pero en lugar de atacar a la chica, se reunieron alrededor de Martha y la envolvieron rasgando el aire con sus alas.

Era difícil contar cuántos había, pero a Stephanie le pareció que podrían estar todos, los siete.

Y antes de que supiera qué estaba pasando, los pies de Martha se habían levantado de la acera.

La mujer se elevó por el aire, transportada en lo alto por sus hadas.

Y siguió elevándose más y más por el cielo con la cabeza caída sobre el pecho. Entonces los relámpagos se alejaron con ella por encima de los edificios, como en una versión gótica y horripilante de *Mary Poppins.*

Stephanie casi sonrió al pensarlo.

Martha Poppins.

«Vayamos a volar un relámpago*.»

* Alusión a la canción de *Mary Poppins* «Let's go Fly A Kite» [«Vayamos a volar una cometa»]. *(N. del T.)*

Sabía que a Chester le habría parecido gracioso. El pobre y malintencionado Chester, el que había pasado las de Caín y había perdido tantísimo, y que había acabado deshecho a causa de ello.

Se encontró mirando fijamente el cuerpo exánime de su amigo, pero no fue capaz de acercarse. Se había sentido atraída por él, por su imprudencia, y tal vez en lo más profundo había creído que podría ayudarle. Salvarle de sí mismo. Pero ya no sentía nada por él.

Y de pronto la conciencia de que quizás estuviera desecha como su amigo la llenó de inquietud.

19

Los Armagi ocupaban toda la plaza de la catedral, y era tal el número de ellos que sólo había espacio para estar de pie. Esperaban en silencio, con sus ojos compuestos vueltos hacia las puertas astilladas de la entrada. Cuando un Bentley negro azabache ascendió suavemente la colina desde Ludgate Circus, las criaturas se hicieron a un lado para dejarlo pasar. El vehículo hizo sonar insistentemente el claxon cuando se detuvo.

—Algo está pasando ahí delante —informó Jiggs. Estaba utilizando el periscopio para tratar de ver por la puerta de la catedral, pero la concentración de los Armagi se lo dificultaba—. Me parece que acaba de detenerse una limusina —dijo con incredulidad.

—Adivina de quién se trata —replicó Drake, cuando Elliott miró por el periscopio, aunque tampoco pudo ver mucho.

—¿Quieres que les lance un pepinazo con el gran canuto? —sugirió Jiggs señalando los mandos del cañón de ciento veinte milímetros del blindado—. No te prometo que acierte el tiro, pero merece la pena intentarlo.

Volvieron a oír el claxon del coche.

—No te molestes. No son tan imprudentes —dijo Drake—. No aparecerían a menos que quisieran algo.

—Imprudentes, muy imprudentes —dijo Parry observando las puertas del Bentley cuando se abrieron—. Mírales, no pueden saber que estamos aquí arriba. Se están volviendo demasiado confiados —susurró. Le estaba picando el gusanillo de dar la orden a sus hombres de que abrieran fuego, pero en vez de eso siguió evaluando la situación—. Hemos conseguido un lleno completo: el viejo styx, la gemela Rebecca, la mujer styx y…

Hermione sacó a alguien a rastras del asiento trasero del coche. La figura tenía la cara hinchada y magullada y apenas podía abrir los ojos.

—Haz un esfuerzo, hombre —se burló Hermione cuando le apoyó contra el coche. La cabeza del rehén se tambaleaba como la de un borracho.

—¡Dios mío! ¡Si es Will! —susurró Parry—. Así que al menos alguno consiguió regresar. Pero le han dado una paliza de muerte. Sólo espero que no se haya traído con él ese supervirus desde el mundo interior, si es que se liberó. Porque eso sí que alborotaría el gallinero con los yanquis.

—Te he oído —dijo Bob con indignación por el auricular—. ¿Qué supervirus?

—Si vas a escuchar, mantén la boca cerrada —le replicó Parry—. Ahora quiero que todos los puestos me informen.

El auricular del comandante crepitó.

—La cabeza de la mujer styx en el punto de mira confirmado —dijo el primero de los soldados. Luego, uno a uno, los demás francotiradores de los tejados que rodeaban la catedral empezaron a poner al corriente a Parry.

—Muy bien, pero los dedos fuera de los gatillos —ordenó cuando terminaron—. Todavía no se va a actuar. Repito, ninguna acción. Aseguraos simplemente de seguir apuntando a vuestros blancos, y esperad mi orden.

—Parry —le avisó Eddie.

Dos Limitadores habían aparecido de la nada. Entre los dos cogieron a Will cuando Hermione le dio un empujón, y empezaron a arrastrarlo en dirección a la catedral.

—Van a exhibir a Will. Eso significa que debe de haber alguien más del equipo en el carro de combate. Van a utilizar al muchacho como moneda de cambio, ¿verdad? —preguntó Parry, bajando los prismáticos para mirar a Eddie.

El antiguo Limitador asintió con la cabeza.

—Eso es lo que yo haría.

Pavonéandose junto al coche, Hermione empezó a gritar hacia la catedral.

—¡Hola, hola! ¡Venid a jugar!

En el interior del carro de combate todos oyeron su voz y se miraron unos a otros.

—Escuchad eso. Es la Gran Chinche, ¿verdad? —dijo Jiggs—. Quieren parlamentar. Diste en el clavo, Drake.

—Sé que estáis ahí —gritó Hermione—. Hemos estado rastreando esa señal de radio que tan amablemente habéis estado enviando.

Elliott movió rápidamente los ojos por el suelo del carro de combate hasta que dio con la Bergen de Will.

—¡Qué rematadamente idiota soy! Así fue como nos encontraron tan rápidamente. Me olvidé de que la baliza seguía conectada.

Mientras continuaba mirando por el periscopio, Jiggs soltó de pronto un pequeño grito.

—¡Sí! Veo claramente a esa mujer styx, la que se nos escapó antes de que atacáramos el almacén. Vamos, Drake, si hago avanzar este cacharro un poquito, podemos hacer lo que no conseguimos la última vez y arrearle un buen pepinazo.

Drake había conseguido levantarse para poder ocupar el lugar de Elliott en el asiento del jefe de carro. Antes de que pudiera decir nada, Jiggs maldijo.

—Nones, la he perdido. Habría sido una oportunidad de oro —comentó. Seguía mirando por el periscopio cuando resopló con fuerza.

—Ah, no —farfulló Drake.

—¿Qué pasa? —preguntó Elliott.

Se produjo un silencio inquietante mientras la muchacha esperaba a que uno de los dos respondiera.

—¡Decidme qué pasa! —explotó Elliott, incapaz de soportar el suspense un segundo más.

Drake apartó la cara del periscopio y se la quedó mirando.

—Malas noticias, me temo.

Elliott lo apartó para mirar. Un Limitador sujetaba a Will, mientras que los demás miraban fijamente el carro de combate por encima de las cabezas de los Armagi.

—Pero ¿qué le han hecho? —preguntó.

—No seáis tímidos. Venid a reuniros conmigo, ¿eh? —gritó Hermione—. Will «se muere» de ganas de veros.

Elliott perdió de vista a su amigo cuando los Limitadores se lo llevaron.

—Le han cambiado de sitio —informó Elliott a Drake—. Tenemos que averiguar qué es lo que quiere la mujer styx.

—No seas boba —retrucó Drake—. De ninguna manera te voy a dejar poner un pie fuera de este blindado, y mucho menos que salgas de la catedral.

—¡Tienen a Will ahí fuera! —le gritó la chica. No pudo evitar gritar, aunque entonces respiró y procuró recobrar la compostura de nuevo—. La mujer styx podría estar dispuesta a hacer un trato. Siempre quieren hacer tratos.

—Por supuesto, y siempre los incumplen. No, si alguien va a salir, seré yo —razonó Drake—. No me queda mucho tiempo. Y si me liquidan, la única diferencia será el momento.

—No, no lo entiendes —insistió Elliott, que examinó el cetro y luego le sostuvo la mirada a Drake. En ese momento empezaba a comprenderse a sí misma—. Tengo que salir ahí fuera. Es la única manera de detener esta locura. Y de verdad que creo que puedo detenerla.

Jiggs se irguió de pronto.

—Escuchad esto —dijo, señalando el altavoz que tenía junto a la cabeza, al tiempo que se inclinaba para subir el volumen—. Lo están enviando a la radio de onda corta del blindado.

La señal de radio no era muy fuerte y se perdía ocasionalmente, aunque el mensaje era suficientemente claro:

«... mensaje para los ocupantes del Challenger en el interior de San Pablo. No sé quiénes sois, pero tenéis una de mis balizas VLF. Sabed que el comandante ha recibido confirmación de que el ejército de Estados Unidos tiene intención de atacar Londres y el sudeste con cabezas nucleares en cuestión de minutos. Si está en vuestras manos influir en la situación, entonces tenéis que actuar, y hacerlo ya.»

—Es Danforth —dijo Drake, mirando a Jiggs con cara de preocupación.

«No podéis responder a esto. Estoy cerca y sólo estoy transmitiendo. Repito, es un mensaje para los ocupantes del Challenger...»

—Pero ¿de qué lado está ahora? —preguntó Drake—. ¿No se había pasado a los styx?

—En cuyo caso trata de engañarnos para que salgamos —razonó Jiggs.

—Pero no lo está haciendo, ¿no? —replicó Drake—. No nos está diciendo que hagamos otra cosa que ayudar, si podemos. No nos está diciendo que abandonemos el carro de combate para que los styx nos atrapen. Nos está diciendo que hay un ataque nuclear en ciernes. ¿Por qué haría eso?

La cabeza de Drake estaba haciendo horas extraordinarias.

—E incluye la referencia al «comandante» en el mensaje porque cree que hay alguien en este blindado que conoce a Parry. Está dirigido a nosotros.

—Y Parry tiene contactos a ese nivel en el Pentágono —terció Jiggs.

Drake tomó aire.

—De acuerdo, parece que el *reloj* se está acabando y no tenemos nada que perder... ninguno.

—Quieres decir que el tiempo se acaba —le corrigió Jiggs.

—Lo que quieras. Y la verdad, preferiría no estropear este maravilloso bronceado con más radiación. Por este año, ya he tenido más de lo que en justicia me corresponde —masculló Drake, que colocó la mano en la palanca de cierre de la escotilla principal. Se volvió a Elliott y la miró fijamente—. ¿Decías en serio lo de salir ahí? ¿Estás preparada para reunirte con ellos?

Ella asintió sombríamente con la cabeza.

—He de salir, no sólo por Will, sino porque tengo que parar esto.

—De acuerdo, unámonos al baile —dijo él.

Los Limitadores habían vuelto a arrastrar a Will hasta el Bentley. Lo arrojaron sobre el capó y le dieron la vuelta para dejarlo tumbado de espaldas. El muchacho se movía como si estuviera en trance y trataba de hablar, pero sus labios estaban sellados.

—Dejadlo —ordenó Hermione a los Limitadores—. Me ocupo yo.

Extendió una de sus patas insectoides e inmovilizó a Will contra el capó poniéndole las pinzas sobre el pecho, aunque él no estaba en condiciones de ir a ninguna parte.

En cuanto Drake y Elliott hubieron bajado del carro de combate, los Armagi retrocedieron para abrir un pasillo desde la nave hasta la entrada principal. Manteniéndose muy pegados el uno al otro, ambos avanzaron lentamente mientras aquellas bestias se mantenían a distancia. En esta ocasión, había algo más aparte de la sangre de Elliott que protegía a Drake.

Y cuando ambos salieron de la catedral y llegaron a lo alto de la escalinata, los Armagi del patio delantero también se separaron para abrir un pasillo hasta el coche. Drake y Elliott pudieron ver quién les estaba esperando en el Bentley… y también vieron a Will despatarrado sobre el capó.

—Mi hijo —dijo Parry cuando vio a Drake salir de la catedral a la luz del día—. ¡Sigue vivo!

—Y mi hija también —comentó Eddie al divisar a Elliott a su lado.

—Drake no tiene muy buen aspecto —observó el comandante, que amplificó la visión de sus prismáticos para ver a su hijo con más claridad.

—¿Sabrán que Will está más muerto que vivo? Porque si no, ¿por qué se ponen en la línea de fuego de esta manera? —preguntó Eddie—. A menos que sepan que la situación es deseperada.

—Danforth debe de haber cumplido su misión —señaló Parry. Cambió a una frecuencia distinta de radio y preguntó—. ¿Así que lo conseguiste? ¿Dónde estás?

Danforth estaba a mitad de la escalera de la entrada al paso subterraneo, apretado contra la pared y con un radiotransmisor todavía en las manos. Todo lo que podía ver sobre la acera eran las pantorrillas de los numerosos Armagi allí reunidos.

—No pude llegar al final —contestó a Parry—, pero he hecho lo que he podido. Intenté enviar un mensaje al receptor de onda corta del blindado, y rezo para que lo hayan oído.

—Creo que sí. Mi hijo y Elliott han aparecido en el exterior de la catedral hace unos segundos —dijo el comandante, y miró su reloj—. Mantente en contacto. No tenemos mucho tiempo.

—Ah, mis dos alegres renegados —saludó Hermione a Drake y Elliott—. A juzgar por los informes del Museo Británico, supuse que teníais que ser vosotros. Mis chicos —dijo, haciendo un gesto con el brazo hacia la marea de Armagi— me proporcionaron vuestras descripciones.

Drake y Elliott descendieron lentamente hasta el pie de la escalinata en la parte delantera de la catedral.

—No necesitas esa arma —le advirtió Hermione a Drake—. Deshazte de ella ahora mismo o degüello al muchacho. —Apretó la garra contra el pecho de Will, que soltó un sonoro gemido.

Drake se encogió de hombros y arrojó su Beretta. El arma repiqueteó sobre la acera, el único ruido en todo el lugar.

—Bueno. Ahora, no seáis tímidos. Venid y uníos a mí en la diversión —les ordenó Hermione.

Con los dos Limitadores flanqueándolos, el viejo styx y Rebecca Dos estaban parados al lado del Bentley. No dijeron nada; era evidente que la mujer styx estaba al mando.

—Vale, así es suficiente. Paraos ahí —les ordenó Hermione—. ¿Había alguien más con vosotros en el carro de combate?

—¿De qué quieres hablar? —preguntó Drake.

—Primero, responde —insistió la mujer styx, que casi de inmediato dejó correr el asunto—. No, ya veo que sólo estabais vosotros dos—. Drake y Elliott giraron en redondo para ver a un Limitador en la entrada de la catedral detrás de ellos. Era evidente que había entrado en el blindado para inspeccionarlo.

Si Elliott o Drake hubieran estado en un aprieto menos desesperado, podrían haberse asombrado por la habilidd de Jiggs para mimetizarse en cualquier situación en la que se encontrara. Tal como estaban las cosas, no había tiempo para detenerse en ello.

—Dinos qué quieres —preguntó Drake.

—No quiero nada, y no estáis en situación de exigir nada, ¿no te parece? —respondió Hermione—. Se me ocurrió que a tu puta mestiza le gustaría un asiento de primera fila mientras consumo mi unión con aquí su novio.

—Suelta a Will —dijo Drake.

—Oh, lo tengo pensado —replicó Hermione—. En un santiamén. —Resultaba bastante difícil entender lo que decía porque la punta del tubo carnoso le asomaba por la boca y se retorcía con energía. Cuando ella se echó encima de Will, el tubo se extendió completamente entre sus labios y se metió a presión dentro de la boca del chico.

Drake y Elliott vieron con horror las contracciones de los músculos del ovipositor y que un gran saco de huevos descendía entre apretones por el tubo. Will tosía entre ahogos e intentaba resistirse, pero ya estaba hecho.

Los huevos habían sido depositados profundamente en su interior.

—Esto por haber sacrificado a todas mis crías en el almacén —dijo Hermione cuando se incorporó y empezó a limpiarse los labios negros con el dorso de la muñeca, para quitarse los fluidos que le colgaban de allí en pegajosas madejas—. Ah, he estado reservando esa vaina para un día festivo como éste. Sólo los mejores y más glotones Armagi se encargarán del asqueroso Billy Burrows. Los queridos pequeñines que lleva dentro son tan voraces que se zamparán sus entrañas en un santiamén.

Elliott estaba pálida por la impresión, pero Drake temblaba a causa de la ira.

—Hicimos lo que nos pediste. Salimos del carro de combate y vinimos aquí fuera —dijo con voz ronca, dando una zancada hacia delante—. Podrías haberle ahorrado a Will tanto sufrimiento. ¡Y te aseguro que te voy a hacer trizas con mis propias manos, criatura abominable!

Hermione soltó una risa estridente y desagradable.

—Caray, los sacos de carne sois tan terriblemente petulantes y a...bu...rri...dos.

Sacudiendo como un látigo su levantada extremidad insectoide, hizo un ruido como si hubiera chasqueado los dedos.

Se oyeron dos disparos casi al unísono, y sus detonaciones resonaron desde los edificios.

Cuando las balas le alcanzaron a mitad de la zancada, Drake cayó de rodillas. Se apretó las manos contra el pecho, y la sangre manó a raudales de las dos heridas.

—¡Drake! —Elliott llegó hasta su lado de inmediato, y le ayudó a tumbarse en la acera.

—Le han alcanzado —dijo Parry casi sin respiración—. Mi hijo ha caído.

La radio chisporroteó, pero nadie dijo una palabra, esperando las órdenes del comandante.

Eddie extendió la mano hacia él y le sujetó el brazo un instante.

—Lo siento, Parry, pero... —susurró.

—Ah, sí —dijo el militar, intentando concentrarse—. A todos los puestos, no abráis fuego. —Estaba mirando a Elliott, una pequeña figura entre todos los Armagi, arrodillada junto a su hijo mortalmente herido.

—Por eso estaban tan tranquilos —comentó Eddie—. Tenían hombres apostados en los edificios de alrededor. Esos disparos no procedieron de ninguno de los Limitadores sobre el terreno.

—Tienes razón —contestó Parry, y no perdió tiempo en dirigirse de nuevo por radio a sus hombres—. ¿Alguno ha localizado a esos francotiradores styx? Comprobad todas las ventanas de las fachadas, y hacedlo detenidamente. Seguro que hay varios equipos alrededor de la zona, puede incluso que en los pisos de debajo de vosotros. Cuando lo ordene, los quiero a todos liquidados. ¿Queda entendido?, quiero que os los carguéis a todos, del primero al último.

Eddie le sostuvo la mirada a Parry, que asintió una vez con la cabeza. Uno había perdido a su hijo, y el otro era probable que perdiera a su hija.

Entonces volvieron a centrar su atención en la plaza de la catedral.

La situación era tan tensa que nadie de los que estaban en la azotea con Parry vio cuándo el capitán Franz se escabulló y echó a correr escaleras abajo hasta la calle.

—Eres un idiota —dijo Elliott con ternura mientras mecía la cabeza de Drake en su regazo—. Sabías cómo acabaría esto. ¿Y para qué lo hiciste? —preguntó con las lágrimas resbalándole por la cara.

Drake hizo una mueca cuando el dolor le atenazó.

—Para darte la oportunidad... —susurró— de que hicieras lo que ibas a hacer. Hazlo ahora, amiga, y hazlo por mí... y por todos nosotros.

—Pero yo no... —empezó a decir Elliott, y se contuvo cuando vio lo cerca que estaba su amigo de la muerte.

Drake empezó a ahogarse.

—No se me ocurre ningún chiste —dijo.

Y dejó escapar su último aliento.

Elliott le apoyó cuidadosamente la cabeza en la acera y se levantó con una expresión de absoluta determinación en el rostro.

Y nadie se percató cuando aprovechó la oportunidad que Drake le había dado para deslizar una mano bajo la cazadora hasta su zona lumbar. Ni Hermione ni ninguno de los demás styx tenían ni idea de lo que llevaba metido en su cinturón. Pero Elliott sabía lo que tenía allí; lo podía sentir, notaba el cetro, como si éste estuviera deseando que lo sacara, deseando que lo utilizara.

Empezó a acercarse a Hermione.

Ésta la miró con desprecio.

—Sólo tengo que despachar a esta puta mestiza, y luego habremos acabado aquí. Está bien atar algunos cabos sueltos sin precipitarse, todo a su debido tiempo. —Se volvió hacia Rebecca Dos y el viejo styx—. ¿Se os ocure algún motivo para que la necesitemos viva?

Ni Rebecca Dos ni el viejo styx dijeron nada.

—Entonces, no hay más que desearle buenas noches y dulces sueños a la Niña del Desagüe —declaró Hermione.

Levantó su extremidad insectoide, lista para chasquearla de nuevo.

—Tu hermana tuvo la peor muerte que puedas imaginar —le dijo de pronto Elliott sonriendo con frialdad—. Acabaría con todo el cuerpo cubierto de bubones. No te haces idea de lo que duelen cuando explotan por el pus y la sangre que contienen, aunque lo que acabó con ella fue el líquido de sus pulmones. A causa de sus heridas. Se ahogaría con él.

Elliott echó un vistazo hacia el viejo styx.

—Todos y cada uno de tus hombres del mundo interior murieron así. ¿Sabes?, había un virus allí abajo, y sigue allí, propagado por las aves.

—Eso es muy posible… —respondió Hermione con la voz tomada por la ira—. Pero a quién le importa, porque «este» mundo ya casi está de nuevo en nuestras manos.

Elliott la ignoró y en su lugar le habló a Rebecca Dos.

—Y déjame que te hable de «tu» hermana —dijo—. Se

frió como una patata frita con la explosión nuclear. Jiggs la encontró, pero cuando intentó examinarla, se quedó con uno de sus brazos en las manos. Se había convertido en carbón.

Rebeca Dos no dijo nada y evitó su mirada mientras Elliott se acercaba otro paso a Hermione.

—Y en cuanto a ti, qué desastroso es este mundo que siempre ha estado «en tus manos» —le dijo—. No había necesidad de nada de esto.

—¿De qué estás hablando? —gruñó Hermione.

—No lo recordarás, ningún styx lo recuerda, pero hace muchos millones de años, nuestros antepasados llegaron a este sistema solar en una enorme nave.

Hermione soltó un bufido burlón.

—¿Nave? ¿Qué nave?

—La nave en la que estáis… en la que estamos… parados todos ahora mismo.

—¿Qué? ¿Te refieres a la Tierra? —preguntó Hermione, a quien la incredulidad hizo elevar la voz.

—En efecto —confirmó Elliott—. ¿Sabes?, en aquel entonces, parte de la atmósfera se filtró desde el centro, y vinimos a la Superficie para poner las cosas en orden. Pero jamás regresamos, y sin nadie que gobernara la nave, ésta entró a la deriva en la órbita solar. Se suponía que nunca debimos quedarnos aquí.

—Ése es un cuentecillo muy imaginativo… Estás intentando ganar un poco de tiempo, ¿verdad? —A Hermione no se le había escapado que Elliott se había incluido al hablar de los styx—. Y evidentemente piensas que ahora eres una de nosotros, ¿no es así? El partido ya está muy avanzado para cambiar de equipo.

Sin hacer caso del comentario, Elliott señaló las nutridas filas de Armagi que la rodeaban.

—Al principio nuestro aspecto se parecía más a eso, y

los styx y los humanos trabajaban y vivían juntos dentro de la nave, porque los habíamos traído con nosotros en el viaje.

—La verdad es que no tengo ninguna necesidad de seguir oyendo estas estupideces —le espetó Hermione, al tiempo que hacía chasquear la extremidad de insecto como había hecho antes.

El ruido, que recordaba al chasquido de una castañuela, resonó por todo el lugar. Pero, para perplejidad de Hermione, ninguno de los Limitadores disparó. Elliott seguía allí parada.

Al ver la confusión de Hermione, la chica sonrió.

—Sólo empezamos a parecer humanos después de nuestra última Fase... Parecernos a la especie que habíamos criado y educado para servirnos. Notable ironía, ¿no?

Hermione chasqueó la extremidad una vez más, y una vez más también su furia aumentó.

Lo que ella no había visto fue que los francotiradores Limitadores habían sido liquidados. Parry había dado la orden, y sus hombres de las azoteas habían conseguido dejar fuera de combate eficazmente a los tres equipos de Limitadores, antes de que hubieran tenido la menor oportunidad de disparar una sola vez contra Elliott.

Hermione había dejado de chasquear la extremidad y en su cara se reflejaba la contrariedad.

—¿Pasa algo? —le preguntó Elliott.

—¡Tú! ¡Tú eres lo que pasa! —gritó Hermione, que se volvió hacia el viejo styx, y luego hacia los dos Limitadores que estaban en la escalinata de la catedral—. Y vosotros —les gritó—, ¿os importa hacer los honores y pegarle un tiro a esta puta fatigosa de una vez por todas? Me está hastiando.

El viejo styx sacó un arma al mismo tiempo que los dos Limitadores levantaban sus largos fusiles.

Se oyeron unos sonidos parecidos a unos susurros lejanos.

El viejo styx fue arrojado contra el suelo de bruces con un agujero limpio en la nuca. Rebecca Dos, que estaba a su lado, retrocedió de un salto por la sorpresa.

Los dos Limitadores de la escalinata también fueron derribados por sendos potentes proyectiles de los francotiradores de Parry.

—Caray —masculló Hermione, como si sus muertes fueran una contrariedad equiparable a romperse una uña.

Elliott conocía demasiado bien el sonido que hacía un fusil de francotirador con silenciador. Cayó en la cuenta de que no estaba sola, de que tenía amigos allí fuera.

Levantó la mano por encima de la cabeza y gritó:

—¡No le disparéis a ella! —señaló a Hermione—. ¡Dejádmela a mí!

—¡Vuelve a entrar en el coche, pequeña mentecata! ¡No te quedes ahí parada! —gritó Hermione a Rebecca Dos, que no dio muestras de que fuera a ir a ninguna parte. Hermione la miró con cara de pocos amigos y se volvió a Elliott—. Al menos, puedo confiar en que los Armagi hagan lo que les pedí.

Empezó a sacudir sus extremidades de insecto entre sí, cada vez más deprisa.

Ni un solo Armagi movió un músculo. Se limitaron a quedarse allí parados en manada, observando.

—¿Qué les pasa? —se quejó Hermione.

—No lo entiendes, ¿verdad? —replicó Elliott—. Ellos no me atacarán porque soy igual que tú. Tu sangre corre por mis venas. Soy tan styx como tú.

—Si quieres que algo se haga como es debido, tienes que hacerlo tú misma —refunfuñó Hermione.

La mujer styx se abalanzó sobre Elliott.

Pero la muchacha no se quedó quieta.

Fue a su encuentro.

Cuando se juntaron, Hermione azotó a Elliott en los ojos con los miembros insectoides, pero no había previsto lo que se encontró.

La muchacha soltó un grito, y entre sus hombros la piel se desgarró.

Y de la base de su cuello brotaron un par de miembros insectoides que se abrieron de golpe hasta alcanzar toda su extensión. Como algo que acabara de nacer, estaban moteados de sangre. Y también eran marrones y de un color bastante más claro que las brillantes patas negras de Hermione.

Pero eran igual de fuertes.

Los dos miembros nuevos de Elliott atraparon los de la mujer styx con sus pinzas, parándola en seco y sujetándola sin esfuerzo.

Hermione se quedó sin habla.

—Parry —dijo Bob por los auriculares—. Dos minutos para el impacto.

—¿Ya lo habéis lanzado? ¿Es que no estás viendo las imágenes en directo? —bramó el comandante—. Tienes que abortarlo.

—Por supuesto que las estamos viendo, y las estamos compartiendo con los gobiernos de todos los demás países del mundo —replicó Bob—. Pero la situación no ha experimentado ningún cambio. Nuestros aviones no tripulados muestran que los Armagi siguen yendo hacia el mar.

—Veré qué puedo hacer —dijo Parry.

—¿Qué estás haciendo aquí? —le preguntó Danforth al capitán Franz con suspicacia, cuando el neogermano apareció junto a él sin aliento y aparentando un gran nerviosismo. Aunque habría preferido estar en cualquier otra parte que no fuera el paso subterráneo, el científico se había quedado allí por si podía ayudar en algo más. Aunque en realidad no podía ver por sí mismo lo que estaba aconteciendo en el exterior de la catedral, se estaba enterando de la mayor parte de lo que necesitaba saber por el canal principal del auricular. Pero nadie le había avisado de que el capitán Franz se iba a reunir con él.

El neogermano había recuperado el aliento y estaba a punto de responder, cuando Parry llamó a Danforth. Éste escuchó durante un instante lo que le estaban diciendo y luego se volvió al neogermano.

—Esto va a ser divertido —susurró, y su expresión distaba mucho del entusiasmo—. Porque ahora voy a salir. —Señaló la multitud de Armagi que podía ver en lo alto de la escalera—. Te quedaría muy agradecido si me sujetaras esto, aunque no sé si regresaré. —Le entregó al capitán neogermano su radio de onda corta y otro artilugio que había estado utilizando.

Se armó de valor, empezó a subir los escalones y en el último momento apretó el paso. Cuando salió del subterráneo, empezó a decir a gritos: «¡Discúlpeme! ¡Perdone!», como si estuviera tratando de abrirse paso entre la muchedumbre en Oxford Street, en vez de entre una melé de criaturas aterradoras.

Elliott y Hermione seguían enzarzadas, manteniéndose a raya mutuamente con sus respectivos miembros de insecto.

—Abridle paso —gritó Elliott en cuanto oyó a Danforth.

Pero éste no quería hacerse notar y miraba a su alrededor con tiento. Uno de los Armagi que había apartado a empujones abrió sus piezas bucales y las hizo repiquetear entre sí, sin dejar de mirarle con sus ojos inhumanos.

—Esto, hola —le dijo Danforth, retrocediendo rápidamente. Entonces se apresuró a trepar a lo alto de la barandilla que había junto a la entrada al subterráneo, para de esa manera poder ver las cabezas de todos los demás Armagi.

—Bueno, lamento entrometerme —dijo a Elliott en tono de disculpa—. Pero Parry quiere que sepas que sólo nos quedan un par de minutos antes de que el primer misil nos alcance.

Cuando Danforth se agachó y desapareció de la vista, Will gimió ostensiblemene. Seguía tumbado en el capó del Bentley, pero por la forma de agarrarse el estómago e intentar darse la vuelta, era evidente que le corroía el más terrible de los dolores.

Hermione soltó una carcajada.

—Mis queridos pequeños se están alimentando, tu novio se está muriendo, y aunque puedas hacer algo, es imposible que logres detener nuestra expansión. He enviado afuera a mis Armagi, y según parece vuestros amigos norteamericanos os van a vaporizar. —Se volvió a reír, estentórea y claramente—. No quedará nadie para revocar la orden impartida a las hordas Armagi. Has llegado demasiado tarde.

—En eso estás equivocada —le retrucó Elliott.

Sin dejar de sujetarla, la muchacha se sacó de la zona lumbar el cetro que había mantenido escondido allí.

—¿Qué estás haciendo? —preguntó Hermione.

Elliott no respondió; cogió el cetro con ambas manos y, como había hecho anteriormente, le dio media vuelta al mango.

La luz azul destelló antes de volverse roja. Pero eso no fue todo. Cuando lo extendió, el cetro empezó a transformarse, aumentando su longitud rápidamente. Y en uno de los extremos surgieron tres puntas del mismo material gris y suave.

—¿Qué es esto? —inquirió Hermione.

—Esto —dijo la muchacha, sosteniendo el tridente en alto— es lo que pone fin a tu locura.

—Elliott, si vas a hacer algo, ¡tienes que hacerlo ya! —la voz de Parry retumbó desde la azotea a través de un megáfono.

—¡Entendido! —le respondió ella con un grito.

Sin dejar de sujetar a Hermione con sus miembros de insecto, Elliott levantó el tridente.

—Es hora de que todos nos vayamos a casa —dijo.

Bajó el tridente y golpeó con fuerza la acera con el extremo inferior del mango.

Una luz roja le anegó la visión. Provenía del interior de la catedral, donde el hemisferio azul, tras cambiar de color, había salido despedido por el techo en ruinas y había terminado por teñir el cielo entero de un rojo intenso. Durante varios segundos todo se cubrió de un resplandor rosáceo, como si hubiera llegado el ocaso de todos los ocasos, pero mucho antes de que terminara el día.

Entonces, como si hubiera comenzado un terremoto, la tierra empezó a temblar. Estuvieran en los tejados o en el suelo, todo el mundo en los alrededores de la catedral lo sintió.

El temblor remitió con la misma rapidez con que había comenzado.

Durante una fracción de segundo todos soltaron un suspiro de alivio por que se hubiera terminado y nadie hubiera resultado herido.

Entonces se oyó un ruido como si un millón de toneladas de peces hubieran golpeado la Tierra, y los Armagi —todos y cada uno de ellos— se desintegraron.

Ni siquiera tuvieron tiempo de recuperar la forma humana. Todo el lugar quedó inundado de los aceitosos trozos de sus cuerpos transparentes cuando se desparramaron por la calle y la plaza de la catedral.

—Parry, ¿qué carajo ha sido eso? —La voz nerviosa de Bob se dejó oír por la radio—. Hasta aquí hemos visto esa luz roja. Y también sentimos una especie de fenómeno sísmico. Dime que tu gente no ha sido la responsable de esto.

—Sinceramente, Bob, no tengo ni la más remota idea de lo que ha ocurrido —respondió el comandante—. Pero mira a los Armagi. Creo que ya es hora de suspender ese ataque con misiles.

El norteamericano no respondió.

El capitán Franz asomó la cabeza por la entrada del paso subterráneo.

Rebecca Dos localizó a su oficial neogermano inmediatamente y le llamó. El hombre echó a correr desenfrenadamente hacia ella, resbalando y cayéndose varias veces en el grasiento mar formado por los cuerpos desmembrados de los Armagi.

—Ah, fantástico, lo que me faltaba —masculló Hermione, aunque lo que más absorta le tenía era el tridente de Elliott.

Danforth apareció de repente junto a ellas con la pistola desenfundada.

—Yo te vigilaré a la Gran Chinche —propuso a Elliott.

—Gracias —replicó la chica, que soltó a la mujer styx y de inmediato extendió por el aire sus nuevos miembros de insecto—. Me estaba empezando a acalambrar.

—¿Qué es eso? —preguntó Hermione a Elliott sin dejar de mirar fijamente el tridente—. ¿Algún tipo de arma?

La chica lo levantó.

—¿Ya empieza a volver la memoria? ¿Estás empezando a recordar? Porque todo empezó… y acabó con esto. —Izó el tridente para examinarlo un instante y meneó la cabeza—. Nos quedamos encallados aquí arriba en la Superficie cuando nos arrebataron esto. A saber cómo sucedió; puede que los humanos se rebelaran contra nosotros o algo parecido —dijo con un encogimiento de hombros—. Y sin nosotros allí para controlarla, la nave jamás prosiguió su viaje. A lo largo de miles de millones de años nosotros, los styx, nos olvidamos sin más de quiénes éramos.

—No me parece… —empezó a decir Hermione titubeando ligeramente, aunque Elliott la había dejado para acudir corriendo al lado de Will.

Jiggs ya había salido sigilosamente de su escondite y le estaba atendiendo. Había rasgado la camisa del muchacho y le estaba examinando el abdomen y el pecho. Luego rebuscó en su bolsa de médico y le administró rápidamente una ampolla de morfina.

—Esto le aliviará el dolor —dijo.

—¿Cómo está? —preguntó Elliott.

El hombre se encogió de hombros.

—Tenemos que abrirle y sacarle la larva de styx. —Echó un vistazo a lo que quedaba de los Armagi—. No podemos arriesgarnos a que sigan vivos, y aunque estén muertos tenemos que averiguar los daños que le han causado.

—Necesito estar un momento con él —dijo Elliott.

—Yo… —empezó a decir Jiggs, reacio a dejar al muchacho.

—Concédeme sólo un instante —insistió ella.

Había algo en Elliott que hizo que Jiggs obedeciera sin preguntar.

La chica agarró a su amigo y le sacudió por los hombros.

—Will, tienes que despertar.

Él tosió con fuerza, expulsando una sangre espumosa de los pulmones que salpicó el negro impoluto del capó del Bentley.

—Vamos, Will, por favor. No tengo mucho tiempo —le suplicó con una nueva sacudida.

Entonces su amigo abrió los ojos con un parpadeo.

—Dios, cómo duele —comentó con la voz ronca y las facciones desfiguradas a causa del dolor.

—Lo sé —replicó ella.

—Elliott, eres tú —dijo Will al darse cuenta de quién le sujetaba—. ¿Qué ha sucedido?

Cuando logró enfocar a su amiga, vislumbró una de sus patas de insecto crispándose sobre su hombro.

—Eso es nuevo —prosiguió, y se echó a reír porque la morfina empezaba a surtir efecto—. Eh, ¿es que vas disfrazada?

Y aunque tenía la vista borrosa y no veía con claridad, su pregunta no resultaba tan extravagante.

Si el doctor Burrows hubiera estado allí, también habría tenido algo que decir del aspecto de Elliott: el tridente, el resplandor carmesí que emitía y los miembros insectoides que se balanceaban detrás de ella y que Will había confundido con una cola.

Y por si todo aquello no hubiera andado sobrado de simbolismo, también se daba la circunstancia de que los styx tenían su origen en el centro de la Tierra, donde un pequeño pero implacabale sol no dejaba nunca de arder. Tomando todo en consideración, sería más que probable que todo ello hubiera inducido al doctor Burrows a perorar sobre la idea del diablo en el insconsciente humano.

Pero el doctor Burrows no estaba allí.

Y su hijo apenas estaba en condiciones de pensar racionalmente.

—¿Es Halloween? —preguntó, y le entró una risa tonta por los efectos de la morfina.

—No, no es Halloween —respondió pacientemetne Elliott—. Y tienes que escucharme. Quiero que recuerdes lo que te voy a decir. Concéntrate, Will, porque no tengo mucho tiempo.

Parry terminó de hablar con Bob y se volvió a Eddie.

—Han suspendido el ataque momentáneamente. Todas las imágenes de los aviones no tripulados muestran que el avance de las hordas de Armagi ha terminado —informó el comandante a todos por radio, lo que suscitó vítores y gritos en todos los tejados alrededor del lugar. Pero cuando Parry se zafó de la radio, estaba mirando fijamente a Eddie.

—¿Qué sucede?

—No lo sé —contestó Eddie. Tenía la mano levantada por delante de él con los dedos extendidos.

Y mientras Parry le observaba, fue como si Eddie se volviera borroso, vibrando como un trozo de película que se hubiera salido de los dientes del engranaje, pero siguiera pasando por el proyector. Y en la azotea, alrededor de Parry, les estaba sucediendo lo mismo a los hombres de Eddie.

Y a Rebecca Dos.

Y a Hermione.

Y a Elliott.

Pero ésta se había preparado para eso.

Levantó la vista y vio que Stephanie se aproximaba desde el paso de peatones subterráneo, todavía con el cuchillo de Martha en la mano.

—Creo que alguien ha venido a verte —le dijo a Will sin animadversión.

—No, quédate. Por favor —suplicó el chico débilmente, mientras trataba de sujetarla.

—No puedo. De todas formas, no me querrías con este aspecto —respondió ella, mientras sus miembros de insecto se movían espasmódicamente en su espalda.

—No me importa. Yo... —Will no terminó de hablar, y apenas fue consciente de que sus manos se habían ido deslizando hasta soltar a Elliott.

—Adiós, Will —le dijo en voz baja, y se inclinó para besarle en la frente. Luego se apartó del Bentley y avanzó unos pasos por la acera. Miró hacia lo alto del edificio donde estaban su padre y Parry.

—¡Papá! —gritó a voz en cuello.

—Toma —dijo Danforth, ofreciéndole sus auriculares.

Elliott se los cogió y se los puso enseguida.

—Papá, ¿puedes oírme? —preguntó.

—Elliott —le saludó su padre, que agitó la mano desde el pretil de la azotea.

—Lo siento —dijo ella—. Era todo o nada —lo miraba fijamente desde abajo—. De todas formas, si no hubiera activado la retirada, habría acabado todo igualmente, y no sólo para nosotros, sino también para el resto del planeta. —Sacudió la cabeza con una expresión de tristeza en el rostro—. No podía hacer nada más.

—Bueno, lo conseguiste, Elliott. Lo paraste —la tranquilizó Eddie, rebosando de orgullo por su hija. Hubo un silencio antes de que preguntara—: ¿La retirada?

Elliott no llegó a contestar jamás.

Ella, su padre y todos los styx de la Superficie empezaron a desdibujarse convirtiéndose en una neblina roja.

Sencillamente se esfumaron.

—¡Rebecca! —gritó desesperadamente el capitán Franz desde el asiento trasero del Bentley. Al sentir que le estaba sucediendo algo, la gemela styx había salido del coche y empezado a desvanecerse rápidamente. El neogermano se abalanzó hacia donde había estado su amada intentando aferrarse a ella, cuando el borrón rojo se desvaneció. Pero, por muy buena voluntad que le pusiera, lo mismo le habría dado intentar atrapar humo. Al no haber nada que lo detuviera, cayó de bruces y resbaló sobre la porquería aceitosa dejada por los Armagi, y allí se quedó, tirado en el suelo llorando a moco tendido.

Y aparte de sus sollozos, nada rompía el silencio de estupefacción alrededor de la catedral.

20

Cuando volvió en sí, Will descubrió que estaba en la cama. En una cama de verdad, con colchón y almohada y unas sábanas almidonadas que le acariciaban la piel. Y sentía dolor, muchísimo, sobre todo en el estómago y el pecho.

Dejó escapar un gemido, no por cómo se sentía, sino porque necesitaba saber si estaba realmente despierto. Volvió a gemir una vez más, en esta ocasión con más fuerza, y consiguió abrir los ojos. Vislumbró el sol a través de una ventana, y al mismo tiempo se dio cuenta de que había alguien sentado a su lado en una silla. Quienquiera que fuera, le estaba cogiendo de la mano. Y le estaban hablando, aunque no podía oír lo que estaban diciendo.

—¿Elliott? —preguntó, tratando de ver.

Y entonces creyó adivinar el perfil impreciso de una segunda persona detrás de la primera.

—¿Chester, eres tú, Chester?

—Soy yo, Steph —le llegó la respuesta, y al cabo—: Y… no, Chester no está aquí.

Will tardó unos segundos en asimilar aquello. Entonces consiguió abrir los ojos de nuevo y enfocarla. Su pelo rojo estaba limpio y tenía un aspecto fantástico, y le estaba sonriendo. Irradiaba belleza, igual que cuando la había conocido en la propiedad de Parry. Tuvo la sensación de haber retrocedido en el tiempo.

—Ah, hola —dijo, y fingió toser para tener la excusa de apartar la mano de la de ella—. ¿Dónde está Elliott? —preguntó con un graznido. Tenía la boca permanentemente seca, así que empezó a estirar la mano hacia la jarra y el vaso de plástico colocados sobre la mesita de noche.

—¿Agua? —se adelantó Stephanie—. Deja que te dé un poco. Debes de estar sediento.

Will trató de incorporarse para cogerle el vaso, pero el dolor punzante que sentía en el abdomen se lo impidió.

—No —dijo ella—, debes procurar no moverte.

Con la ayuda de Stephanie, bebió el agua con avidez.

—¿Dónde estoy? —preguntó entre trago y trago.

—En el hospital. Lo han vuelto a poner en funcionamiento. Ya hasta vuelven a tener electricidad, aunque cuando te operaron aquí todavía no les llegaba.

—¿Operaron? —repitió él, provocando que el agua se le fuera por el lugar equivocado y le hiciera toser, esta vez de verdad—. ¿Por qué? ¿Qué me hicieron?

Entonces empezó a recobrar la memoria. Recordó a los Armagi y a Hermione, y luego (aunque sólo de forma muy vaga) lo que había sucedido sobre el capó del Bentley negro.

—Mira, debería decirle a Parry que estás despierto. ¿De acuerdo? —dijo Stephanie. Parecía tener prisa por abandonar la habitación.

Pero quien apareció unos instantes después no fue Parry, sino otra persona. Will se pegó un buen susto porque no había oído entrar a nadie, y de buenas a primeras había un hombre parado a los pies de la cama.

—Will, ¿cómo te va? —preguntó Jiggs.

—¿Quién es usted? —replicó el chico, mirando con extrañeza la desconocida figura de barba desaliñada y ropa militar mugrienta—. No es médico, verdad? ¿Dónde está Parry?

—Vendrá enseguida. Y no, no soy médico. —Jiggs se echó a reír—. Me olvidé de que realmente no habíamos llegado a conocernos, al menos formalmente. Soy Jiggs. Puede que me hayas visto antes, pero habría sido sólo durante un instante... en el borde del Poro de entrada al mundo interior.

Will no respondió.

—Es extraño, yo te conozco muy bien, pero tú a mí no. Me uní a aquella misión para sellar el mundo interior contigo, Drake y Sweeney y el resto del equipo, y del momento del que te hablo fue cuando le tendí una emboscada a un par de Limitadores —dijo Jiggs, intentanto ayudar a Will a recordar—. ¿No recuerdas nada? Eliminé al primer Limitador con... —hizo un gesto moviendo la mano de un lado a otro de su cuello como si lo cortara— y arrastré al segundo al interior del Poro conmigo.

Will miraba al anodino sujeto con los ojos entornados, lanzándole fugaces miradas sin tenerlas todas consigo.

—Ah, sí, Jiggs. Pues claro. Usted es el hombre invisible —dijo—. Hola.

Se estrecharon las manos, lo cual era algo extraño habida cuenta de todo por lo que habían pasado al mismo tiempo, bien que no exactamente juntos.

—He hablado con Parry y viene para aquí —comentó Jiggs—. Ahora mismo tiene mucho trabajo por delante. ¿Sabes?, es el primer ministro interino del gobierno de emergencia hasta que las cosas vuelvan a la normalidad.

Will estaba mirando fijamente por la ventana con la sensación de que hasta cierto punto todo le era indiferente.

—Me estoy acordando de más cosas, más cosas de lo que ocurrió al final —dijo en voz baja—. Ella se ha ido, ¿verdad?

—Sí, Elliott y todos los styx... desaparecieron o algo parecido —le confirmó Jiggs.

—Me dijo que se iba a marchar. Y, a menos que lo haya soñado, ella tenía... —No estaba seguro de cómo decirlo, así que trató de representar un par de patas de insecto señalando detrás de su cabeza.

—Sí, las tenía. Cuando estaba en el carro de combate con Drake y conmigo, se quejó de un dolor en el cuello. Pero jamás se me ocurrió que... —la voz de Jiggs se fue apagando.

—¿Y Drake? —preguntó Will de repente—. Oí su voz después de que aquella mujer styx me sacara a rastras del coche y luego... ¿Hubo unos disparos, no?

Jiggs asintió con la cabeza.

—Lamento decirte que ése fue el fin de Drake. Pero la radiación le había afectado tan gravemente cuando estalló la bomba en la sima que de todas maneras no le quedaba mucho tiempo.

Will se quedó en silencio un segundo moviendo lentamente la cabeza de un lado a otro.

—¿Y qué hay de Chester? —preguntó con desgana, porque ya creía saber la respuesta. De lo contrario, su amigo también habría estado a la cabecera de su cama.

Jiggs se movió inquieto cuando contestó.

—No, él tampoco lo consiguió. Me temo que decidió enfrentarse a Danforth. Verás, la muerte de los padres de Chester nunca fue intencionada y sí muy desafortunada. Pero Danforth no era un traidor. Nada más lejos. A su mente superinteligente y loca de chiflado le pareció que nos estábamos escondiendo para nada, e ideó un plan para poder infiltrarse en los styx. Y funcionó, hasta cierto punto.

Will permaneció en silencio un instante.

—¿Así que Danforth le mató?

—No, sorprendenemente lo hizo Martha.

—¡Martha! —exclamó Will con sorpresa.

—Sí. Apareció con una bandada de relámpagos como escuadrón personal de escoltas fumados. Parece que Chester y Martha se fueron juntos, pero luego tuvieron una desavenencia. Deberías preguntarle a Danforth o a Stephanie al respecto; los dos estaban allí cuando ocurrió.

—Es terrible. Pobre Chester —dijo Will. Casi no podía obligarse a pensar en la pérdida de su amigo—. Para empezar, fue culpa mía que se metiera en todo esto —añadió, casi en un susurro.

—No te hagas eso —le dijo Jiggs con firmeza—. No te culpes por él. De la manera en que se desarrollaron las cosas con los styx, ninguno estábamos a salvo. Nadie sabe todavía con exactitud el número de bajas que ha sufrido este país, pero ascienden a millones.

Un helicóptero de dos rotores atronó al pasar junto al edificio, tan cerca que las ventanas vibraron. Jiggs agradeció la oportunidad de cambiar de tema cuando se volvió para mirar el gran palé con cajas que colgaba por debajo de la aeronave de unas cuerdas.

—Bueno, parece que nos llegan más suministros médicos. Ahora hay aquí norteamericanos a montones, y se dejan los cuernos por ayudar —dijo—. Teniendo en cuenta que estuvieron en un tris de mandarnos a todos al reino de los cielos con un ataque nuclear, supongo que es lo menos que pueden hacer.

—¿Un ataque nuclear? ¿En serio? —repitió Will—. Me perdí muchas cosas desde que me atraparon los Armagi.

—Era de esperar —replicó Jiggs—. No te trataron precisamente con guantes de seda. Y, además, Hermione te necesitaba atontado para meterte a presión aquellas larvas de Armagi por el gaznate.

—¿Así que realmente tuve esas cosas dentro de mí? —preguntó Will con un escalofrío, bajando la vista a su estómago.

—Sí, y yo fui el primero en llegar al escenario. No me quedó más remedio que… —Jiggs titubeó.

—Por favor. Quiero saberlo —le instó Will.

El hombre seguía indeciso.

—Quiza sería poco considerado por mi parte que me extendiera. ¿Estás realmente seguro de que quieres saber todos los detalles sanguinolentos?

—No se preocupe —dijo Will, que intentó sonreír, aunque sólo consiguió algo parecido a una mueca—. Después de todo por lo que he pasado en los dos últimos años, no estoy seguro de que haya muchas cosas, que me puedan afectar.

—Muy bien —prosiguió Jiggs—. Bueno, me pareció que tenía que actuar inmediatamente, después de que la Señora Chinche te fecundara en el exterior de San Pablo, y yo era la persona más próxima con alguna formación médica.

—Me estaba ahogando, ¿verdad? —susurró Will llevándose la mano a la garganta.

—En efecto —confirmó Jiggs—. Y después de que las larvas fueran depositadas en tu interior, tu cuerpo enseguida empezó a dejar de funcionar, así que te puse de morfina hasta las cejas. La regla de oro con cualquier traumatismo importante como ése es que hay que tratar inmediatamente el estado de choque.

—Me parece recordar algo… Estaba empezando a sentir un dolor horrible, y Elliott también estaba conmigo, ¿verdad? —preguntó Will.

Jiggs asintió con la cabeza.

—Un rato. Bueno, el caso es que te tuve que operar allí, en una tienda instalada en el patio delantero de San Pablo. No tuvimos más remedio que actuar rápidamente, porque no había medio de que supiéramos si las larvas habían eclosionado o no de los sacos de huevos y ni siquiera si seguían dentro de ti.

Jiggs ladeó la mano en dirección a Will para recalcar lo que estaba a punto de decir.

—Verás, parece haber habido una línea divisoria entre los styx, que hicieron un truco de magia de desaparición, y los Armagi, que se descompusieron y acabaron convertidos en un fétido amasijo con olor a pescado.

Will hizo una mueca.

—Bien, así que te abrí con bastante rapidez, y descubrí que todas las larvas habían muerto, aunque no antes de que hubieran empezado a alimentarse. Así que las localicé y las extraje todas, detuve la hemorragia y te remendé lo mejor que pude. Luego fuiste evacuado en un helicóptero hasta aquí, donde un médico te volvió a abrir. Verás, las larvas muertas se habían descompuesto en tu interior, dejando atrás no sólo materia orgánica, sino otras sustancias químicas, enzimas, supongo, todo lo cual fue retirado concienzudamente porque no sabíamos qué efecto podría tener.

—Entonces, ¿ya estoy bien? —preguntó Will.

—El médico cree que sí. Aunque todavía no estás totalmente fuera de peligro. Siempre existe el riesgo de una infección, razón por la cual te están atiborrando de antibióticos, y también te han dejado algunos drenajes.

Jiggs señaló los tubos de plástico transparente que colgaban por un lado del colchón.

—¿Salen de mí? ¿Puedo verlo? —preguntó Will, bajando la vista por delante de sí.

Jiggs soltó un silbido.

—¿Estás seguro de que quieres verlo?

El chico asintió con la cabeza.

—Muy bien —dijo Jiggs, retirando a un lado la sábana. Despegó entonces un gran rectángulo de tela parecida a una venda que cubría a Will de lado a lado. Una impresionante incisión descendía desde el esternón hasta el bajo vientre unida por unos monstruosos puntos de sutura negros; la impresión que causaban eran de que si alguien los cortara, el muchacho sencillamente se abriría de golpe en canal. Y además estaban los tubos que salían del interior de la hendidura.

—Vaya —dijo Will. No había imaginado que fuera tan espectacular.

—Sí, y me disculpo por que la incisión no sea más limpia, pero en aquel momento sólo disponía de mi vieja navaja —reconoció Jiggs.

Will levantó la vista hacia él, pero el hombre estaba sonriendo.

—Estaba de broma. —Jiggs soltó una carcajada—. Te va a quedar una maravilla de cicatriz que enseñar a las chicas… —añadió, pero se refrenó al darse cuenta de cómo debía sentirse Will con respecto a Elliott.

El hombre colocó el vendaje en su sitio de nuevo y volvió a cubrir a Will con la sábana.

—La verdad, amigo, es que tu caso es un poquito raro, porque, hasta donde sabemos, ninguna otra persona que haya sido fecundada por los styx ha sobrevivido jamás.

—¿Y por qué razón eso no me hace sentir mejor? —preguntó Will.

21

—¡Ahí está! Matad a esa putilla! —aulló Hermione, mientras intentaba levantarse al mismo tiempo que lanzaba una de sus tenazas contra Elliott.

La combinación del sol permanentemente incandescente y la increíble fertilidad del suelo del centro del mundo, supuso que la tierra pelada de los campos que rodeaban la torre no permanecieran en ese estado mucho tiempo. En ese momento, estaban cubiertos por un verde tapete de yerba, brotes nuevos y diminutos helechos sin desplegar. Y salpicando todo esto como montones de bolos negros, los styx habían aparecido de pronto después de haber sido transportados desde la Superficie.

—¡Atrapadla! —se desgañitó Hermione. La mayoría de los styx estaban completamente desorientados y en el mismo estado que ella; habían caído de cuatro patas cuando se materializaron en forma de un borrón carmesí. Pero a los resistentes y endurecidos Limitadores no les llevó más de unos cuantos segundos recomponerse. Muchos ya tenían los fusiles contra el hombro.

Abrieron fuego, y los proyectiles impactaron en la torre alrededor de Elliott. Ella sabía muy bien que Eddie y sus ex Limitadores también estarían allí fuera, en algún lugar de los campos. Los demás styx los superaban abrumadoramente en número, lo que les convertía en blancos evidentes.

Al golpear el suelo con el tridente en el exterior de San Pablo, Elliott no sólo había desbaratado el plan de Hermione de enviar a los Armagi al resto del mundo, sino que también había dictado una verdadera sentencia de muerte contra su padre. Elliott se dijo que no le había quedado más remedio. Y donde fuera que su padre estuviera en aquella planicie verde, no había absolutamente nada que ella pudiera hacer por él en ese momento; ni siquiera tenía su fusil con ella.

Pero ésa no era la única sentencia de muerte que Elliott había despachado. Hermione y Rebecca Dos, junto con todos los demás miembros de la raza styx, iban a estar todos muertos en cuestión de unos días. Ninguno de ellos había sido vacunado contra el supervirus que seguía presente en el mundo interior.

Mientras aguzaba la vista intentando encontrar a su padre, Elliott permanecía en la entrada de la torre en una pose como de pastora, con el tridente apoyado en el suelo a su lado.

Aunque no mostró ningún temor cuando los disparos de fusil empezaron a menudear a su alrededor, no iba a abusar de su suerte, al menos mientras siguiera teniendo una labor que estaba obligada a terminar.

—¡Matad a esa mestiza! —siguió gritando Hermione, que se cayó al tratar de correr hacia la chica.

Elliott se limitó a dirigirle una pequeña reverencia a la mujer styx y retrocedió un paso para meterse en la torre. Cuando la puerta se cerro rápidamente, el montón de piedras que Will había considerado una salvaguarda en caso de que ocurriera exactamente eso, fueron inmediatamente pulverizadas.

Mientras se dirigía al ascensor, Elliott dedicó un instante a echar un vistazo por la cámara de la entrada. Era evidente que después de que ella y Will se hubieron ido, el nativo se había quedado en la torre durante algún tiempo, a juzgar por los restos de todas las hogueras que había encendido en su interior. Había unos pequeños montones de raíces quemadas junto a los cuales Elliott distinguió unas cáscaras de algarrobas y un par de cráneos de ave. Y una parte del equipo de los hermanos neogermanos seguía apilada contra las paredes, pero no había nada que demostrara que hubieran estado allí recientemente.

Ascendió por la torre en el ascensor, aunque para llegar al nivel superior tuvo que subir por las escaleras. Allí, se dirigió inmediatamente al estrado que se levantaba en medio del espacio, se subio a él y se acercó al pedestal del centro. Con una rápida inspiración, extendió el brazo y sostuvo el tridente justo encima de la peana.

Cuando bajó el tridente y la punta del mango entró en contacto con el pedestal, Elliott vio unas ondulaciones concéntricas que se extendieron por toda la superficie suave y muy sólida de la peana. El efecto era idéntico al que ocurre cuando una piedra impacta en una masa de agua inmóvil. Elliott parpadeó sin dar crédito a lo que veían sus ojos, aunque de inmediato sucedió algo aún más extraño. Se vio obligada a soltar completamente el tridente, porque el artefacto estaba siendo atraído al interior del pedestal y absorbido de nuevo hacia la estructura interna de la propia torre. Al cabo de unos segundos, sólo quedaban las puntas del tridente, y luego también éstas se hundieron bajo la superficie de la peana. Elliott la tocó palpando el lugar donde había desaparecido el tridente y comprobó que la superficie volvía a ser totalmente sólida.

Permaneció un instante mirando el pedestal y el resto de lo que la rodeaba en aquel nivel, pero nada parecía haber cambiado.

La primera vez que había estado allí, le dijo a Will que

algo no iba bien, que había desaparecido algo. Ahora que el cetro había retornado finalmente a donde debía estar, Elliott sucumbió a toda la fatiga contenida. Intentó dar un paso, pero le fallaron las piernas y cayó contra el pedestal, al que se agarró para sostenerse.

Había terminado la búsqueda que no había comprendido al principio y que no había tenido más remedio que completar. Desde el instante en que había provocado la cadena de acontecimientos después de tocar el símbolo del tridente en la pirámide, la sangre que compartía con los antepasados de los styx había llevado a aquello. Había estado sometida al hechizo de un patrón de comportamiento genético que la había despojado de su libre albedrío de manera tan absoluta como si hubiera sido un robot que siguiera su programación.

La programación para encontrar y restituir el tridente al sitio que le correspondía.

Aunque no parecía haber cambiado nada en el interior de la torre, fuera de ella sí que se había producido un cambio del que Elliott tenía plena conciencia. En los colosales abismos en las profundidades del planeta —no sólo en el cinturón de gravedad cero por el que ella y sus amigos habían viajado, sino en muchos otros—, los cinturones de cristal habían cobrado vida. Cuando las esferas que llevaban dentro empezaron a rotar más y más deprisa, desprendieron una luz intensa, bastante más brillante que la triboluminiscencia que el doctor Burrows había identificado correctamente.

Y también empezaron a generar enormes cantidades de energía.

Porque esas esferas eran la fuente de propulsión que había llevado a la Tierra a orbitar alrededor del Sol.

Por fin, después de muchísimo tiempo, se habían vuelto a activar.

Los interiores de las cavidades que rodeaban a las esferas relucieron con redes de luz azul que formaban dibujos que sólo una persona en todo el mundo —Jiggs— había visto después de la explosión nuclear en el Poro.

Pero, como gigantes durmientes que hubieran sido despertados de su profundo letargo, ningún humano podría hacer algo para detener el inmenso poder de las esferas.

Y ese poder estaba funcionando.

22

Había momentos de intensa actividad en el hospital a medida que las flotas de vehículos llegaban con los supervivientes, la mayoría de los cuales —le había dicho a Will una de las enfermeras— estaban recibiendo tratamiento por desnutrición o exposición a sustancias tóxicas. Will oía cuando los trasladaban en camilla por el pasillo a todas las horas del día, y alcanzaba a ver a los soldados que parecían organizar todo.

Estaba encantado de estar tumbado en una cama y descansar mientras se recuperaba de su operación. Pero durante una de las treguas en las que reinaba un silencio absoluto en el lugar y él estaba mirando fijamente el techo con aire ausente, algo lo sacó de su sopor. La puerta de su habitación se abrió unos centímetros por un impulso, como si una brisa hubiera soplado por el pasillo. Se quedó mirando por si alguien estaba a punto de entrar a visitarle.

—¿Jiggs, es usted? —preguntó, no sabiendo si sería el hombre que tenía aquella habilidad para volverse casi invisible.

Pero allí no había nadie.

—Me voy a volver chalado —balbució, sintiéndose bastante tonto.

Pero entonces ocurrió algo de lo más extraño.

Acompañada de un ruido de arañazos sobre el linóleo, la cabeza de un gato asomó por encima de los pies de Will al final de la cama.

—¡*Bartleby!* —exclamó el muchacho, convencido realmente de estar viendo un fantasma. El Cazador le olisqueó con curiosidad, luego bajó el hocico y empezó a corretear por la habitación. Era evidente que el animal percibía toda clase de nuevos e interesantes olores de la corteza exterior con los que no se había encontrado nunca.

—No exactamente —dijo la señora Burrows cuando entró en la habitación con el Primer Agente tras ella—. Pero es uno de sus gatitos.

—¿Gatitos? ¡Si es enorme! —replicó Will, sonriendo a su madre. Se sentía dichoso por volver a verla después de lo que se le antojaba tantísimo tiempo.

—¿Y cómo está mi hijo? —La señora Burrows se acercó a Will y le dio un abrazo—. Jiggs me informó de que te estás recuperando bien después de la operación.

—Sí, nos enteramos de que tuvisteis la batalla de vuestra vida aquí arriba —terció el Primer Agente, que con su descomunal mano cogió la de Will y se la estrechó.

El «gatito *Bartleby*», o simplemente *Bartleby*, como le llamaba el Primer Agente porque era más fácil, se aficionó inmediatamente a Will y se subió a su cama. Sin duda el Cazador quería jugar cuando rodó sobre el lomo y empezó a lanzarle golpes al chico con sus gigantescas patas.

—Dios, si podría ser prefectamente *Bartleby* —comentó Will—. Es idéntico. —El gato había reparado en los tubos transparentes que asomaban por debajo de la manta y estaba mordisqueando uno de ellos—. ¡No, eso no! —se apresuró a decirle Will, intentando apartarlo de un empujón.

La señora Burrows condujo al gatito fuera de la habitación, y luego empezó a charlar con Will. Le contó que ella y el Primer Agente pasaban todo el tiempo en Highfield, donde muchos Colonos estaban ayudando en una operación de limpieza y a donde muchos ya habían decidido mudarse.

—Lo irónico del caso es que, de una manera indirecta, las profecías escritas en el *Libro de las Catástrofes* se han cumplido —le confirmó la señora Burrows—. Los Colonos han recuperado la Superficie. Hay un pueblo vacío esperando a los que quieran ir allí. Porque en Highfield no queda nadie con vida.

—¿Nadie en absoluto? ¿Están todos muertos? —preguntó Will en voz baja.

Llamaron a la puerta, y Parry entró.

—Tienes mejor aspecto, chaval —dijo, antes de preguntarle a la señora Burrows y al Primer Agente si les importaría concederle un momento para hablar a solas con Will.

—Están montando una cafetería improvisada en la planta baja —les sugirió Parry—. Si preguntan en recepción, les dirán dónde está.

—No se preocupe, creo que puedo encontrarla —respondió la señora Burrows dándose un golpecito en la nariz mientras le hacía un guiño a Will. Ella y el Primer Agente se marcharon arrastrando los pies y dejando a *Bartleby* dormido sobre la cama de Will, que tenía las piernas al aire.

—Jiggs me comentó que ahora usted es el primer ministro —dijo Will, sonriendo a Parry—. ¿Significa eso que tengo que llamarle señor?

El hombre enarcó las cejas.

—Para nada, y de todas formas, ¿cuándo me has mostrado tú algún respeto? —El comandante se encogió de hombros—. Además, sólo ocuparé el puesto hasta que encuentren a alguien del anterior gabinete que se encargue de la tarea.

Parry echó un vistazo por la ventana cuando otro helicóptero tomó tierra.

—Ahora que ya no hay peligro, está empezando a llegar la ayuda de emergencia de la comunidad internacional.

—¿Ya no lo hay, no obstante? —preguntó Will—. ¿Es verdad que no ha quedado ni un solo styx en la Superficie ni nadie que tuviera sangre styx en sus venas, como Elliott?

El rostro de Parry se entristeció y durante un segundo apartó la mirada.

—Sí, es verdad. No queda ni uno solo, así que supongo que al final ganamos, aunque perdimos a algunas buenas personas en el camino. Elliott, por supuesto, pero también Eddie y su equipo. —Suspiró—. Y luego está lo que le ocurrió a Chester…

—Y a Drake… Siento muchísimo lo de Drake —replicó Will en voz baja cuando se dio cuenta de que le tenía que decir algo sobre su hijo al comandante.

Y él tampoco se sentía lo bastante fuerte todavía para pensar en la pérdida de su amigo.

—Gracias. —Parry hizo un gesto de asentimiento con la cabeza y entonces clavó la mirada en el muchacho—. Will, por desgracia no estoy aquí sólo para ver cómo estás. También tengo que interrogarte. Sigue habiendo algunas lagunas en lo que sabemos, y tengo que oír tu versión de los acontecimientos.

—Esto parece oficial.

—Me temo que lo es, y en su momento necesitaré una declaración completa. Verás, en realidad está en marcha una investigación internacional, en buena medida porque varios países nos acusan de realizar pruebas atómicas subterráneas. Sugieren que ésa fue la causa de un temblor que se sintió en todo el mundo, y también de que se desarrollaran los Armagi, aparentemente una especie mutante que se originaría a raíz de la alta radiación. Bien, en cualquier caso eso es lo que creen los franceses. —Parry se rió entre dientes, y luego enarcó una ceja de manera burlona—. Y los yanquis no saben si darnos un montón de medallas del honor del Congreso, o condenarnos a todos por alguna clase de crimen internacional contra la humanidad. Tú también estás en la lista, Will, para lo uno y para lo otro.

El chico soltó una risa inquieta.

Parry se puso serio.

—Pasaste más tiempo con Elliott que nadie —prosiguió, sin abandonar la seriedad—. Necesito que me cuentes todo lo que puedas recordar acerca de ella, y lo que sucedió cerca del final.

—Por supuesto, pero mis recuerdos son un poco fragmentarios desde que los Armagi me echaron el guante y me llevaron a San Pablo —respondió el muchacho—. Y a propósito, ¿por qué es Elliott tan importante en todo esto?

—Porque a unos cuantos nos aterrorizan las consecuencia de que alguna especie de fuerza extraña haya tomado el control del destino de todos nosotros.

Mientras *Bartleby* roncaba a sus pies, Will relató lo que le había sucedido en compañía de Elliott durante el tiempo que pasaron juntos en el centro del mundo, el descubrimiento que realizaron en la pirámide y la subsiguiente aparición de la torre. Parry no le interrumpió ni una vez cuando Will le contó cómo él y Elliott habían sido transportados de vuelta a la Superficie y habían hallado más tarde el cetro en un sarcófago egipcio.

—¿Así que no puedes arrojar ninguna luz sobre qué fue exactamente lo que estuvo guiando a Elliott a lo largo de todo eso? —preguntó Parry—. Porque parece que sabía qué hacer exactamente a cada paso.

Will negó con la cabeza.

—Ni ella misma lo sabía. Puede que mi padre lo hubiera llamado memoria genética. —Will se tocó la frente—. Algo que tuviera en lo más profundo de aquí por su sangre styx, algo que la torre o la pirámide hubieran despertado, supongo. No sé de qué otra manera explicarlo.

Parry y Will siguieron charlando un rato más, hasta que la señora Burrows y el Primer Agente regresaron a la habitación. Luego, cuando Parry se levantó para marcharse, *Bartleby* se despertó. De inmediato, el gato correteó hasta la ventana donde con las garras en el alféizar, pareció quedarse contemplando el horizonte.

—Gatito tonto —dijo cariñosamente la señora Burrows—. ¿Qué le tendrá tan interesado?

Gimiendo de dolor, Will estaba intentando incorporarse para poder despedirse adecuadamente de Parry, cuando algo captó también su atención al otro lado de la ventana.

—¿Qué pasa? —preguntó el Primer Agente.

—No lo sé —balbució Will con los ojos entrecerrados—. Pero… pero ¿es mi imaginación o el sol parece más pequeño de lo normal?

Riéndose por lo bajinis al oír el comentario y con la mano en el picaporte de la puerta, Parry ya estaba a punto de irse cuando su teléfono vía satélite sonó. Se detuvo para sacarlo y lo miró.

—Llamada de Estados Unidos —anunció.

—Parece más pequeño, ¿sabéis? —murmuró Will, todavía hipnotizado por el pálido círculo del cielo. *Bartleby* no se había movido de la ventana, como si su instinto animal también le estuviera diciendo algo.

—Sí, Bob, ¿qué puedo hacer por ti? —preguntó Parry.

—¡Eso es! —prorrumpió Will—. ¡Eso es lo que me dijo! Lo último que Elliott me dijo fue que todos nos íbamos a ir a casa, que ella tenía que dar comienzo a una especie de «retirada».

—¿Qué quieres decir con eso de ir a casa? ¿A casa dónde? —preguntó la señora Burrows.

—¿Que la NASA dice qué? —vociferó Parry al teléfono.

—Elliott dijo que tenía que iniciar una retirada para detener a los styx y los Armagi —dijo Will—. No sabía adónde íbamos a ir, pero me dijo que tal vez sucediera esto. Que el planeta entero, o la nave espacial o como lo queráis llamar, empezaría a moverse.

—Todo eso parece un poco loco, Will —objetó la señora Burrows—. Y en cualquier caso, ¿cómo puedes creer realmente en esa teoría del planeta como una nave espacial?

—No la rechazarías con tanta rapidez si hubieras visto lo que he visto yo en el centro de la Tierra. Y no, no es tan loco si lo piensas —respondió su hijo—. ¿Por qué crees que los humanos se han metido siempre bajo tierra a la primera señal de problemas? Porque es donde nos sentimos a salvo. ¿Por qué creéis que *sir* Gabriel Martineau y todos los Colonos edificaron una ciudad subterránea con los styx? —planteó Will a su madre y al Primer Agente—. Porque es nuestro instinto natural. Porque el centro de la Tierra es de donde todos procedemos, y es posible que durante todos estos miles de años hayamos estado intentando regresar a casa de nuevo.

Parry no había terminado su llamada con Bob, pero tenía la mano sobre el micrófono cuando se acercó a toda prisa a la ventana. *Bartleby* seguía con las patas encima del alféizar y miró al hombre con cierta curiosidad.

Al cabo, Parry se volvió a Will con el rostro lívido.

—La última información posicional de la NASA es que la Tierra ha empezado a desviarse de su órbita. La NASA dice que es algo sin precedentes. Creen que hemos empezado a alejarnos del Sol.

—Os lo advertí. —Will se incorporó con dificultad—. Mamá, ¿puedes averiguar qué hicieron con mi ropa? ¿Y puedes también encontrar a un médico que haga algo con estos tubos?, porque no podré ir muy lejos llevándolos dentro de mí.

—¿Por qué? ¿Adónde vas a ir? —preguntó su madre.

Will volvió a echar un vistazo por la ventana.

—Tienes que conseguir que todos esos Colonos vuelvan de nuevo al mundo interior, y voy a regresar allí contigo. Porque no creo que ninguno de nosotros deba quedarse aquí en la Superficie más tiempo del necesario.

—Bob, perdona por tenerte esperando de esta manera —se excusó Parry—. Sí, tienes razón. Parece que aquí estamos en otro apuro. Y es sumamente grave.

23

Pasó una semana, y luego otra, y la torre no dejaba que Elliott saliera al exterior. Aunque existía el riesgo de que los Limitadores pudieran seguir vivos y estuvieran acechándola, intentaba abrir la puerta todos los días, pero hasta el momento sus esfuerzos habían resultado baldíos.

Y dentro de la torre no había muchas cosas que pudiera hacer funcionar, excepción hecha del ascensor. Incluso había probado a activar el transportador del penúltimo piso, pensando que a lo mejor podía regresar a la Superficie. Estaba sumamente preocupada por Will, y no tenía manera de averiguar si había sobrevivido a la fecundación de Hermione. Pero por otro lado, por más que se esforzaba, las superficies de la ménsula se habían quedado grises e inertes, sin el menor rastro de las luces azules. Y el artilugio de visión remota no le respondía en absoluto.

Desesperada, también probó todo lo que se le ocurrió para extraer de nuevo el cetro, pero el pedestal no cedió.

Elliott supuso que la torre, y todo aquello de lo que formara parte, estaba siguiendo alguna especie de programa que restringía lo que se podía hacer dentro, aunque no tenía manera de saber por cuánto tiempo. Era como si el programa, una vez iniciado, tuviera que llegar hasta el final.

Y mientras mataba las horas en la torre, se preguntaba qué habría sido de los neogermanos y el nativo. Tal vez, cuando los styx habían empezado a materializarse de la nada, hubieran salido huyendo todos. No se imaginaba a Tronco alejándose demasiado de la torre en ausencia de ella, así que supuso que los Limitadores debían de haberle capturado muy pronto.

Y los tres neogermanos quizá ni siquiera hubieran estado cerca de la torre cuando empezó la afluencia masiva de styx; quizá se habían mantenido a distancia, a salvo en su ciudad. Sin embargo, ésta habría sido la primera visita obligada de los Limitadores, así que no daba ni cinco centavos por su suerte a menos que hubieran saltado a un bote y huido a unos de los remotos puestos de avanzada de los que había oído hablar a los neogermanos.

Entonces empezó a considerar la torre como una cosa viva, y un sexto sentido le decía que en el interior de la construcción se estaban desarrollando ciertos procesos. Pero que ésta poseyera efectivamente alguna especie de conciencia la llevaba a preguntarse si tendría alguna consideración por ella, porque podría haber muerto fácilmente de hambre o de sed si no hubiera sido por las provisiones abandonadas por los neogermanos en la cámara de entrada. Elliott bajaba allí durante el día, encendía un fuego y se preparaba la comida, aunque hay que decir que jamás tenía mucha hambre. Quizá, se planteaba, fuera ésa la razón de que la torre percibiera que podía mantenerla allí encerrada bajo llave. ¿Quizá porque en realidad no necesitaría ningún sustento mientras estuviera entre sus muros?

Y entonces, un día, al presionar con la mano el muro junto a la puerta, la torre la liberó súbitamente.

El panel se abrió deslizándose, y Elliott salió a los verdes prados donde las hierbas y retoños ya llegaban a la altura de las rodillas. No se había aventurado muy lejos cuando se encontró con el cuerpo de un Limitador, y por poco lo pisa donde estaba tendido entre la reciente vegetación.

Aunque el Limitador ya había sido destrozado por las aves, yacía con el fusil a un lado, como si hubiera estado esperando para tenderle una emboscada.

Siguió caminando por los prados, consciente de que podía tropezarse con el cuerpo de su padre.

Y allí, en aquellos prados feraces, se sintió terriblemente sola, prisionera en el centro de la Tierra, con las bandadas de pájaros como única compañía.

Como sus únicos compañeros de viaje.

Porque Elliott sabía muy bien que el planeta estaba regresando a casa. Había utilizado la palabra «retirada», y eso era lo que estaba pasando; tras no conseguir llegar a su destino, la nave se estaba retirando hacia su lugar legítimo. Regresaba al hogar.

Pero dónde estuviera aquel hogar, y qué clase de seres estarían allí para recibirla cuando llegaran, era algo que no era capaz siquiera de empezar a imaginar.

Pero ya no tenía ninguna otra alternativa.

Ella —y el mundo— iban de camino.

Epílogo

—Venga. Arriba, pequeño *Bart* —dijo Will palmeando la cama junto a él. Aparte de alguna que otra excursión fuera para atrapar una o dos ratas, el joven Cazador había sido el compañero casi inseparable de Will desde que la señora Burrows se lo había llevado con ella a la Colonia para que se recuperase.

Todo estaba bastante bien, porque Will estaba siendo atendido en la misma habitación en la que la señora Burrows se había recuperado milagrosamente después de que los styx la dieran por muerta, tras haber sido sometida a unas sesiones excesivas de Luz Oscura. El salón de la casa del Primer Agente estaba exactamente igual que había estado durante la estancia de la mujer, con los muebles apartados a fin de hacerle sitio a una cama. Y ahí exactamente era donde Will había pasado las dos últimas semanas, repanchingado en la cama, y la mayor parte del tiempo haciendo lo que le daba la gana, salvo por las esporádicas visitas de un médico.

En honor a la verdad, Will se lo estaba pasando en grande.

Con la seguridad de que la amenaza de los styx había sido eliminada de una vez por todas, disfrutaba de la oportunidad de holgazanear todo el día y dormir cuanto se le antojara en su agradable y acogedora cama.

E indiscutiblemente, estaba siendo mimado hasta la saciedad; la madre del Primer Agente y su hermana, Eliza, habían sido requeridas para que aportaran su granito de arena y se ocuparan de él durante el día, cuando aquél y la señora Burrows andaban ocupados con los asuntos de la Colonia.

De hecho, la Colonia se había convertido de nuevo en un lugar con mucho ajetreo. Parry y su unidad del SAS se habían trasladado allí junto con un contingente de supervivientes de Londres y del sudeste del país. Al menos, había habido abundante espacio para esta afluencia de nuevos residentes, porque la implacable recolección de colonos realizada por los styx para la Fase había dejado calles enteras vacías.

Will descubrió que no echaba de menos la Superficie en absoluto, aunque sabía que allí arriba se debatía acaloradamente la manera en que podría verse afectada la atmósfera a medida que el planeta continuara alejándose del Sol sin rumbo fijo. ¿Se perdería el aire mientras la Tierra se fuera alejando lenta y progresivamente de la órbita solar y, finalmente, del sistema solar, o habría alguna especie de campo que la mantuviera intacta? ¿Y las temperaturas de la Supeficie se desplomarían hasta sólo unos pocos grados por encima del cero absoluto, la temperatura del espacio sideral?

La vida humana, y toda la vida en general, se haría inviable en tal situación.

Pero Will no se detenía en tales temores durante demasiado tiempo; estaba más que encantado de permanecer en su habitación a oscuras, esperando a que le llevaran la siguiente comida. A su modo de ver, ya había tenido una cuota de molestias mayor de la que en justicia le correspondía a manos de los styx, y ahora le tocaba a otro resolver los problemas. Así que, para cambiar, estaba bastante sastisfecho de llenar sus días con cosas triviales e insignificantes, lo que incluía jugar con el gato gigante.

—¡Eh, sube de una vez, *Bart*! —dijo en tono irascible, palmeando la cama aún con más fuerza.

Para su sorpresa, el gato entrecerró los ojos y, maullando, empezó a retroceder para salir de la habitación. Luego, con un último maullido sordo, *Bartleby* se fue, echó a correr a toda prisa por el pasillo y se metió en la cocina.

—Maldito minino estúpido —masculló Will con desilusión, y se cruzó de brazos enfurruñado.

Al oír el alboroto, la señora Burrows se acercó a investigar.

—¿Qué le has dado a ese gato? —preguntó.

—No tengo ni la más remota idea —respondió Will—. Algo ha debido de ponerlo nervioso. No se parece en nada a *Bartleby*, eso sin duda.

La señora Burrows permaneció en la puerta un instante, mirando fijamente a su hijo con sus ojos ciegos. Entonces olfateó y dijo:

—La cena está casi lista. Espero que tengas hambre.

—No lo dudes, mami.

Al principio le había resultado un poco raro formar parte de la nueva vida de su madre en la Colonia y de su aparente dicha doméstica con el Primer Agente. Aunque, en cierto sentido, Will creía que tenía todo el derecho a estar allí; se estaba resarciendo del tiempo perdido, porque cuando vivían todos juntos en Highfield, jamás había conocido algo parecido. Durante todos aquellos años, la señora Burrows había distado mucho de ser una madre perfecta, ya que empleaba sus días en ver su querida televisión y poco más. ¡Y por supuesto no había cocinado para él!

—¿A que no adivinas lo que vamos a cenar? —preguntó la mujer con una sonrisa, mientras ella y su hijo iniciaban su pequeña broma cotidiana.

—Esto..., ¿no será un estofado de *Boletus edulis*, por

casualidad? —respondió Will, siguiéndole el juego y fingiendo que aquello era una asombrosa novedad, cuando lo cierto es que los grandes hongos constituían casi exclusivamente la dieta de los Colonos, que los comían un día sí y otro también.

La señora Burrows carraspeó.

—Eliza me ha dicho que Stephanie vino a verte hoy otra vez —dijo como si tal cosa, porque sabía que Will seguía extrañando muchísimo a Elliott—. No te haría ningún daño dejar entrar a la pobre chica y hablar con ella.

—Puede… —respondió su hijo sin comprometerse—. Cuando me sienta mejor.

La señora Burrows no iba a insistir sobre el tema; ya estaba a punto de salir de la habitación, cuando Will dijo:

—Si ese gato no va a volver, ¿te importa cerrar la puerta, por favor, mamá?

—Pues sí que le has cogido afición a la oscuridad ahora, ¿no?

Will había pedido que quitaran la esfera luminiscente del aplique del centro del techo porque, incluso recubierta, le había mantenido en vela. Por supuesto, a la señora Burrows le daba igual que hubiera luz o no, y todos los Colonos habían crecido viviendo con una iluminación constante, incluso durante los períodos de sueño, porque las esferas ardían incesantemente.

—Así es. Sí —respondió él, y cuando su madre cerró la puerta, soltó un largo suspiro y se dispuso a saborear la oscuridad absoluta de la habitación.

«Ah, la maravillosa oscuridad achocolatada», pensó, dejando que le envolviera ahora que estaba solo.

En el silencio de la casa, por el pasillo le llegaron desde la cocina fragmentos de la conversación entre su madre y el Primer Agente. Ella estaba hablando del extraño comportamiento del Cazador, y luego se oyó un gran estrépito cuando a la mujer se le cayó algo y maldijo en voz alta. Pareció una olla, así que probablemente la cena de ese día hubiera acabado en el suelo. A todas luces la señora Burrows seguía teniendo mucho que aprender en lo tocante a las labores domésticas.

Se oyó la atronadora voz del Primer Agente; Will no podía distinguir las palabras, aunque el hombre parecía preocupado. Luego oyó declarar a su madre, con bastante claridad porque estaba en la puerta de la cocina y mirando hacia el pasillo:

—Sé que pensarás que estoy loca, pero te lo aseguro…, huelo a styx. Es un olor apenas perceptible, ¡pero está en esta casa!

La atronadora carcajada del Primer Agente inundó la casa.

—Estás loca —dijo, cariñosamente.

—Qué razón llevas, colega. Está loca —repitió Will en un susurro, riéndose para sus adentros.

Pero dejó de reírse cuando la evidencia se abrió camino en su mente.

La manera en que *Bartleby* reaccionaba ante él.

Sus ansias repentinas de estar a oscuras.

El sentido extraordinario de su madre, que rara vez se equivocaba.

Se puso las manos en el estómago, palpándoselo con cuidado. Jiggs le había dicho que las vainas styx podrían haber dejado algo: sustancias químicas, enzimas…

Se incorporó lentamente.

¿Estaba experimentando algún cambio?

¿Se estaba transformando en otra cosa?

¿En un styx?

Se quedó inmóvil durante un instante, y luego sacudió la cabeza.

—¿Es que esto no acabará nunca? —gritó.

Agradecimientos

Me gustaría expresar mi agradecimiento a:

Barry Cunningham, editor de la serie Túneles, sin quien no habría habido ni principio ni fin. Tiene la paciencia de un santo (la que ha necesitado para tratar conmigo), así como la imaginación, comprensión y tacto que me han ayudado y animado a lo largo de todos estos libros. Así que, gracias por todo, Barry. Al final lo conseguimos. Aquí estamos. Bueno, ¿y qué hay de esa película que prometiste?

También quisiera darte las gracias a ti, lector. De no ser por todos vosotros, lectores, que habéis apoyado mi serie a lo largo de los años, no hubiera sido posible que yo estuviera escribiendo estas palabras en este momento. Así que gracias. ¡Y, sí, me importa lo que pensáis y leo vuestras reseñas!

A The Chicken House: Rachel, Nicki, Steve y Esther y al resto del equipo que ha contribuido a que los libros sean lo que son.

A Karen Everitt, quien ha desempeñado un papel decisivo para que me mantenga en el buen camino con cada nueva entrega, y que se ha dado cuenta de todo lo que me dejaba en el tintero. ¡Y han sido muchas cosas!

Y a todas las personas en el ancho mundo que han contribuido a enriquecer la serie, y cuya ayuda no tiene precio. Sé que provocaré enfados por no enumerarlas a todas, pero me gustaría citar a las siguientes: Sirius Holmes, Kirill Barybin, Matthew Horsman, Joel Guelzo, Simon Wilkie, Craig Turner y Julian Power.

Y, por supuesto, a mi familia: Sophie, George y Frankie, quienes ahora tienen permiso para volver a entrar en mi estudio. Pienso que sólo puedo escribir porque tengo una convicción casi religiosa de que estoy haciendo lo que corresponde, y sé que a veces eso no es fácil para quienes me rodean.

Y, por último, quiero decir adiós a mi amigo. Will, de verdad que voy a echarte de menos.

RODERICK GORDON

Pero si me dejas y cambias mi amor por otro, algún día lo lamentarás. Tú eres mi alegría…
Por favor, no me la quites.

«You Are My Sunshine» por Jimmie Davis
y Charles Mitchell, 1940